QUEM VAI DORMIR COM QUEM?

MADELEINE WICKHAM

QUEM VAI DORMIR COM QUEM?

Tradução de
ALICE FRANÇA

EDITORA RECORD
RIO DE JANEIRO • SÃO PAULO
2012

CIP-BRASIL. CATALOGAÇÃO-NA-FONTE
SINDICATO NACIONAL DOS EDITORES DE LIVROS, RJ

Wickham, Madeleine, 1969-
W627q Quem vai dormir com quem?/ Madeleine Wickham; tradução de Alice França Moreira. – Rio de Janeiro: Record, 2012.

Tradução de: Sleeping arrangements
ISBN 978-85-01-08947-2

11-5150 1. Romance inglês. I. Moreira, Alice França. II. Título.

CDD: 823
CDU: 821.111-3

TÍTULO ORIGINAL EM INGLÊS:
Sleeping arrangements

Texto revisado segundo o novo Acordo Ortográfico da Língua Portuguesa.

Editoração eletrônica: Mari Taboada

Direitos exclusivos de publicação em língua portuguesa somente para o Brasil adquiridos pela
EDITORA RECORD LTDA.
Rua Argentina, 171 - Rio de Janeiro, RJ - 20921-380 - Tel.: 2585-2000, que se reserva a propriedade literária desta tradução.

Impresso no Brasil

ISBN 978-85-01-08947-2
Seja um leitor preferencial Record.
Cadastre-se e receba informações sobre nossos lançamentos e nossas promoções.
Atendimento e venda direta ao leitor:
mdireto@record.com.br ou (21) 2585-2002.

Para meus pais, com amor.

CAPÍTULO UM

O sol era uma deslumbrante bola luminosa que inundava a pequena sala de Chloe, tornando-a quente como um forno. Ao inclinar o corpo para se aproximar de Bethany Bridges, Chloe sentiu uma gota de suor sob seu vestido de algodão fazer um caminho desatento por sua espinha dorsal, como um pequeno besouro. Ela enfiou um alfinete em uma grossa prega de seda branca, puxou com força o tecido contra a pele de Bethany e sentiu a garota arfar, assustada.

Estava quente demais para se trabalhar, pensou Chloe, afastando-se e tirando da testa mechas do cabelo fino e claro. Certamente quente demais para se ficar naquela sala abafada, forçando uma garota ansiosa e acima do peso a entrar em um vestido de casamento quase dois manequins abaixo do dela. Chloe olhou o relógio pela centésima vez e sentiu um leve sobressalto de animação. Estava quase na hora. Em alguns minutos o táxi chegaria, colocando um ponto final naquela tortura e marcando oficialmente o início das férias. Estava louca de ansiedade; tomada por uma desesperada necessidade de fuga. Seria apenas uma semana, mas isso já era o bastante. Uma semana tinha que ser o bastante.

Longe, pensou, fechando os olhos durante alguns segundos. *Longe de tudo.* Desejava tanto esse momento que isso quase a assustava.

– Certo – disse ela, abrindo os olhos e piscando.

Por um instante mal conseguia se lembrar do que estava fazendo; não conseguia sentir nada além do calor e da fadiga. Ficara acordada até as 2 da manhã fazendo bainha em três vestidinhos de damas de honra para atender um pedido de última hora. A seda, em um horrível padrão cor-de-rosa escolhido pela noiva, ainda parecia dançar na frente dos seus olhos; seus dedos continuavam doloridos dos furos da agulha.

– Certo – repetiu, tentando demonstrar profissionalismo.

Com o olhar concentrado na pele úmida de Bethany, que saltava por cima do vestido como um bolo que cresceu demais, ela fez uma careta mental. Depois, virou-se para a mãe de Bethany, que estava sentada no pequeno sofá observando tudo com os lábios comprimidos, e disse:

– Isto é o máximo de ajuste que eu consegui fazer. Mas continua muito apertado... Como se sente, Bethany?

As duas mulheres viraram-se para Bethany, cujo rosto tornava-se lentamente marrom-arroxeado.

– Não consigo respirar – arquejou a garota. – As minhas costelas...

– Ela vai ficar bem – disse a Sra. Bridges, apertando os olhos ligeiramente. – Você só precisa fazer uma dieta, Bethany.

– Estou passando mal – sussurrou Bethany. – É sério, não consigo respirar.

Em um desespero silencioso, ela olhou para Chloe, que sorriu diplomaticamente para a Sra. Bridges.

– Eu sei que este vestido é muito especial para você e para a sua família. Mas se realmente está pequeno demais para Bethany...

– Não está pequeno demais! – irritou-se a Sra. Bridges. – Ela é que está grande demais! Quando usei esse vestido, eu tinha cinco anos a mais do que ela. E ficava frouxo no meu quadril.

Involuntariamente, Chloe olhou para o quadril de Bethany, que pressionava a costura do vestido como um imenso manjar branco.

– Em mim não está frouxo – declarou Bethany sem rodeios. – Está horrível, não está?

– Não! – respondeu Chloe imediatamente. – Claro que não. É um vestido lindo. Você apenas... – ela pigarreou – ... só parece um pouco desconfortável nas mangas... e talvez na cintura...

Ela foi interrompida por um barulho na porta.

– Mãe! – O rosto de Sam surgiu. – Mãe, o táxi chegou. E eu estou *derretendo*.

Ele limpou o suor da testa com a camiseta, expondo um torso magro e bronzeado.

– Já? – perguntou Chloe, olhando o relógio. – Bem, avise ao seu pai, está bem?

– Pode deixar – disse Sam.

Seus olhos deslocaram-se para a deprimente figura atada de Bethany e uma risada agourenta começou a surgir no rosto do garoto de 16 anos.

– Obrigada, Sam – disse Chloe rapidamente, antes que ele pudesse dizer alguma coisa. – Então... então vá e avise ao seu pai que o táxi chegou. E veja o que o Nat está fazendo.

A porta se fechou atrás dele e ela suspirou aliviada.

– Certo – disse Chloe, despreocupadamente. – Bem, eu preciso ir. Então, acho que podemos deixar como está por hoje. Se você *realmente* pretende usar este vestido...

– Ela vai entrar nele – cortou a Sra. Bridges em um tranquilo tom ameaçador. – Terá apenas que fazer um esforço. Sabe como é, não se pode ter duas coisas ao mesmo tempo! – Bruscamente, ela se virou para Bethany. – Não se pode comer bolo com calda de chocolate toda noite e entrar num manequim 38!

– Algumas pessoas conseguem – argumentou Bethany, desconsolada. – Kirsten Davis come tudo o que gosta e é manequim 36.

– Então ela é sortuda – replicou a Sra. Bridges. – A maioria das pessoas não tem tanta sorte. Temos que fazer uma escolha. Temos que exercer o *autocontrole;* fazer *sacrifícios* na vida. Não é, Chloe?

– É – respondeu Chloe. – Acho que sim. De qualquer maneira, como expliquei antes, estou saindo de férias hoje. E o táxi acabou de chegar para nos levar a Gatwick. Então, se pudermos marcar...

– Você não vai querer ficar igual a um porco gordo no dia do seu casamento! – exclamou a Sra. Bridges. Para espanto de Chloe, a mulher se levantou e começou a torcer a flácida carne da filha. – Veja isto! De onde veio tudo isto?

– Aaaai! – gritou Bethany. – Mãe!

– Sra. Bridges...

– Você quer parecer uma princesa! Toda moça quer fazer o esforço de estar em sua melhor aparência no dia do casamento. Tenho certeza de que foi assim com você, não foi? – O olhar fixo e penetrante da Sra. Bridges aterrissou em Chloe. – Tenho certeza de que você fez de tudo para parecer o mais bonita possível no dia do seu casamento, não foi?

– Bem – disse Chloe. – Para falar a verdade...

– Chloe? – O cabelo escuro e encaracolado de Philip surgiu na porta. – Desculpe interromper, mas realmente temos que ir. O táxi está esperando...

– Eu sei – assentiu Chloe, tentando não demonstrar o nervosismo. – Eu sei. Já estou indo... *assim que eu conseguir me livrar dessas malditas pessoas que chegam meia hora atrasadas e não percebem o quanto estão sendo inconvenientes* – completou ela apenas com o olhar, e Philip deu um aceno imperceptível com a cabeça.

– Como era o seu vestido de noiva? – perguntou Bethany com ar saudoso, assim que Philip foi embora. – Aposto que era maravilhoso.

– Eu não me casei – disse Chloe, pegando a caixa de alfinetes. Se ela conseguisse convencer a garota a desistir do vestido...

– O quê? – indignou-se a Sra. Bridges lançando os olhos a Bethany e ao redor da sala, repleta de pedaços de seda, como se suspeitasse de um truque. – Como assim, nunca se casou? Quem era aquele homem, então?

– Meu companheiro de longa data, Philip – disse Chloe, esforçando-se para ser educada. – Estamos juntos há 13 anos. – Ela sorriu para a Sra. Bridges. – Mais tempo do que muitos casamentos.

E por que é que estou dando explicações a você?, pensou Chloe, furiosa.

Porque três provas de roupa em Bethany mais seis vestidos de damas de honra valem mais de mil libras, respondeu prontamente o seu cérebro. *Além disso, só preciso ser educada por mais dez minutos. Posso aguentar dez minutos. Então, elas irão embora; e nós também. Por uma semana inteira. Sem telefonemas, sem jornais, sem preocupações. Ninguém sequer saberá onde estamos.*

O AEROPORTO DE GATWICK estava abafado, cheio e barulhento, como sempre. As pessoas nas filas do voo fretado reclinavam-se desanimadas sobre seus carrinhos; crianças choramingavam e bebês berravam. O sistema de alto-falantes, de forma quase triunfante, anunciava um atraso após outro.

Nada disso incomodava Hugh Stratton, no check-in da classe executiva da Regent Airways. Ele tateou o bolso interno da jaqueta de linho, retirou quatro passaportes e os entregou à moça no balcão.

– Você está viajando com...

– Minha esposa. E minhas filhas – disse Hugh apontando para Amanda, que estava a alguns metros dele, falando ao celular, com as duas meninas agarradas à sua perna. Ao perceber o olhar do marido, ela se aproximou do balcão e se identificou.

– Amanda Stratton. E estas são Octavia e Beatrice.

– Ótimo – disse a moça, sorrindo. – Só preciso conferir.

– Desculpe, Penny – disse Amanda de volta ao telefone. – Antes de viajar, eu gostaria de verificar as cores para aquele segundo quarto...

– Aqui estão seus cartões de embarque. – A moça sorriu, entregando a Hugh a pequena pilha de documentos. – A sala de espera da classe executiva fica no andar superior. Boa viagem.

– Obrigado – disse Hugh. – Com certeza será uma boa viagem.

Ele sorriu, guardando os cartões de embarque no bolso, e foi em direção a Amanda, que ainda falava ao telefone, aparentemente sem perceber que estava atrapalhando o caminho dos passageiros na fila do check-in da classe econômica. Várias pessoas estavam à sua volta: os homens admiravam suas longas pernas bronzeadas, as mulheres olhavam, com inveja, para seu vestido tubinho da Joseph, as vovós sorriam para Octavia e Beatrice com seus macacõezinhos azuis combinando. Sua família parecia saída de uma revista, pensou Hugh de modo imparcial. Nenhuma imperfeição; nada fora do lugar.

– Tudo bem – dizia Amanda ao telefone quando ele se aproximou. Ela passou a mão bem cuidada pelo cabelo curto, escuro e brilhante e examinou as unhas. – Bem, desde que o linho chegue a tempo...

Só um minuto, ela sussurrou para Hugh, que assentiu com a cabeça e abriu o *Financial Times.* Se ela estava ao telefone com o decorador, a conversa iria demorar.

Havia pouco ficara decidido que vários cômodos de sua casa em Richmond deveriam ser redecorados, enquanto a família estivesse na Espanha. Quais cômodos exatamente, Hugh ainda não sabia. Como também não sabia por que alguma parte da casa precisava ser reformada; afinal, eles tinham mandado trocar tudo quando a compraram, três anos antes. Com certeza o papel de parede não deteriora tão rápido assim.

Mas quando Amanda o colocou a par do "projeto de reforma", ficara óbvio que a decisão básica de reformar ou não já havia sido tomada. Também ficara claro que sua participação era meramente a de consultoria, na qual ele não tinha nenhum poder de veto. Aliás, nenhum poder executivo.

No trabalho, Hugh Stratton era o Chefe da Estratégia Corporativa de uma grande e dinâmica empresa. Tinha uma vaga cativa no estacionamento em frente ao edifício, um assistente pessoal atencioso e era admirado por um grande número de jovens executivos ambiciosos. Hugh Stratton, como era amplamente reconhecido, dominava como poucos a estratégia comercial no atual mundo dos negócios. Quando ele falava, as pessoas o ouviam.

Em casa, ninguém o ouvia. No conforto do lar, sentia-se como o acionista da terceira geração da família, onde lhe era permitido permanecer no conselho administrativo por motivos sentimentais e devido ao sobrenome, mas que, na realidade, na maior parte do tempo só incomodava.

– Tudo bem, ótimo – disse Amanda. – Eu voltarei a ligar durante a semana. *Ciao*. – Ela pôs o celular na bolsa e olhou para Hugh. – Certo. Desculpe.

– Tudo bem – assentiu Hugh educadamente. – Não tem problema.

Houve uma breve pausa, durante a qual Hugh sentiu o constrangimento de um anfitrião incapaz de preencher o silêncio durante o jantar.

Mas aquilo era ridículo. Afinal, Amanda era sua esposa. A mãe das suas filhas.

– O que ficou resolvido? – perguntou ele, pigarreando.

– A babá chegará ao meio-dia – respondeu Amanda, olhando o relógio. – Espero que ela seja boa.

– Ela foi recomendada pela babá que trabalha para a Sarah, não é? – perguntou Hugh, tomando ansiosamente o fio da conversa.

– Bem... – disse Amanda. – Sim, ela recomendou. Mas esses australianos recomendam uns aos outros. Não significa que sejam boas indicações.

– Tenho certeza de que ela é boa – disse Hugh, tentando parecer mais confiante do que realmente se sentia.

Desde que ela não seja como a garota da Ucrânia, que veio para trabalhar como babá mas chorava toda noite no quarto e acabou indo embora depois de uma semana. Hugh nunca descobrira exatamente o que acontecera, já que a moça não aprendeu a falar inglês e seu último lamento tinha sido em russo.

– É. Espero que sim.

Havia um tom ameaçador na voz de Amanda, e Hugh sabia exatamente o seu significado: *Poderíamos ter ido ao Club Med, que tem o serviço de baby-sitting, e evitado todo este trabalho.* Significava também: *Espero que essa casa na Espanha atenda as expectativas.* Ou ainda: *Se algo der errado, a culpa é sua.*

– Então – disse Hugh apressadamente. – Você quer... um café? Quer comprar alguma coisa?

– Para falar a verdade, acabei de perceber que não trouxe a minha bolsa de maquiagem. – A testa de Amanda franziu ligeiramente. – Que droga. Eu simplesmente esqueci de colocá-la na mala esta manhã.

– Certo! – disse Hugh cordialmente. – Projeto Maquiagem. – Ele sorriu para Octavia e Beatrice. – Vamos ajudar a mamãe a escolher maquiagem?

– Não preciso escolher – disse Amanda assim que os três fizeram menção de se mover. – Sempre uso a mesma coisa: base e batom da Chanel, lápis de olho e rímel da Lancôme, sombra da Bourjois número 89... Octavia, por favor, pare de empurrar. Graças a Deus guardei o filtro solar separadamente... Octavia, pare de empurrar Beatrice! – Sua voz aumentou, exasperada. – Essas *crianças*...

– Se você quiser, eu posso levá-las a algum lugar enquanto você vai até a loja – sugeriu Hugh. – Beatrice? Quer vir com o papai?

Ele estendeu a mão para a filha de 2 anos, que choramingava e se agarrava à perna da mãe.

– Não se preocupe – disse Amanda, revirando os olhos. – Vamos só dar um pulinho na Boots. Mas o que eu vou fazer se eles não tiverem Chanel...

– Vá sem nada – sugeriu Hugh, olhando o corpo bronzeado da esposa. – Vá nua.

Amanda lançou-lhe um olhar inexpressivo.

– Vá *nua*? O que você quer dizer com isso?

– Nada – disse Hugh após uma pausa, e forçou um sorriso. – Foi só uma piadinha.

O SOL PARECIA ZOMBAR de Philip no chão quente, enquanto ele passava as malas para um suado motorista de táxi não oficial. Era o mês de julho mais quente dos últimos vinte anos na Inglaterra: dia após dia de calor intenso, estilo mediterrâneo, que pegara agradavelmente o país de surpresa. Para quê viajar para o exterior?, os estranhos perguntavam-se, de modo convencido, nas ruas.

E ali estavam eles, indo para uma casa desconhecida na Espanha.

– Mais bagagens? – perguntou o motorista, levantando-se e esfregando a testa.

– Não sei – disse Philip, virando-se em direção à casa. – Chloe?

Não houve resposta. Philip deu meio passo em direção à casa e logo parou, tomado pela apatia do calor. Estava quente demais para andar 3 metros, imagine centenas de quilômetros. Por que será que eles estavam demorando tanto? Que *ideia* fora essa de organizar férias na Espanha, com tantas outras opções?

– Não se apresse – disse o motorista confortavelmente, recostando-se no carro.

Uma menina de patins passou por eles, olhando curiosa por cima do seu pirulito, e Philip se viu retribuindo o olhar de modo ressentido. Sem dúvida, ela estava a caminho do refúgio de algum gramado fresco e sombreado. Algum jardim inglês, verde e agradável. Ao passo que ele tinha que ficar ali, sob o calor escaldante, sem expectativa, exceto por uma viagem desconfortável em um Ford Fiesta sem ar-condicionado, seguida por outra viagem ainda mais desanimadora em um avião lotado. E depois disso, o que viria?

"O paraíso", como Gerard denominara sua casa de campo, tremulando um copo de conhaque no ar. "Puro Paraíso da Andaluzia, meus queridos. Vocês vão adorar." Mas Gerard era um sommelier, portanto, palavras como "paraíso", "néctar" e "ambrosia" eram proferidas muito corriqueiramente. Se ele podia descrever um sofá Habitat perfeitamente comum como "transcendental", e havia registro de que ele o fazia, então o que esperar dessa casa de campo tida como "Paraíso"?

Todo mundo sabia o quanto Gerard era desorganizado e o quanto ficava perdido quando se tratava de coisas práticas. Ele afirmava ser disléxico para coisas do tipo "faça você mesmo"; incapaz de trocar uma lâmpada, muito menos manejar um martelo. "O que *é* exatamente uma bucha?", ele costumava perguntar aos seus hóspedes, erguendo as sobrancelhas, esperando pelas gargalhadas. Quando uma pessoa estava no seu luxuoso apartamento de Holland Park, bebendo seu vinho caro, essa ignorância sempre parecia apenas mais um dos seus divertidos maneirismos. Mas o que isso tinha a ver com essa viagem? De repente, imagens de encanamento entupido e gesso esfarelado começaram a povoar a mente de Philip e ele franziu o cenho. Talvez não fosse tarde demais para desistir da ideia. Pelo amor de Deus, o que estas férias poderiam oferecer que não pudesse ser obtido, e a um custo muito menor, com uma curta viagem a Brighton e uma noite em um bar de tapas?

Ao pensar nas despesas, seu coração começou a disparar e ele respirou profundamente. Porém, alguns sinais do pânico suprimido começavam a escapar, procurando um lugar para se alojarem em sua mente. Quanto eles gastariam nestas férias? Qual seria o total, incluindo todos os passeios e as despesas extras?

Não muito no contexto mais amplo, ele repetiu para si mesmo com firmeza, pela centésima vez. Não muito em comparação com as extravagâncias de outras pessoas. Se tudo corresse conforme o planejado, se não houvesse nenhuma surpresa, estas seriam férias modestas, despretensiosas.

Mas por quanto tempo tudo correria conforme o planejado?

Tomado por uma nova onda de medo, ele fechou os olhos tentando se acalmar, tentando esvaziar a mente dos pensamentos que o atacavam sempre que ele se permitia baixar a guarda. Ele prometera a Chloe que tentaria relaxar nesta semana; eles tinham combinado que sequer tocariam nesse assunto. Seria uma semana de fuga em todos os níveis. Deus sabia o quanto eles precisavam disso.

O taxista acendeu um cigarro. Philip suprimiu o desejo de pedir um e olhou o relógio. Ainda estava cedo para o voo, mas mesmo assim...

– Chloe? – chamou ele, dando um passo em direção à casa. – Sam? Vocês estão vindo?

Houve um momento de silêncio, durante o qual o sol pareceu mais forte do que nunca. Então, a porta da frente se abriu e Sam apareceu, seguido de perto por Nat, o filho de 8 anos. Os dois garotos estavam usando bermudas de surfe largas, óculos escuros de armação fechada e andavam com a atitude arrogante típica dos adolescentes.

– E aí? – disse Sam, confiante, dirigindo-se ao taxista. – E aí, pai?

– E aí? – repetiu Nat com sua voz aguda.

Ambos colocaram suas bagagens no porta-malas e se sentaram no muro do jardim, com seus fones de ouvido.

– Nat e Sam – disse Philip. – Vocês poderiam entrar no carro, por favor?

Houve silêncio. Era como se eles estivessem em outro planeta.

– Nat, Sam – repetiu Philip, levantando a voz com firmeza. Ele olhou para o taxista que o observava com ar cínico e rapidamente desviou o olhar. – Entrem no carro!

– Não tem pressa – disse Sam, dando de ombros.

– Sam, nós vamos viajar. O avião sai em... – Philip diminuiu o tom e, sem muita convicção, olhou o relógio. – Não importa.

– A mamãe nem está pronta – argumentou Sam. – A gente entra no carro quando ela chegar. Sem estresse – disse ele, calmamente sentado no muro, enquanto Philip o observava um pouco impressionado, apesar de sua irritação.

Na verdade, ele pensou, Sam não estava deliberadamente criando empecilhos ou agindo de modo impertinente. Ele apenas acreditava que sua opinião era tão importante como a de qualquer adulto. Aos 16 anos, achava que o mundo era tão seu quanto de qualquer outra pessoa. Um pouco mais, talvez.

Provavelmente ele tinha razão, pensou Philip, ressentido. Talvez, nos dias de hoje, o mundo realmente pertencesse aos jovens, com sua linguagem de computador, colunistas adolescentes e milionários da internet; com sua demanda por velocidade, novidade e imediatismo. Tudo era imediato, tudo era on-line, tudo era fácil. E os seres humanos lentos e desnecessários eram simplesmente rejeitados, como as partes obsoletas de um hardware.

Um desconforto familiar surgiu no peito de Philip, e para desviar a atenção ele pôs a mão no bolso interno da jaqueta e verificou os quatro passaportes. Pelo menos eles ainda não tinham posto *isto* no computador, pensou de forma primitiva. Estes eram verdadeiros, sólidos e insubstituíveis. Ele folheou os documentos lentamente, olhando cada fotografia. Primeiro a dele, tirada no ano anterior, embora parecesse uns dez anos mais jovem. Em seguida, a foto de Nat, aos 4 anos, com os olhos arregalados e apreensivos. Depois, a de Chloe, aparentando uns 16 anos, com os mesmos olhos azuis de Nat e o mesmo cabelo fino e loiro. Finalmente a de Sam aos 12 anos, bronzeado e sorrindo despreocupado para a câmera. "Samuel Alexander Murray", atestava o passaporte.

Philip fez uma pausa, fitando com ternura o semblante irreprimível de Sam aos 12 anos. Samuel Alexander Murray.

S. A. M.

Eles haviam trocado oficialmente o sobrenome Harding quando ele tinha 7 anos e Chloe engravidara de Nat.

– Não quero que os meus filhos tenham nomes diferentes – sentenciara ela, com a voz chorosa e sensibilizada pela gravidez. – Não quero que sejam diferentes. E, agora, você é o pai do Sam.

– Claro que sou – assentira Philip, tomando-a nos braços. – É claro que sou o pai dele. Eu sei disso, e o Sam também. Mas o *nome*... isso é irrelevante.

– Não importa. Eu faço questão. – Seus olhos estavam cheios de lágrimas. – É muito importante para mim, Philip.

E assim foi feito. Por mera educação, ela entrou em contato com o pai biológico de Sam, que era professor na Cidade do Cabo, para colocá-lo a par da troca no nome de Sam. Resumidamente, ele respondeu que não se incomodava com o nome que dariam à criança. Pediu apenas que Chloe mantivesse sua parte do acordo e não fizesse contato novamente.

Assim, eles preencheram os formulários e registraram Sam como Murray. E, para surpresa de Philip, embora se tratasse de uma mudança superficial, ele se viu estranhamente afetado diante do fato de um garoto de 7 anos – com quem não tinha laços consanguíneos – passar a ter seu nome. Chegaram inclusive a abrir uma garrafa de champanhe para comemorar. De certo modo, essa havia sido a coisa mais próxima de um casamento que tiveram.

Seus pensamentos foram interrompidos quando a porta da frente se abriu, e ele viu Chloe conduzir suas últimas clientes até a rua: uma moça corada usando bermuda e uma mãe irritável que por um breve momento lhe lançou um olhar desconfiado. Ao lado da dupla, com seu vestido folgado de algodão, Chloe parecia calma e serena.

– Pense nisso, Bethany – dizia ela. – Tchau, Sra. Bridges. Foi bom vê-la novamente.

Houve um silêncio educado, enquanto a mulher e a garota andaram em direção ao Volvo. Quando as duas fecharam as portas do carro, Chloe suspirou.

– Finalmente! – Ela olhou para Philip, com os olhos iluminados. – Finalmente! Nem consigo acreditar que está tudo pronto.

– Então você ainda pretende ir – disse Philip, brincando, mas com uma parcela de verdade.

– Seu bobo – disse Chloe com um largo sorriso. – Vou só pegar a minha mala...

Ela entrou na casa e Philip olhou para Sam e Nat.

– Muito bem, vocês dois. Podem entrar no táxi agora ou vamos deixá-los aí mesmo. A escolha é de vocês.

A cabeça de Nat fez um gesto nervoso e ele lançou os olhos ao irmão mais velho. Houve uma breve pausa. Então, sem demonstrar preocupação, Sam levantou-se, sacudiu o corpo como um cachorro após um banho e se dirigiu lentamente ao carro. Com uma nítida expressão de alívio, Nat o seguiu e colocou o cinto de segurança. O taxista ligou o motor e a voz alegre de um locutor cortou o silêncio da rua.

– Tudo bem! – Chloe apareceu ao lado de Philip, ligeiramente corada, segurando uma enorme mala de vime. – Tranquei tudo, portanto estamos prontos! Espanha, lá vamos nós.

– Ótimo! – disse Philip, tentando demonstrar um entusiasmo semelhante. – Espanha, lá vamos nós.

Chloe olhou para ele.

– Philip... – ela começou e suspirou. – Você prometeu que tentaria...

– Curtir as férias.

– Exato! Só para variar?

Houve silêncio.

– Desculpe – disse Chloe, coçando a testa. – Isso não é justo. Mas... Eu realmente preciso de férias, Philip. Nós dois precisamos... Ficar longe de casa e... e das pessoas... e...

– E... – disse Philip, sem completar a frase.

– Isso mesmo – disse Chloe, olhando nos olhos dele. – Isso acima de tudo. Apenas por uma semana, eu nem quero pensar sobre isso.

Ouviu-se o barulho de um avião, e, embora estivessem acostumados com o trajeto aéreo, eles involuntariamente inclinaram a cabeça para olhar para a aeronave.

– O relatório fica pronto esta semana – disse Philip, olhando para o céu azul. – A decisão será tomada, de um jeito ou de outro.

– Eu sei – disse Chloe. – E você sabe que não há absolutamente nada que possa fazer a respeito, a não ser preocupar-se, ficar obcecado e desenvolver uma úlcera. – Ela franziu a testa. – Trouxe seu celular?

Após um momento de hesitação, Philip o tirou do bolso. Chloe tomou o aparelho das mãos do companheiro, foi até o portão de casa e o colocou na caixa de correio.

– Estou falando sério, Philip – disse ela, virando-se para ele. – Não vou permitir que nada estrague essas férias.

Ela foi até o táxi e abriu a porta.

– Agora, vamos.

CAPÍTULO DOIS

A babá estava atrasada. Conforme o combinado, Amanda estava à mesa do Costa Coffee tamborilando os dedos, suspirando impaciente e olhando, a cada momento, para o monitor.

– Eles já vão embarcar – dizia ela repetidamente. – Temos que ir. O que devemos fazer? Abordar cada garota de 20 anos que virmos no avião e perguntar se ela se chama Jenna?

– A poltrona dela é do lado da nossa – lembrou Hugh com delicadeza. – Vai ficar bastante fácil descobrirmos quem ela é.

– Sim, mas esse não é o problema – disse Amanda, inquieta. – Tínhamos combinado que ela teria um primeiro contato com as meninas antes do voo. Então, *ela* cuidaria delas e nós poderíamos relaxar... Estava tudo acertado! Realmente, não sei por que... – Ela parou de falar assim que o celular começou a tocar. – Deus, permita que não seja ela.

Faça com que não seja ela ligando para cancelar; era só o que faltava. Alô? – A expressão de Amanda ficou mais tranquila. – Ah, Penny. Graças a Deus. – Amanda virou para o outro lado e tapou o outro ouvido com a mão. – Tudo bem? A moça da pintura chegou? Como não?

Hugh bebeu um gole do seu café e sorriu para Octavia e Beatrice, que, em silêncio, devoravam um pacote de biscoitos.

– Empolgada com as férias, Octavia? – perguntou ele. – Octavia?

A menina olhou inexpressivamente para ele, esfregou o nariz e comeu outro biscoito. Hugh pigarreou.

– Qual é a sua matéria preferida na escola? – ele tentou, mais uma vez sem resposta.

Será que crianças de 5 anos têm matérias na escola?, ele se perguntou tardiamente. Pelo menos ele sabia que ela ia à escola. Claremount House, 1.800 libras o período, mais almoço, aulas de teatro e outras atividades. O uniforme era verde-escuro.

Ou azul-escuro. Definitivamente verde-escuro ou azul-escuro.

– Sr. Stratton?

Hugh levantou os olhos, surpreso. Uma garota usando jeans sujo, cabelo rastafári ruivo e uma fileira de piercings na sobrancelha o observava com os olhos apertados. Involuntariamente, Hugh ficou apreensivo. Como aquela garota sabia o seu nome? Será que ela iria pedir-lhe dinheiro? Talvez fosse um novo golpe: descobriam o nome da pessoa pelas etiquetas de bagagem, seguiam-na, esperavam a pessoa ficar vulnerável...

– Sou Jenna. – A garota abriu um largo sorriso e estendeu a mão. – Prazer em conhecê-lo!

Hugh sentiu a garganta apertar com o choque.

– Você é... a Jenna? – Ele sabia que sua voz saíra como um grito incrédulo; ainda bem que Jenna não pareceu notar.

– É isso aí! Desculpe o atraso. Perdi a hora fazendo compras, sabe como é.

– Não... não tem problema – disse Hugh, esforçando-se para sorrir educadamente, como se estivesse esperando uma babá que se parecesse mais com o Swampy* do que com a Mary Poppins. – Não se preocupe.

Longe de se preocupar, Jenna nem sequer estava prestando atenção. Ela atirou a mochila ao chão e sentou-se entre Octavia e Beatrice.

– Oi, meninas! Octavia e Beatrice, certo? – Ela não esperou por uma resposta. – Sabem de uma coisa? Estou com um problema. Um graaaaande problema.

– O que é? – perguntou Octavia com certa relutância.

– Excesso de Smarties – respondeu Jenna, balançando a cabeça solenemente. – Minha mochila está cheia deles. Será que vocês podem me ajudar?

De repente, ela fez surgir dois tubos de Smarties e os deu às meninas, que reagiram com gritinhos de alegria. Isso chamou a atenção de Amanda, que, ainda ao telefone, se virou para olhar e ficou paralisada ao ver os coloridos tubinhos de confeitos de chocolate nas mãos das meninas.

– Mas o que é... – Hugh percebeu que os olhos da esposa pousaram em Jenna, analisando seu cabelo tingido, os piercings na sobrancelha e a flor tatuada no ombro. – Quem diabos é...

---

* Ativista ambiental do Reino Unido, famoso por sua aparência suja e por seu cabelo rastafári. *(N. da T.)*

– Amor – interrompeu Hugh apressadamente. – Amor, esta é a Jenna.

– Jenna? – Amanda olhou para o marido, atônita. – *Esta* é… a Jenna?

– Exatamente! – respondeu Hugh com uma falsa amabilidade. – Agora estamos todos aqui. Não é maravilhoso?

– Prazer em conhecê-la – disse Jenna, estendendo a mão para Amanda.

Houve uma pausa. Então, um tanto cuidadosamente, Amanda retribuiu o gesto, cumprimentando-a.

– Como vai?

– Tudo na boa, obrigada – respondeu Jenna, sorrindo. – Suas filhas são umas fofas. Crianças ótimas. Sempre consigo identificar as boas.

– Ah – disse Amanda, espantada. – Bem… obrigada. – A voz de Penny do outro lado da linha tirou Amanda de seu estado de choque. – Ah, desculpe, Penny! Preciso desligar. Sim, está tudo bem. Eu… acho. – Ela desligou o celular e o guardou na bolsa, sem tirar os olhos de Jenna, como se a garota fosse um animal exótico.

– Eu estava explicando ao seu marido que me distraí no free shop – disse Jenna, acariciando a sacola. – Estocando cigarros e bebida.

Houve um silêncio embaraçoso, no qual Amanda olhou para Hugh contraindo a mandíbula.

– Brincadeirinha! – disse Jenna, cutucando Octavia, que começou a dar risadinhas.

– Ah – disse Amanda, desconcertada, tentando rir. – Bem, claro…

– Na verdade são preservativos, para quando eu sair – acrescentou Jenna em tom sério. Então seus olhos brilharam. – Brincadeirinha!

Hugh, que estava boquiaberto, fechou a boca, aliviado. Ele não se atrevia a olhar para Amanda.

– Então, estamos indo para Espanha – continuou Jenna com ar despreocupado, tirando da mochila dois pirulitos para as meninas. – É a primeira vez que vou à Espanha. Vamos ficar perto do mar?

– Acho que é nas montanhas – disse Hugh. – Nunca fomos lá.

– Um velho amigo de Hugh gentilmente nos cedeu a casa por uma semana – disse Amanda, séria, pigarreando em seguida. – O sommelier, Gerard Lowe. Ele é bem conhecido, imagino que você já o tenha visto na televisão.

– Acho que não – disse Jenna, dando de ombros. – Se quer saber, não gosto muito de vinho. Prefiro cerveja. E tequila, quando estou no clima. – Ela olhou para Hugh. – Você vai ter que tomar conta de mim, patrão. Quando o sol brilha e tenho um Tequila Sunrise nas mãos, ninguém me segura. – Ela desembrulhou um pirulito, colocou-o na boca e piscou. – Brincadeirinha!

Hugh lançou os olhos para Amanda e conteve um sorriso. Em oito anos de casamento, ele nunca tinha visto a esposa tão perplexa.

O PERCURSO ATÉ O AEROPORTO fora péssimo: filas intermináveis de viajantes em carros, ônibus e táxis iguais ao deles. Durante o trânsito lento, agravado pela fumaça dos veículos, em que permaneceram em silêncio, Philip sentiu um frio na barriga. A cada trinta segundos ele lançava os olhos ao relógio e sentia outro espasmo de alarme. O que fariam se perdessem o voo? Será que as passagens eram transferíveis? Será que os funcionários do aeroporto seriam prestativos e gentis ou rudes e incompreensivos? Será que ele deveria ter feito um seguro?

Apesar de tudo, eles conseguiram chegar a tempo. A funcionária do check-in da Regent Airways emitiu rapidamente os cartões de embarque e os instruiu a irem direto para o portão de embarque, explicando que não havia tempo de despachar a bagagem e que, portanto, eles mesmos teriam que levá-la.

– Bem! – dissera Chloe quando eles se afastaram do check-in. – Demos sorte! – Animada, ela acariciou o cabelo de Nat. – Não seria nada bom passarmos as férias no aeroporto, não é?

Philip a olhou, incapaz de entender como ela conseguia agir de forma tão positiva. Para ele, o que acontecera não tinha sido sorte. Parecia mais um aviso; um lembrete mostrando que, apesar de todo o planejamento, ninguém pode administrar o próprio destino; e que, às vezes, o melhor é não insistir. Mesmo agora, seguro dentro do avião, bebendo o suco de laranja oferecido como cortesia, ele ainda sentia uma inquietação, uma premonição de que algo daria errado.

Ele segurou o copo com firmeza, odiando-se; querendo se libertar da insegurança que constantemente o importunava. Queria voltar a ser a pessoa que era; a pessoa que era feliz consigo mesma. A pessoa por quem Chloe havia se apaixonado.

– Tudo bem? – perguntou Chloe, sentada ao lado dele, e ele sorriu.

– Tudo.

– Olha só o Nat.

Philip seguiu o olhar de Chloe. A família tinha sido separada em dois pares, e Nat e Sam estavam sentados algumas fileiras à frente deles. Sam já estava com os fones de ouvido, olhando para a frente como se estivesse em transe. Nat, por outro lado, tinha levado estritamente a sério os avisos da tripulação e lia atenta e solenemente as instruções de segurança. Enquanto eles observavam, ele levantou os olhos da folha plastificada e, ao avistar as saídas de emergência, suspirou aliviado.

– Aposto que ele mostrou a Sam todas as portas de emergência – disse Chloe. – E ensinou como se usa uma máscara de oxigênio.

Ela sorriu afetuosamente e tirou um livro da bolsa. Philip bebeu o suco e estremeceu quando a bebida atingiu seu estômago. Ele se contentaria com um conhaque. De preferência, duplo.

Ele abriu o jornal, fornecido pela companhia aérea, mas logo o fechou novamente. Os dois haviam combinado que não haveria jornal nestas férias. No bolso da jaqueta, ele tinha um livro sobre a Rússia, mas sabia que, no estado de espírito no qual se encontrava, não seria capaz de se concentrar o suficiente para ler a história. Então, levou o copo até a boca novamente e, ao pousá-lo, percebeu que o homem sentado ao seu lado olhava para ele. O homem sorriu.

– Bebida horrível – disse o homem antes de apontar para o próprio copo. – Peça uma cerveja. Só uma.

Ele tinha um forte sotaque do sul de Londres e usava uma camisa polo Lacoste, que ficava justinha no seu peito musculoso. Quando ergueu o copo, Philip notou que seu relógio era um enorme Rolex.

– Está viajando de férias? – perguntou.

– É – respondeu Philip. – E você?

– Vou para lá todo ano – disse o homem. – Nada supera o sol da Espanha.

– Ou da Grã-Bretanha, no momento – lembrou Philip.

– É... que dizer – retrucou o homem. – Não se pode *contar* com isso, não é? Esse é o problema. – Ele estendeu a mão carnuda. – Muito prazer, Vic.

– Philip.

– Prazer em conhecê-lo, Phil. – Vic tomou um gole da cerveja e suspirou com satisfação. – Nossa! Como é bom viajar. Trabalho com construção. Cozinhas, extensões... Tem sido uma loucura. Temos trabalhado sem parar.

– Imagino – anuiu Philip.

– Os negócios estão indo *muito* bem. Para você ter uma ideia, deu para quitar nosso apartamento novo. Minha esposa já está lá, tomando sol. – Vic tomou outro gole de cerveja e acomodou-se confortavelmente na poltrona. – E você, Phil, trabalha em quê?

– Eu... – Philip pigarreou. – Banco. É um trabalho extremamente maçante.

– É mesmo? Que banco?

– National Southern – respondeu Philip imediatamente.

Talvez o nome não significasse nada para aquele homem. Talvez ele simplesmente acenasse com a cabeça e dissesse: "Ah, sim."

Mas ele logo viu no semblante de Vic um vago reconhecimento.

– National Southern. Não foi esse grupo que foi comprado por outra empresa, ou algo assim?

– Exatamente. – Ele forçou um sorriso. – Pela PBL. A empresa de internet.

– Eu sabia que era algo parecido. – Vic fez uma pausa, pensativo. – E como isso está afetando os negócios?

– Ninguém sabe ao certo – explicou Philip, forçando-se a manter o sorriso. – Ainda é cedo. – Ele tomou um gole do suco de laranja e suspirou profundamente, admirado com a própria descontração.

Mas ele estava acostumado a isso. O desdém no olhar, a testa franzida, as perguntas perplexas. Alguns faziam as perguntas inocentemente. Outros, que haviam lido além das manchetes, disfarçavam a preocupação com otimismo: "Mas *você* vai ficar bem, não vai?" E ele sempre sorria, dizendo, de forma tranquilizadora, "Eu? Claro". Os rostos preocupados relaxavam, e ele habilmente mudava de assunto e servia mais vinho.

Mais tarde, ele se permitia trocar alguns breves olhares com Chloe. E só quando todos tivessem ido para casa, ele deixava sua máscara, cada vez mais artificial, cair, como uma fantasia em farrapos.

– Com licença – disse Vic com um gesto de cabeça. – Tenho que atender a um chamado da natureza.

Enquanto o homem se afastava no corredor, Philip chamou a comissária de bordo.

– Um conhaque duplo, por favor. – Ele notou que suas mãos tremiam e as levou à cabeça. Imediatamente, sentiu o toque da mão fria de Chloe em seu pescoço.

– Você prometeu – disse ela em voz baixa porém firme. – Prometeu não pensar nisso. Principalmente não falar sobre isso.

– O que eu posso fazer? – Ele levantou a cabeça para olhar para ela, consciente de que estava corado. – O que eu posso fazer se as pessoas começam a me questionar a respeito?

– Você pode mentir.

– Mentir? – Philip fitou Chloe contrariado. Às vezes, ela contemplava a vida de forma tão ridiculamente simples, que parecia uma criança. Pegava o lado melancólico do mundo e via um padrão, uma ordem lógica que fazia sentido. Ao passo que ele só conseguia ver uma desordem aleatória e caótica. – Você está sugerindo que eu minta sobre o meu emprego.

– Por que não? – Chloe gesticulou em direção à poltrona de Vic. – Acha que ele se preocupa com o que você faz? Ele estava apenas conversando. Bem, converse sobre o que *você* bem entender.

– Chloe...

– Você pode dizer às pessoas que é... carteiro. Ou agricultor. Não existe nenhuma lei que diga que você tem que dizer a verdade o tempo todo. Existe?

Philip permaneceu em silêncio.

– Você tem de se proteger – pediu Chloe em tom mais suave, segurando a mão do companheiro. – Esta semana, você não trabalha em banco nenhum. Você é... piloto. Está bem?

Involuntariamente, Philip sentiu um sorriso surgir em seu rosto.

– Está bem – disse ele finalmente. – Piloto.

Ele recostou na poltrona e respirou profundamente algumas vezes, tentando relaxar. Então, olhou na direção de Sam e Nat e, para sua surpresa, viu que os meninos estavam se levantando.

– Seu conhaque, senhor – veio a voz da aeromoça, acima da sua cabeça. – São 2 libras.

– Ah, obrigado – disse Philip, e desajeitadamente procurou por dinheiro trocado no bolso. – Queria saber o que os meninos estão aprontando – disse ele calmamente a Chloe. – Eles se levantaram.

– Não vou me preocupar – disse Chloe, voltando sua atenção para o livro. – Eles podem fazer o que bem entenderem. Afinal, estamos de férias.

– Desde que não se metam em encrenca...

– Eles não vão se meter em encrenca – argumentou Chloe, virando a página do livro. – Afinal, o pai deles é piloto.

– CHAMAM DE CLASSE EXECUTIVA – murmurou Sam para Nat, enquanto os dois andavam cautelosamente pelo corredor. – E você tem direito a um monte de coisas de graça.

– Tipo o quê?

– Tipo champanhe.

– Eles simplesmente *dão* champanhe? – Nat olhou para Sam com ar cético.

– Se você pedir.

– Nunca darão a *você*.

– Ah, não? Observe.

Eles tinham chegado à frente da cabine sem dificuldades. Na frente deles, havia uma cortina azul grossa que, para Nat, significava "Dê meia-volta".

– Tudo bem – murmurou Sam, puxando o tecido ligeiramente e olhando pela fenda. – Há duas poltronas vazias nos fundos. Vá até lá, sente-se naturalmente e finja que é um aristocrata.

– O que é aristocrata?

– Ah, você sabe como é. Do tipo que fala: "*querida*" beijo, beijo.

– Querida – murmurou Nat tentando imitar o irmão. – Sam... – Ele parou.

– Que foi?

– Não sei.

– Então vá. Não tem ninguém olhando.

Lentamente, Sam abriu a cortina, arrastou Nat para o lado de dentro e tornou a fechá-la. Em silêncio, os dois garotos sentaram nas poltronas vazias que Sam tinha visto e se entreolharam com alegria contida. Ninguém levantou os olhos. Ninguém nem sequer os notou.

– Confortável, não é? – perguntou Sam calmamente a Nat, que assentiu com os olhos arregalados.

Era como um mundo diferente, leve, tranquilo e espaçoso, ele pensou. Até as pessoas eram diferentes. Elas não gritavam umas com as outras, não davam gargalhadas estridentes ou reclamavam da comida em voz alta. Todas estavam sentadas tranquilamente; até as duas meninas lá adiante, com vestidos azuis iguais, bebendo o que parecia ser um milk-shake de morango. Nat observou as meninas durante alguns segundos, depois seus os olhos foram um pouco mais à frente e parou assustado.

Alguém os observava. Uma garota de cabelo ruivo rastafári parecia saber exatamente o que eles estavam aprontando. Parecia, Nat pensou, que ela também não fazia parte da classe executiva. Ela estava sorrindo, e quando Nat a avistou, ela ergueu o polegar. Nat desviou o olhar, apavorado, sentindo o rosto ficando vermelho.

– Sam – sussurrou ele, nervoso. – Sam, alguém nos viu.

– E daí? – disse Sam, antes de sorrir. – Olhe, vem vindo uma comissária de bordo.

Nat levantou os olhos e gelou. De fato, uma comissária de bordo vinha na direção deles e não parecia nada contente.

– Desculpe – disse ela assim que chegou bem perto dos dois. – Esta área é reservada aos passageiros da classe executiva.

– Eu sei – disse Sam com um sorriso. – Eu gostaria de beber um champanhe, por favor. E meu jovem sócio também. – Nat deu uma risadinha.

– Para falar a verdade – disse ele –, eu prefiro um milk-shake. Se for possível. Como aqueles – acrescentou ele, apontando para as duas meninas de vestido azul. Mas a comissária não pareceu ouvi-lo.

– Vocês poderiam, por favor, retornar aos seus lugares? – pediu, olhando friamente para Sam.

– Estes são os nossos lugares – disse Sam. – Fomos transferidos.

A aeromoça olhou para ele como se quisesse socá-lo. Entretanto, deu meia-volta e dirigiu-se para a parte da frente do avião. Sam sorriu para Nat.

– Isso é ótimo, não é? Agora podemos contar a todo mundo que viajamos na classe executiva.

– Maneiro – disse Nat sorrindo.

– Olhe, a poltrona reclina se você apertar este botão. – Sam reclinou sua poltrona ao máximo; imediatamente, Nat imitou o gesto do irmão.

– Humm, *querido* – disse Sam, fazendo Nat rir. – Gosto tanto de viajar deitado. E você, querido. Quero dizer, por que sentar quando se pode deitar? Por que se preocupar com...

– Muito bem, meninos – uma voz os interrompeu. – A brincadeira acabou. Ajeitem a poltrona, vocês dois.

O homem que se dirigia a eles ostentava na lapela um distintivo dourado, aparentemente oficial, e segurava uma prancheta.

– Certo – disse ele, enquanto as duas poltronas moviam-se gradualmente para a posição vertical. – Quero que voltem agora mesmo para seus lugares sem uma palavra. Assim, não vou precisar incomodar os seus pais. Está bem?

Houve silêncio.

– Ou – disse o homem – podemos ir agora até eles e explicar exatamente o que está acontecendo.

Após uma pausa, Sam deu de ombros.

– Vamos, Nat – disse ele, levantando a voz ligeiramente. – Eles não querem a plebe por aqui.

Ao se levantarem, Nat notou que todo mundo olhava para eles.

– Adeus – disse ele educadamente à garota de cabelo ruivo rastafári. – Prazer em conhecê-la.

– Adeus – respondeu a garota com um ar compreensivo. – É uma pena você não poder ficar. Ei, quer uma lembrança? – Ela se abaixou e pegou uma *washbag* em que se liam as palavras REGENT AIRWAYS. – Tome. Tem sabonete, xampu, loção pós-barba... – Ela jogou a nécessaire e Nat automaticamente a pegou no ar.

– Valeu! – disse ele satisfeito. – Olha, Sam!

– Bacana – disse Sam, examinando-a. – Bacana mesmo.

– Você quer uma? – veio uma voz da poltrona da frente. Uma mulher idosa virou-se e entregou a Sam uma bolsa idêntica. – Fique com a minha. Não vou usar.

– Obrigado! – disse ele, com um largo sorriso. – Vocês da classe executiva são legais.

Uma risada ecoou ao redor da cabine.

– Já chega – disse rispidamente o homem com o distintivo dourado. – De volta aos seus lugares, vocês dois.

– Adeus, todo mundo! – disse Sam, acenando para todos. – *Muitíssimo* obrigado – disse ele com uma pequena mesura, desaparecendo atrás da cortina.

– Adeus! – disse Nat sem fôlego. – Aproveitem o champanhe. – Enquanto seguia Sam de volta à classe econômica, ele pôde ouvir outra onda de risada.

QUANDO OS DOIS MENINOS desapareceram de vista, houve um pequeno tumulto, à medida que os passageiros da classe executiva voltavam aos seus lugares e retornavam à normalidade.

– Francamente! – disse Amanda, pegando sua revista *Vogue*. – Que cara de pau. Que dizer, eu sei que é um clichê, mas esses garotos de hoje... – Ao virar uma página da revista, uma bota de pele de cobra chamou sua atenção. – Eles pensam que são donos do lugar. Você não acha? – Ela levantou os olhos. – Hugh?

Hugh não respondeu. Ele ainda olhava para o fundo da cabine, para onde os dois meninos tinham ido.

– Hugh! – repetiu Amanda, impaciente. – O que houve?

– Nada – respondeu Hugh, virando-se para ela. – É... aquele garoto. O mais velho.

– O que tem ele? Deve ser um *hooligan*. E a maneira como estava vestido... Aquela bermuda larga horrível que todos eles parecem usar hoje em dia...

Ele pareceu familiar. Seus olhos. Aqueles olhos.

– O que tem ele, afinal? – O olhar condenatório de Amanda encontrou o dele. – Você não acha que deveriam tê-los deixado *ficar*, não é?

– Claro que não! Não. É que... não é nada.

Hugh balançou a cabeça, espantando os pensamentos ridículos, sorriu para a esposa e retomou sua leitura.

CAPÍTULO TRÊS

A estrada ziguezagueava abruptamente, uma faixa estreita esculpida nas rochas poeirentas, subindo a montanha íngreme. Hugh dirigia em silêncio, concentrando-se no caminho, fazendo cada curva com todo o cuidado. A minivan com ar-condicionado ficara aguardando por eles no aeroporto; a bagagem estava toda lá: por enquanto, tudo estava indo de acordo com o planejado.

Ao se aproximar de uma curva especialmente perigosa, ele fez uma pausa e ergueu os olhos, absorvendo as infinitas montanhas verde-acinzentadas, que se erguiam diante deles, as rochas chamuscadas e o céu implacavelmente azul. *Seria um vislumbre do mar à distância?*, ele se perguntou. Nem sequer sabia se estavam na direção certa. Talvez fosse apenas uma miragem, porque, sob o sol escaldante nas montanhas, a mente costuma pregar peças nas pessoas. As perspectivas são alteradas e o julgamento é prejudicado. Qualquer um poderia agir de modo bem estranho em um lugar como aquele, tão distante do resto do mundo, acima de um exame mais minucioso.

Seus olhos percorreram os picos rochosos novamente e ele se deleitou com o prazer de estar em um lugar tão alto. Há um desejo elementar no homem de estar nas alturas, ele pensou. De subir e conquistar e de, logo em seguida, procurar o próximo pico; o próximo desafio.

Hugh conheceu Amanda nas montanhas, embora fosse um lugar diferente daquele. Ele estava em Val d'Isère com um grupo de esquiadores entusiásticos que conhecia desde a universidade; ela estava no chalé próximo, com um grupo de amigas dos tempos de escola. Os dois grupos logo perceberam, com o tipo de coincidência *artificial* típica de estações de esqui, que se conheciam. Ou seja, um dos amigos de Hugh tinha saído uma vez com uma das garotas e outros reconheceram alguém do outro grupo de algumas festas em Londres.

Hugh e Amanda, por outro lado, nunca tinham se visto antes e a atração fora imediata. Ambos eram excelentes esquiadores, ambos eram esguios e bronzeados e ambos trabalhavam no centro financeiro de Londres. No terceiro dia de férias, eles começaram a esquiar juntos fora da pista de esqui; logo depois, para diversão dos amigos, Hugh passava todas as noites no chalé das garotas. Todos concordavam que eles eram um casal perfeito; que os dois juntos formavam um *belo* par. No casamento, 18 meses depois, uma guarda de honra com esquis cruzados foi organizada do lado de fora da igreja, e o discurso do padrinho tinha sido apimentado com comentários engraçados sobre esqui.

Todo ano, no mês de fevereiro, eles voltavam às montanhas mágicas e brilhantes nas quais se conheceram. Durante uma semana, pareciam estar em lua de mel novamente: inebriados um pelo outro, pelos picos cobertos de neve e por excitação e adrenalina. Esquiavam de forma rápida e destemida, falando pouco e sabendo instintivamente o trajeto do outro. Hugh conhecia a forma de esquiar de Amanda tanto quanto ela conhecia a sua. Tendo esquiado desde criança, ela era mais habilidosa que ele, mas tinha a mesma atitude comedida em relação a riscos. Eles ousavam, mas não mais do que o necessário. Nenhum dos dois achava interessante pôr a vida ou um membro em risco por uma simples emoção.

Eles ainda não tinham levado as crianças para esquiar. Amanda gostaria que elas começassem o mais cedo possível, mas Hugh resistira, de maneira atipicamente firme, a essa ideia. Ele precisava daquela semana todo ano. Não para as férias, nem para o esporte, mas para reacender sua relação com Amanda. Lá no alto, sob o sol e a neve das montanhas, observar o corpo flexível e atlético da esposa sob a Lycra de grife, acendia nele novamente o desejo, a admiração e o ímpeto que sentira naquela primeira vez em Val d'Isère.

Por que ele precisava desse reforço anual, e o que aconteceria se não pudesse tê-lo, ele jamais se perguntou. Com um leve solavanco, Hugh mudou a marcha e começou a subir uma parte íngreme da estrada.

– Que paisagem linda! – disse Amanda. – Crianças, olhem a vista. Olhem aquela aldeia.

Hugh olhou rapidamente pela janela. Quando fizeram a curva, um grupo de casas totalmente brancas, na encosta da montanha, surgiu diante deles. O cenário era constituído por residências com telhados azulejados, varandas de ferro forjado e roupas penduradas em varais. Logo depois, outra curva fazia a aldeia desaparecer de vista.

– Aquele lugar deve ser San Luis – disse ele olhando as instruções de Gerard. – Bem bonito, não é?

– Parece – disse Amanda.

– Estou enjoada – reclamou Beatrice no banco de trás.

– Ah, meu Deus – queixou-se Amanda, virando-se para a menina. – Aguente firme, querida. Estamos quase chegando. Olhe as montanhas como são lindas! – Ela se virou para a frente e murmurou para Hugh: – Quanto falta para chegarmos? Esta estrada é um pesadelo.

– Isso não é montanha – disse Octavia –, é colina. Montanhas têm neve no topo.

– Não falta muito para chegarmos – disse Hugh, olhando o mapa feito por Gerard. – Ao que parece, a casa fica aproximadamente a 8 quilômetros de San Luis.

– Quer dizer, é maravilhoso ter uma mansão no meio do nada – disse Amanda em voz baixa. – Mas se isso significa dirigir durante várias horas por estradas perigosas na montanha...

– Eu não diria que isto é exatamente perigoso – argumentou Hugh, concentrando-se na curva fechada. – Apenas um pouco tortuoso.

– Exatamente. Tortuoso é a palavra. Só Deus sabe onde ficam as lojas mais próximas...

– Imagino que sejam em San Luis – disse Hugh.

– Naquele lugar? – perguntou Amanda, horrorizada. – Parece tão precário!

– De qualquer maneira, não precisamos nos preocupar com lojas. Gerard prometeu que providenciaria comida.

– O que não significa absolutamente nada – disse Amanda. – Eu nunca vi ninguém tão desorganizado como ele!

– Não é bem assim – reagiu Hugh educadamente. – Ele nos deu as instruções corretamente e o mapa, não foi?

– As coisas não foram tão simples – replicou Amanda. – Tive que telefonar três vezes para a assistente dele. E ela parecia não saber de nada. – O queixo de Amanda se contraiu. – Para falar a verdade, eu acho que ele tinha esquecido completamente de nós. Ele provavelmente distribui convites para este lugar sempre que bebe algumas taças de vinho e depois esquece do que prometeu.

Hugh se lembrou do almoço durante o qual Gerard mencionara a casa de campo pela primeira vez. Para começar, tinha sido uma situação um tanto embaraçosa. Os dois não se viam desde os tempos de escola, mas haviam se encontrado por acaso na semana anterior, em uma exposição patrocinada pela empresa de Hugh. Na ocasião, marcaram um almoço, que Hugh pensou várias vezes em cancelar, mas acabou aceitando, mais por curiosidade do que por qualquer outra coisa. Afinal, agora Gerard era uma espécie de celebridade na televisão e nos jornais e claramente apreciava cada momento da fama.

A princípio, o convite para a casa na Espanha soara como parte do seu comportamento afetado. Afinal, ele viera acompanhado de constantes referências a nomes de pessoas importantes, seu terno feito sob medida, além de menções feitas às suas viagens na primeira classe. Só no final da refeição, quando já haviam consumido duas garrafas de vinho, Hugh percebera que Gerard, um tanto embriagado, *insistia* em que ele fosse para a sua casa na Espanha, tentando arrancar sua agenda e recusando-se a aceitar um "não" como resposta. Quando Hugh finalmente aceitou o convite, um raio de satisfação iluminou as feições bochechudas de

Gerard. Nesse momento, Hugh teve uma súbita lembrança dos tempos de escola, em especial de uma ocasião quando Gerard, de forma arrogante, corrigiu um dos coordenadores em relação a regras à mesa e, empolgado com a proeza, olhou em volta do refeitório com a mesma expressão satisfeita. Naturalmente ninguém ficara impressionado, afinal, ele não era popular na escola. Lembrando-se daqueles tempos, Hugh suspeitou que, por trás de toda aquela bravata, havia um garoto um tanto infeliz. Possivelmente o convite, razoavelmente extravagante, fosse uma tentativa de mostrar o quanto havia progredido desde então.

Perdido em seus pensamentos, Hugh nem se deu conta de que o carro avançara em direção à mureta de proteção e Amanda deu um grito.

– Hugh! Você está saindo da estrada!

– Calma – disse Hugh, virando o volante rapidamente. – Pronto, está tudo bem.

– Caramba, Hugh! Seria bom chegarmos vivos, se isto não for pedir muito.

– Ei, olhem! – gritou Jenna. – Lá está a casa! – Todo mundo virou para olhar e Hugh automaticamente reduziu a velocidade. A uns 100 metros, havia dois imensos portões de ferro fundido, atrás dos quais uma trilha empoeirada levava a uma betoneira, do lado de fora de uma obra inacabada, composta de dois andares de concreto e alguns pilares de apoio. – Brincadeirinha! – acrescentou Jenna, e as duas meninas deram risadinhas.

– Muito engraçado – disse Amanda, séria. – Você poderia, por favor, continuar dirigindo, Hugh?

A viagem prosseguiu em silêncio. Quando Hugh olhou pelo retrovisor, viu Jenna fazendo careta para Octavia e

Beatrice e instruindo as meninas, silenciosamente, a não rir. Uma risadinha sufocada repentinamente escapou da boca de Octavia e Amanda se virou bruscamente para trás.

– Bela casa – disse Jenna em tom inocente. – É sério. Olhe. Não é a nossa, é? – Hugh lançou os olhos à direita e avistou uma enorme mansão, cor de damasco, na encosta da montanha.

– Acho que não – respondeu ele. – Ao que parece, temos que pegar uma saída à esquerda.

– Caramba! – disse Jenna quando eles passaram pela propriedade. – Será que a nossa é grande assim?

– Deve ser – respondeu Hugh, examinando novamente o mapa. – Mas se é grande como essa...

– Esse seu amigo Gerard deve ser rico à beça, hein?

– Bem... – disse Hugh. – Acho que é. Para falar a verdade, não somos tão chegados.

– Eu nunca sequer o vi – disse Amanda.

– Vocês não são muito chegados e ele está emprestando a casa? – disse Jenna. – Deve ser um cara bem generoso.

Hugh riu.

– Antigamente éramos mais próximos. Fomos amigos de escola, depois perdemos o contato. Há alguns meses nos encontramos novamente, praticamente por acaso, e quando vi, ele estava oferecendo esta casa para passarmos a semana. Muito gentil da parte dele. – Hugh fez uma pausa e olhou o caminho com desagrado. – Não entendo. De acordo com as instruções, já devíamos ter chegado. A menos que eu tenha passado direto... – Ele olhou o mapa novamente.

– Ah, pelo amor de Deus – disse Amanda. – Nunca iremos chegar! Aquela assistente deve ter enviado as instruções erradas ou algo assim. Provavelmente estamos na montanha errada. Talvez devêssemos estar *lá* adiante, em outro lugar! – disse gesticulando em direção a um pico distante, e Hugh levantou os olhos.

– Amanda, tenha um pouco de fé.

– Fé em quê? – gritou Amanda. – Em você? Neste Gerard, que parece viver em outro planeta? – Ela bateu no mapa com força. – Eu devia saber que essa ideia de casa na Espanha era boa demais para ser verdade. Nós não vimos nenhuma foto! Só este fax malfeito.

– Amanda...

– Devíamos ter ido para o Club Med. Lá, pelo menos, a gente sabe o que vai encontrar! E se não acharmos a casa? O que faremos então?

– Espere! – Hugh diminuiu a marcha. – Aham. Acho que esta deve ser a nossa saída.

Houve silêncio quando Hugh saiu da estrada e pegou uma pista mais estreita. Pequenos arbustos começaram a dar lugar a limoeiros e oliveiras. Eles passaram por um grupo de pequenas casas e dois portões azuis brilhantes guardados por circuito fechado de televisão.

– Villa del Serrano é a próxima casa depois dos portões azuis – leu Hugh em voz alta. Ele dirigiu por mais alguns metros e parou diante de uma placa. Em silêncio, eles saíram da trilha e lentamente se aproximaram de dois portões altos de ferro, adornados com sofisticadas figuras douradas.

– Villa del Serrano – disse Hugh, lendo a placa na pedra ao lado, e parou o carro. Ele se virou para as meninas e sorriu.

– Chegamos, finalmente. Tudo bem, Beatrice? Octavia?

– Tem alguma chave para abrir o portão? – perguntou Amanda.

– Não é chave – disse Hugh.

Ele meteu a mão no bolso, tirou um controle remoto e o apontou para o portão. Por um momento, nada aconteceu. Então, lentamente, os portões começaram a se abrir.

– Nossa! – Jenna suspirou, maravilhada com o que via. – É incrível!

Uma alameda com ciprestres e palmeiras descortinava-se diante deles, até chegar a uma entrada semicircular. A fachada da casa era branca, com varandas de ferro ornamental e telhado inclinado. Enormes vasos de terracota com flores brancas contornavam a entrada; caminhos de pedra passavam por gramados sombreados. À distância, via-se o brilho azul de uma piscina.

Eles avançaram lentamente, pararam em frente à entrada e olharam-na em silêncio, durante alguns segundos. De repente, Hugh abriu a porta do carro. O ar quente e perfumado do lado de fora dava a sensação de se entrar em um banho quente, em contraste com a atmosfera fria do carro.

– Vamos entrar? – perguntou ele.

– Acho que sim – respondeu Amanda com uma indiferença que ele sabia ser inteiramente falsa. – Por que não?

Lentamente, eles se aproximaram da entrada adornada por colunas. Hugh procurou a chave no bolso e a enfiou na pesada porta dianteira. Assim que ela se abriu, disparou um ruído alto.

– Merda – reclamou Hugh. – É o sistema de alarme. – Ele correu até o carro, apertando os olhos devido ao sol forte, e voltou correndo com as instruções. – Vejamos: armário à direita... 35462... confirma. – Com cuidado, ele apertou os botões no teclado e logo depois o ruído parou. Hugh se afastou da porta e, pela primeira vez, olhou ao redor.

Eles estavam em um enorme hall de mármore, com uma mesa de madeira circular escura. Diante deles, uma ampla escadaria dupla, em curva, dava para um acesso avarandado; acima deles, o alto teto convexo era pintado com nuvens *trompe-l'oeil.* Hugh encontrou o olhar fixo surpreso de Amanda e deu um meio sorriso.

– Então, Amanda – disse, incapaz de resistir. – Ainda está arrependida de não termos ido para o Club Med?

ELES PARARAM NOVAMENTE porque Nat estava passando mal. Quando se agachou na beira da estrada junto dele, tentando ajudá-lo, Philip olhou para o relógio. Já estavam na estrada havia quase duas horas e meia – uma hora a mais que o indicado nas instruções de Gerard. Após deixarem o aeroporto, eles acabaram se perdendo, descendo o caminho costeiro na direção errada, e só deram conta do erro ao chegarem em um famoso resort, cheio de turistas ingleses bronzeados comendo hambúrgueres.

Chloe permanecera determinadamente otimista o tempo todo; mantendo-se calma quando Philip parou o carro tentando voltar, e sorrindo, quando um motorista de caminhão inclinou-se para fora da janela e gritou um insulto incompreensível. Como ela conseguia ficar tão alegre, Philip não entendia. Ele se sentia como um bule de café, borbulhando de frustração. Primeiramente com ele mesmo. Em seguida, com as instruções pouco claras de Gerard e finalmente com a Espanha, por ser tão quente, seca e pouco familiar.

Olhou a encosta da montanha que se estendia diante dele. Aquilo não era um belo país, ele se viu pensando com ingratidão. O verde das montanhas era uma ilusão. De perto, elas eram secas e fragmentárias, com uma aparência maltratada. Tudo que ele via eram leitos de rio secos, rochas salientes e arbustos escassos, lutando entre si pela sobrevivência.

– Estou melhor – disse Nat, levantando-se. – Pelo menos eu acho.

– Que bom – disse Philip, colocando a mão no ombro dele e apertando-o. – Vamos esperar alguns minutos antes de prosseguirmos. – Ele se virou para Chloe, que estava encostada no carro, lendo atentamente as instruções de Gerard. – Quanto tempo deve faltar? Tem alguma ideia?

– Não estamos longe. Temos que achar uma pequena aldeia chamada San Luis. – Ela levantou a cabeça, com um brilho no olhar. – Essa casa parece maravilhosa. Quatro suítes. Quase 1 hectare de terra. E um pomar de limão!

– Deve ser linda.

– Meu Deus! – admirou-se Chloe. – E as janelas são blindadas!

– Janelas blindadas? – perguntou Philip. – Tem certeza?

– É o que diz aqui. E o sistema de alarme é conectado à polícia local. Com certeza estamos protegidos.

– Típico do Gerard. – Philip balançou a cabeça com impaciência. – Para quê ele precisa de tudo isso?

– Talvez ele tenha medo que algum comerciante de vinho insatisfeito venha atrás dele. – Chloe deu uma risadinha. – Ou que alguém tenha sido contratado para matá-lo.

– Acho que é mais para se engrandecer.

Chloe pousou a folha de papel e olhou para ele com seus olhos azuis.

– Você não gosta mesmo do Gerard, não é?

– Eu gosto dele!

– Não gosta. Nunca gostou.

– Eu apenas... Não sei. – Philip deu de ombros. – É que ele se acha muito divertido e esperto.

– Ele *é* divertido e esperto – afirmou Chloe. – Seu trabalho consiste em ser divertido e esperto.

– Não à custa de outras pessoas – argumentou Philip, olhando para uma rocha distante. Chloe suspirou.

– Philip, esse é o jeito dele. Ele não tem intenção de magoar ninguém.

– Ele não deveria zombar da sua profissão – disse Philip de forma inflexível.

– Você é muito sensível! – replicou Chloe. – Ele não zomba. Que dizer, não exatamente. – Ela sorriu. – Ah, ele nos emprestou a casa em troca de nada, não foi?

– Eu sei. Foi muita gentileza dele.

– Então... É o bom e velho Gerard.

– O bom e velho Gerard – repetiu Philip após uma pausa, e olhou para longe.

Ele e Chloe nunca chegariam a um acordo sobre o encantadoramente ambíguo e distraído Gerard Lowe. É verdade, o homem era encantador. Era também um anfitrião famoso por sua generosidade, sempre abastecendo fartamente seus convidados de comida, vinho e fofoca. Mas havia, pensou Philip, um olho atento sob aquela cordialidade, à busca de alguma fraqueza, alguma vulnerabilidade. Todos adoravam ser insultados por Gerard; era parte do jogo, parte do entretenimento. No entanto, mesmo quando a vítima ria de maneira impotente, havia um brilho nos olhos e um rubor na face que indicavam que Gerard atingira o ponto fraco da pessoa de forma precisa demais.

Chloe, naturalmente, achava aquela brincadeira hilária. Ela conhecia Gerard havia muito tempo, pensou Philip, e não enxergava seus defeitos; não via no que ele havia se transformado. Gerard a tratava de uma forma possessiva, infantil, que ela achava lisonjeiro. Quando ele a chamava de "minha garota" e colocava o braço em volta da sua cintura, ela ria e achava encantador. Philip achava aquilo repugnante.

– De qualquer maneira – disse ele, voltando para o carro –, vamos prosseguir.

– Claro – disse Chloe, olhando em direção à estrada. – Não deve faltar muito agora. Tudo bem, Nat? Entre. – Quando a porta do carro bateu, ela olhou para Philip e sorriu. – Pense nisso. Estamos quase chegando. Mal posso acreditar.

Havia um desejo em sua voz, um tom ansioso que deixou Philip envergonhado por suas grosserias. Chloe merecia aquelas férias; merecia uma chance de descansar, de dar um tempo a si mesma. Ele não estava sendo justo com ela; com ninguém.

– Quase chegando – disse ao se aproximar dela. – Excelente, não é?

– Você acha mesmo, Philip? – Todas as perguntas que existiam entre eles pareciam estar contidas nos seus olhos. – Está mesmo feliz por ter vindo?

– Claro – respondeu Philip puxando-a para si e beijando-a, mantendo-a em um abraço apertado. – Claro que estou. Vai ser maravilhoso.

Hugh estava em uma espreguiçadeira, à beira da piscina, com o jornal aberto e um copo de cerveja ao lado. Ele tinha que dar crédito a Gerard: aquele era realmente um lugar espetacular. Estava diante de uma vasta área revestida de terracota, rodeada de enormes palmeiras e áreas verdes bem tratadas. À sua frente, a piscina fazia uma curva discreta até uma ponte e caía em cascata para uma piscina mais rasa, no nível inferior. Além da piscina, havia uma longa balaustrada de ferro. Depois disso, apenas as montanhas e o céu azul.

A parte interna da casa era igualmente incrível. Uma ampla sala de estar, uma longa e formal sala de jantar e uma cozinha de ardósia, que dava para uma estufa coberta por videiras. Tudo decorado suntuosamente. Amanda observara que havia apenas quatro quartos, o que era menos do que se poderia esperar de uma casa com aquela imponência. Mas conforme ele mesmo admitira, eles não precisariam de mais do que quatro quartos. Portanto, tudo era perfeito.

E a cozinha estava bem abastecida. Não apenas de comida básica, mas também de comida *gourmet*: frutos do mar limpos e temperados, patês, queijos, vinhos finos e vasilhas transbordando de frutas. Até Amanda ficara boquiaberta quando abriram a geladeira abarrotada.

– Suco de abacaxi – disse ela incrédula. – Suco de maracujá, de maçã, de laranja, de cranberry. – Ela ergueu os olhos e deu uma risada. – Alguém quer suco?

Hugh pegou uma cerveja e a levou consigo. Bebeu um gole, virou a página do jornal e viu o título de uma matéria que já tinha lido. Mais por inércia que por interesse, ele passou os olhos pelo texto novamente, como se colhesse algum detalhe perdido.

Um barulho chamou sua atenção e ele levantou os olhos. Era Beatrice que se aproximava, de biquíni, boias de braço e chinelos. Sua pele estava esbranquiçada de tanto filtro solar fator 24 e ela tomava um suco de laranja de caixinha.

– Oi – disse Hugh, abaixando o jornal. – Vai nadar?

– Vou – respondeu Beatrice, sentando-se na beira da piscina.

– Vamos... – Hugh pigarreou. – Quer nadar com o papai?

Ele pousou o jornal, levantou-se, e estendeu a mão de modo convidativo à filha. Ela o ignorou.

– Vamos, Beatrice! – insistiu Hugh, tentando um tom persuasivo. – Vamos nadar.

– Quero ir com a mamãe – disse Beatrice, sugando o canudinho do suco.

– Nós podemos...

– Não! – choramingou Beatrice, quando Hugh tentou pegar sua mão. – Quero ir com a *mamãe*!

– Tudo bem – disse Hugh, e forçou um sorriso. – Vamos esperar pela mamãe.

– Beatrice? – A voz alarmada de Amanda ecoou no jardim. – Beatrice, onde você está?

– Ela está aqui! – gritou Hugh. – Está tudo bem.

Amanda emergiu da parede lateral da casa trazendo Octavia pela mão. Ela estava usando um biquíni branco bem pequeno, um par de sandálias de dedo enfeitadas com miçangas e uma camiseta branca apertada.

– Beatrice, não incomode o papai – disse ela com voz firme.

– Está tudo bem – insistiu Hugh.

– Eu disse a ela para ficar comigo até que eu estivesse pronta.

– Cadê a Jenna? – perguntou Hugh. – Ela não deveria estar ajudando você?

– Ela está desfazendo as malas das meninas.

Amanda soltou a mão de Octavia, colocou uma toalha na espreguiçadeira e tirou a camiseta com um movimento ágil. Estava sem a parte de cima, e seus peitos firmes e bronzeados não tinham uma única marca de biquíni. Seu abdômen era definido; suas costas, fortes e musculosas e seu bíceps, torneado. Com o cabelo aparado, brilhante sob o sol, ela parecia uma guerreira amazona, Hugh pensou.

– Isto é para você – disse ela a Octavia, vasculhando a bolsa e retirando quatro laranjas pequenas. – E estas são para você, Beatrice. Vão sentar-se na grama para comer e ponham a casca nesta sacola. E andem *devagar*.

As duas meninas correram a passos curtos em direção a um gramado sombreado e começaram a descascar as laranjas. Amanda as observou por alguns segundos, com ar aprumado, como se, a qualquer momento, fosse dar uma nova ordem ou fazer uma crítica. Finalmente, ela suspirou e virou-se para a espreguiçadeira.

– Então – disse Hugh, quando ela se sentou. – Aqui estamos. Nada mal, não é?

– É muito bonito – admitiu Amanda, ainda relutante. Ela pegou um livro na bolsa e o abriu rapidamente. – É uma pena não ter uma quadra de tênis...

– O que interessa é o seguinte: a casa é só nossa – disse Hugh. – Não há ninguém mais para nos incomodar. Podemos fazer o que quisermos.

Ele tomou outro gole de cerveja, pousou o copo no chão, estendeu o braço e suavemente acariciou o seio desnudo da esposa.

– Hugh – advertiu Amanda, olhando em direção às meninas.

– Elas estão bem – disse Hugh. – Não estão nos vendo.

Seus dedos desceram até o mamilo, que se intumesceu ligeiramente com o toque. Hugh olhou para a esposa à espera de uma reação, mas seus olhos estavam cobertos pelos óculos escuros Gucci e sua boca, coberta de gloss, permanecia imóvel.

O que exatamente ela sentia por trás daquela concha de perfeição?, Hugh se perguntou. Será que ainda existia paixão por trás da máscara impassível, sob os músculos esculpidos? Ou a sensibilidade de sua pele tinha sido retirada com limpeza e esfoliação?

Pouco antes ele a ouvira, por acaso, revelar a uma amiga ao telefone que estava deliberadamente evitando sorrir para reduzir o aparecimento de rugas. Possivelmente, essa calma assumida se estendia ao sexo também. Ele não tinha ideia.

– Hugh... – reclamou Amanda, deslocando-se na espreguiçadeira, afastando-se ligeiramente dele.

Ele tinha que admitir que os indícios não eram nada promissores. Ela parecia um pouco irritada, querendo retomar a leitura. Mas não tinha problema, pensou Hugh. Ele estava de férias e queria transar.

– Vamos fazer a siesta – disse ele baixinho.

Lentamente, seu dedo rodeou o mamilo da esposa, desceu até a barriga perfeitamente bronzeada e tocou a parte de baixo do biquíni.

– Não seja bobo. Não podemos simplesmente desaparecer.

– Foi para isso que trouxemos a babá. – Hugh abaixou a cabeça e suavemente puxou o laço do biquíni dela com os dentes.

– Hugh! – sibilou Amanda. – Hugh, pare com isso! Estou ouvindo um barulho!

– Vamos entrar então – murmurou Hugh, levantando os olhos. – Assim não seremos incomodados.

– Não, pare! – Amanda se afastou. – Escute. É sério, parece um carro!

Hugh parou e prestou atenção. Por cima das árvores eles ouviram o som inconfundível de um automóvel.

– Está se aproximando! – disse Amanda. Ela se sentou e pegou a camiseta. – Quem pode ser?

– A empregada, espero – disse Hugh. – Ou o jardineiro. Um dos empregados.

– Bem, vá ver. Descubra se eles sabiam que viríamos. Vá! – ordenou Amanda, dando-lhe um leve empurrão.

Uma faixa pavimentada, alinhada por plantas viçosas, formava o caminho ao redor da parte lateral da casa; o chão estava quente e empoeirado sob os pés descalços de Hugh. Ele fechou os olhos enquanto andava para desfrutar a sensação do aroma de um junípero e da singularidade do ar.

Ao chegar à entrada, o carro estava visível: um Mondeo alugado, estacionado do outro lado da casa. Um homem com cabelo encaracolado, vestindo uma bermuda cáqui amassada e camisa polo verde, saía pela porta do motorista. Ao avistar Hugh, ele se surpreendeu. Então, abaixou-se, murmurou algo para as outras pessoas no carro, e atravessou lentamente indo em direção a Hugh.

– *Perdona, por favor* – disse ele com sotaque inglês. – *Me dice por donde se... se....*

– Você é inglês? – interrompeu Hugh.

– Sim! – respondeu o homem, aliviado. – Desculpe incomodá-lo. Estou procurando uma casa. Pensei que tínhamos achado o lugar certo, mas... bem. – Ele olhou para Hugh, que estava com a cerveja na mão, e para a minivan, estacionada em frente à porta principal. – Obviamente não é aqui. – Ele suspirou e esfregou o rosto. – As instruções não eram muito claras. Imagino que você não conheça o local.

– Infelizmente não – disse Hugh. – Nós também tivemos dificuldade para achar este endereço.

– Espere um minuto, o que foi? – O homem abaixou-se para falar com alguém no carro. – Bem, é verdade – disse ele lentamente, levantando-se, com uma nova expressão no rosto. – É verdade.

– O quê?

– Devemos estar no lugar certo. Deram-nos um controle remoto para abrir o portão. – O homem olhou ao redor. – Há duas casas por aqui?

Hugh ouviu algo atrás de si e, ao se virar, viu Amanda aproximar-se, vestida com sua camiseta branca, com uma expressão fria no olhar.

– O que está acontecendo? – perguntou ela. – Quem são essas pessoas?

– Eles estão tentando encontrar uma casa – disse Hugh. Ele se virou para o homem. – Qual é o nome do lugar que você está procurando?

– Villa del Serrano – respondeu o homem.

Houve silêncio.

– Esta é a Villa del Serrano – disse Amanda finalmente. – Mas nos foi emprestada pelo proprietário. Ao que parece, sua agência de viagem cometeu um engano.

– Agência de viagem? – repetiu o homem, indignado. – Não viemos para cá por meio de uma agência de viagem! Conhecemos o proprietário também. Minha esposa o conhece há anos. Gerard Lowe. Ele disse que poderíamos ficar aqui do dia 24 ao dia 31.

Hugh e Amanda se entreolharam.

– Não *creio* que isso seja possível – argumentou Amanda educadamente –, porque Gerard *nos* emprestou a casa a partir do dia 24. Os detalhes foram decididos há algum tempo. – Ela deu um sorriso cortês. – Entretanto, tenho certeza de que existem alternativas...

– Nossos detalhes foram decididos há algum tempo, também – interrompeu o homem. – Aliás, há muito tempo. – Ele olhou para Hugh e Amanda. – Será que vocês se enganaram em relação às datas?

– Creio que não – respondeu Amanda com delicadeza. – A data acertada conosco foi definitivamente a partir do dia 24.

– Conosco também – disse o homem, com um gesto de cabeça. – Dia 24.

Amanda não titubeou.

– Temos um fax – disse ela, como se produzisse uma carta de trunfo.

– Nós também – afirmou o homem obstinadamente, e pegou algo no carro. – Um fax com as instruções. E uma carta confirmando tudo.

Ele se aproximou, mostrando os papéis. Amanda os olhou com desdém, como se examinasse uma bolsa de grife falsa.

– Dê uma olhada, Hugh – pediu ela. – Tenho certeza de que deve haver algum engano. Uma pequena confusão ou algo do tipo... – Ela deu um sorriso amável. – Toda viagem de férias tem seus imprevistos.

– Suponho que sim – disse o homem em tom não convincente.

– Quer uma bebida enquanto resolvemos este problema? Um suco de laranja, talvez? Ou algo mais forte?

– Não, obrigado – disse o homem. – É muita gentileza, mas enquanto não descobrirmos o que está acontecendo, eu prefiro apenas... – Ele foi parando de falar, até ficar em silêncio, e pôs as mãos nos bolsos.

Hugh examinou os papéis. Ele virou uma página, franziu a testa e virou-se novamente.

– Ah, pelo amor de Deus – disse ele finalmente, olhando de uma página a outra. – Que coisa... – Ele levantou os olhos para Amanda. – Ele está certo, sabia?

– O que você quer dizer com "ele está certo"? – perguntou Amanda, ainda sorrindo gentilmente, mas com uma rispidez na voz. – Quem está certo, exatamente?

– As datas são exatamente as mesmas – disse Hugh, balançando a cabeça. – Gerard obviamente reservou o lugar para as duas famílias.

– Ele o *quê*?

– Ele emprestou a casa para duas famílias, ao mesmo tempo. – Hugh levantou os olhos para a esposa. – Para nós... e para eles. Ao Sr...

– Murray – completou o homem. – E minha mulher e nossos dois filhos. – Ele apontou para o carro e os outros seguiram o seu olhar, mas o sol brilhava obliquamente nas janelas do carro, tornando impossível visualizar seus ocupantes.

– Um deles é adolescente – acrescentou o homem. Se esse detalhe tinha a intenção de melhorar ou piorar as coisas, Hugh não sabia.

Todos ficaram em silêncio, enquanto as ramificações da situação passavam pela cabeça de cada um deles. Então, Amanda balançou a cabeça.

– Não é possível – disse ela. – Eu não consigo acreditar. Não consigo *acreditar*.

– Tenho que admitir, isso é típico do Gerard – disse o homem. – Bem típico. Ele é tão distraído. Eu devia ter imaginado que algo assim iria acontecer. – Ele olhou para o carro e fez um gesto para as pessoas que estavam no veículo, indicando que estava tudo bem. – O que diabos vamos fazer agora?

– Vamos telefonar para o Gerard – sugeriu Amanda, puxando o fax das mãos de Hugh. – Vamos telefonar para ele agora mesmo, e não vamos deixar por menos. Isso é totalmente ultrajante. – Ela olhou para o homem. – Você quer vir e falar com ele também?

– Acho que sim – respondeu o homem, dando de ombros. – Apesar de não saber de que irá adiantar...

– Ele pode muito bem arranjar um hotel para um de nós! Ou pensar em planos alternativos. – Amanda começou a andar com passos largos em direção à porta e, após uma leve hesitação, o homem a seguiu.

– A propósito, meu nome é Philip – acrescentou ele.

– Sou Amanda.

– Hugh – disse, cumprimentando Philip educadamente com um gesto de cabeça.

– Philip? – Ouviu-se uma voz feminina e todos olharam para o carro e viram a porta do carona se abrir. Uma garota, ou melhor, uma mulher magra e loura, usando um vestido de algodão, saía do carro, olhando para Philip, com as sobrancelhas levantadas.

Hugh sentiu o corpo inteiro contrair-se com o choque.

– O que está acontecendo? – perguntou Chloe a Philip. – Não é este o lugar?

– É o lugar – respondeu Philip –, mas o Gerard confundiu tudo. Reservou a casa para duas famílias. Nós vamos telefonar para ele agora. Não vamos demorar.

– Ah, está bem – assentiu Chloe. – Quer dizer... tudo bem.

Houve silêncio quando Philip e Amanda começaram a andar em direção à casa. Hugh permaneceu ali, olhando para Chloe, que tentava desviar o olhar. Só quando eles desapareceram pela porta, ela virou a cabeça para encontrar o olhar fixo de Hugh, que a fitava, incapaz de falar, com o coração disparado. Os raios do sol da tarde atravessavam as árvores, formando sombras no rosto de Chloe, impedindo a leitura de sua expressão.

– Oi – disse ela finalmente.

– Oi – disse Hugh, e pigarreou, apreensivo. – Há... quanto tempo.

CAPÍTULO QUATRO

Philip manteve-se ao lado de Amanda, não exatamente escutando a conversa ao telefone, mas perplexo. A casa era muito maior do que ele imaginara. Muito mais magnífica. A viagem de carro havia sido bastante impressionante, mas aquele hall elegante, circular, com a imensa escadaria e o acesso avarandado era algo espetacular. Após a viagem longa e quente, aquilo era como um santuário.

– Acho que não é essa a questão. – A voz abrangente de Amanda ecoou pelos seus pensamentos e, cheio de remorso, ele prestou atenção. – A questão é que estamos todos aqui agora. Sim, tenho certeza de que você *está* envergonhado. Mas o que pretende fazer a respeito? – Ela escutou durante alguns minutos e suspirou impaciente. – Bem, faça alguma coisa. – Ela empurrou o aparelho na direção de Philip, acrescentando em voz baixa: – Ele é *tão* distraído.

– Alô? – disse Philip com cautela. – Gerard? É o Philip.

– Philip! – repetiu Gerard com sua voz de barítono. – Como vai?

– Eu vou bem – disse Philip. – Gerard, não sei se a Amanda explicou o que aconteceu...

– Ela falou! Eu simplesmente não entendo. Não costumo cometer esse tipo de engano. Você tem *certeza* que a data dos dois confere?

– Totalmente – disse Philip.

– Bem, isso é algo bastante incomum. Estou aflito por tudo isso.

– Eu sei – disse Philip. – Bem, o problema é que...

– Você não acha que eu tenho Alzheimer, acha? – A voz de Gerard soou preocupada. – Dizem que começa com desatenção. Talvez eu tenha tido perda de consciência e não tenha percebido.

– É. Talvez – respondeu Philip. Ele olhou para Amanda e fez uma careta impotente. – O problema é que...

– Eu desmaiei no mês passado. De repente. Isso pode ter alguma ligação, não é?

Por cima do ombro de Amanda, Philip viu a pesada porta principal aberta. Chloe entrou na sala e levantou as sobrancelhas, buscando uma explicação, e ele respondeu dando de ombros.

– A pergunta é – prosseguiu ele, interrompendo Gerard, que não parava de falar: – o que devemos fazer? Uma das famílias deve ir para um hotel?

– Hotel? – repetiu Gerard, como se estivesse surpreso. – Meu caro, é alta temporada. É impossível encontrar um hotel. Vocês vão ter que ficar aí.

– Como assim, todos nós?

– Não tem tanta gente assim, não é? Tenho certeza de que vocês podem compartilhar a casa e administrar a situação. A empregada estará aí na quinta-feira...

– Gerard, eu não sei se...

– Você vai dar um jeito! E sirva-se do que quiser na adega. A Chloe está aí?

– Está sim – respondeu Philip. – Quer falar com ela?

– Não, não se preocupe – respondeu Gerard. – Para falar a verdade, preciso desligar. Estou atrasado para um recital de clarinete. Realmente espero que tudo dê certo. *Adiós!*

O telefone foi desligado e Philip ficou olhando para o aparelho, ligeiramente confuso.

– E então? – perguntou Chloe.

– Bem... ao que parece, estamos de pés e mãos atados – explicou Philip. – Gerard acha que não encontraremos um hotel nesta época do ano. Portanto, teremos simplesmente que... Bem, a maneira que ele colocou foi "compartilhar".

– Compartilhar? – repetiu Amanda, desconfiada. – O que isso quer dizer?

– Não sei – disse Philip. – Ele não entrou em detalhes.

– Ele se desculpou? – perguntou Chloe.

– Bem... ele *disse* que sentia muito por tudo – respondeu Philip, sem muita certeza. – Para falar a verdade, ele pareceu mais interessado em saber se tinha Alzheimer.

– Alzheimer? – repetiu Chloe, incrédula.

– Ele não estava dizendo coisa com coisa.

– Se quer saber, ele é um tremendo trapalhão – disse Amanda com rispidez. – Sai por aí distribuindo convites como o grande anfitrião, depois lava as mãos quando as coisas dão errado. Quer dizer, o que ele espera que façamos? Que fiquemos todos aqui? – Sua voz ficou mais alta de tanta indignação. – Não há cômodos suficientes, que dirá qualquer outra coisa.

A porta da frente se abriu, deixando entrar uma rajada de calor e luz do sol, e então fechou-se atrás de Hugh. Ele olhou para cada um deles e para o telefone, ainda na mão de Philip.

– Alguma solução?

– Não exatamente – respondeu Philip. – Gerard parece não saber como isso aconteceu.

– Ou não pareceu se preocupar – completou Amanda. – Basicamente, estamos todos presos aqui. – Ela se virou para Chloe. – Não que eu tenha algo contra... Quero dizer, obviamente, vocês parecem pessoas muito agradáveis, e certamente não tenho a intenção de...

– Não – disse Chloe, com a boca ligeiramente contraída. – Claro que não.

– Mas vocês sabem o que eu quero dizer.

– Eu entendo – concordou Chloe. Hugh olhou para ela e logo desviou o olhar.

– Talvez devêssemos ir para um hotel – disse ele, virando-se para Amanda.

– Sim, querido – concordou ela. – Excelente ideia. Você tem noção da época do ano em que estamos? Se conseguir encontrar hotel para cinco pessoas, sem reservas...

– Tudo bem – disse Hugh, um pouco irritado. – Então... talvez alguém devesse voltar para casa. Deixar os outros em paz.

– Para casa? – repetiu Amanda, horrorizada. – Hugh, você tem *alguma* ideia de como a nossa casa está? O piso da cozinha chega hoje!

– Nós não vamos para casa – disse Chloe calmamente. – Precisamos destas férias. – Ela andou em direção à escadaria e sentou-se no terceiro degrau, como se estivesse fazendo um protesto. – Nós precisamos e iremos ficar. – Sua voz ecoou pelo teto arredondado e seus olhos azuis brilharam intensamente na semiescuridão.

– Vocês têm empregos muito estressantes? – perguntou Amanda, olhando-a com mais interesse. – O que você faz?

– Não vou falar sobre trabalho durante esta semana – respondeu Chloe, assim que Philip automaticamente abriu a boca para responder. – Nenhum de nós vai. É um assunto proibido. Viemos aqui para evitar tudo isso. Escapar de tudo.

– E, em vez disso, deram de cara conosco – disse Hugh após um breve silêncio. Ele inclinou a cabeça solenemente na direção dela. – Peço desculpas.

– Não temos do que nos desculpar! – disse Amanda rispidamente. – É o maldito Gerard quem deveria estar pedindo desculpas. E eu vou falar uma coisa, nunca mais vou ler a coluna dele. Aliás, vou boicotar o "Vinho da Semana" indicado por ele. – Ela olhou para Chloe e acrescentou: – Sugiro que vocês façam o mesmo.

– Nunca conseguimos comprar o "Vinho da Semana" – disse Philip. – Acho essas indicações um tanto pedantes.

– Eu concordo – disse Hugh. – Nunca o admirei. Pelo menos não como sommelier.

– Mas afinal, qual é a ligação entre você e o Gerard? – perguntou Philip. – Obviamente não é vinho. Você é amigo dele?

– Nós estudamos juntos – respondeu Hugh. – Tínhamos perdido o contato há alguns anos e voltamos a nos encontrar por acaso. Ele pareceu muito disposto a recuperar a amizade.

– Ah, o Gerard gosta muito de reunir pessoas – disse Philip, em tom levemente sarcástico. – A partir de agora, você receberá inúmeros convites. Ele dá festa quase todo mês.

– Você está querendo dizer que somos meros coadjuvantes nessas festas que ele dá? – Hugh deu um breve sorriso. – Amigos obscuros.

– Não – interferiu Chloe, olhando para Philip com desagrado. – Vocês não estão sendo justos. Gerard não é esse tipo de pessoa. Não com seus verdadeiros amigos.

Philip deu de ombros. Depois, foi até uma das janelas de corpo inteiro e olhou para a entrada da casa.

– E quanto a vocês? – perguntou Amanda, franzindo a testa e apontando para Chloe e Hugh. – Se vocês são velhos amigos do Gerard, já deviam se conhecer.

Houve silêncio.

– Provavelmente nos encontramos algumas vezes – disse Chloe sem interesse. – Eu realmente não me lembraria. – Seus olhos piscaram rapidamente para Hugh. – Você lembra de ter me visto antes, Hugh?

– Não – respondeu Hugh, após uma pausa. – Não, não me lembro.

– Belo local – disse Philip, ainda olhando pela janela. – Este lugar é simplesmente maravilhoso. – Ele se virou e cruzou os braços. – Então, vocês vão nos mostrar a casa?

Enquanto Amanda ia à frente do grupo mostrando a casa, Chloe os seguia, um pouco atrás, olhando tapetes, vasos e quadros, sem realmente vê-los. A descoberta inicial da desagradável situação havia se dissipado. Ela sentia uma raiva crescente com a situação, com os outros e com ela, por seguir naquela procissão ridícula. Cada vez que olhava para Hugh, não conseguia acreditar; sentia uma incredulidade insensata diante do fato de os dois estarem ali naquela situação absurda, andando lado a lado, como se fossem estranhos. Isso quase a fazia rir. Mas ao mesmo tempo, no fundo, ela sentia que antigas emoções começavam a se despertar em ambos. Como serpentes, acordando lentamente.

– E este é o quarto principal – disse Amanda, colocando-se de lado, para permitir que os outros entrassem no cômodo.

Chloe olhou em volta, em silêncio. Uma enorme cama entalhada, com dossel forrado por um tecido grosso, de cor clara, repousava no centro do quarto. Próximo à janela, havia um sofá com várias almofadas turcas. As prateleiras dos dois lados da cama estavam repletas de livros com capas de couro. Na parede oposta, um enorme espelho dourado completava a decoração, e duas portas de vidro, emolduradas por flores perfumadas, levavam a uma grande varanda, com alguns fícus em vasos envernizados e cadeiras de bambu dispostas em volta de uma mesa de vidro.

No chão, em frente à cama, havia duas malas vazias; quando Chloe passou por um guarda-roupa, notou que estava cheio. Ela olhou novamente para a cama, virou-se e viu que Hugh a observava. Um rubor indesejável surgiu em seu rosto e ela rapidamente desviou o olhar.

– Vocês já se instalaram aqui, imagino – disse ela, olhando para Amanda.

– Bem – respondeu Amanda, de forma defensiva. – Obviamente colocamos nossas coisas aqui...

– Mas isso não significa que tenhamos que permanecer – disse Hugh, estendendo os braços. – Quero dizer, não temos mais direito a este cômodo do que vocês.

– Claro – assentiu Amanda após uma pausa. – Podemos perfeitamente ficar em outro quarto.

– Sem problema algum – completou Hugh.

– Não, por favor, não façam isso – pediu Chloe. – Quero dizer, vocês chegaram aqui primeiro e já desfizeram as malas.

- Isso não quer dizer nada – argumentou Hugh. – E para nós, não faz diferença o quarto em que vamos ficar. Não é, amor?

– Claro – respondeu Amanda, dando-lhe um sorriso tenso. – Não nos importamos de jeito nenhum.

– Nós também não – disse Chloe. – Sinceramente...

– Vamos tirar cara ou coroa – sugeriu Hugh de modo determinado. – Essa é a solução mais justa, não é?

– Eu concordo – disse Philip.

– Não, parem com isso – disse Chloe em vão, notando a expressão rígida de Amanda. – Realmente não nos importamos com o quarto...

Mas Hugh já lançava uma moeda no ar.

– Cara – disse Philip, quando a moeda caiu no chão azulejado. Hugh abaixou-se para apanhá-la.

– Deu cara – disse ele. – Você ganhou. De modo justo.

Houve um silêncio embaraçoso.

– Tudo bem – disse Amanda após uma pausa. – Certo. Bem, vou só retirar a nossa roupa...

– Não tem pressa – disse Chloe. – Sério.

– Não é nenhum problema! – disse Amanda. – Imagino que vocês estejam ansiosos para desfazer as malas. Não quero atrapalhá-los!

Ela foi até o guarda-roupa e começou a puxar as peças de vestuário dos cabides, com movimentos bruscos. Chloe olhou para Philip e fez uma careta.

– Quanto a lugar para dormir... – disse Philip rapidamente – huuum... quantos quartos tem mesmo na casa?

– Só quatro – respondeu Amanda sem se virar. – Infelizmente.

– Então... se os nossos filhos ficarem juntos em um quarto e os seus em outro... – Philip olhou para Chloe. – Acho que tudo se resolve, não é?

– Na verdade, temos uma babá também – disse Hugh.

– Ah – disse Philip, espantado. – Certo.

– Claro – murmurou Chloe, virando-se para o outro lado. – Naturalmente.

– Ela não precisa de um quarto só para ela – disse Amanda, depositando uma pilha de camisetas na sua mala. – Pode dormir com as meninas. Ou naquele quartinho dos fundos. Tem um sofá-cama lá.

– Tem certeza? – perguntou Philip. – Ela não vai se importar?

– Ela não é paga para se importar – disse Amanda de forma lacônica. – Além do mais, esses australianos são fortes como touros. Uma vez tive uma empregada...

– Amanda... – interrompeu Hugh em tom de advertência.

– Que foi? – Amanda virou-se e viu Jenna na porta. – Ah! Oi, Jenna – disse ela, sem pestanejar. – Estávamos falando de você.

Philip e Chloe trocaram olhares.

– Subi para pegar o protetor solar das meninas – disse Jenna. Ela olhou para Philip e Chloe. – Temos visitas?

– Houve uma pequena... mudança – disse Hugh, antes de tossir. – Acontece que estas pessoas, Philip e Chloe, também vão ficar na casa, esta semana.

– Tudo bem – disse Jenna, alegre. – Ótimo. Quanto mais gente, melhor.

– É... – disse Hugh. – O único problema é... quartos. Eles têm dois filhos e, somando todos nós, quatro quartos...

Houve uma pausa tensa. Philip esfregou o rosto desajeitadamente e olhou novamente para Chloe, que ergueu as sobrancelhas. A única pessoa que não parecia constrangida era Amanda.

– Ah, entendi – disse Jenna bruscamente. – Você quer que eu abra mão do quarto para eles. É isso o que está querendo dizer, não é? – Ela olhou em volta, com ar acusador. – Me expulsam do quarto, me colocam para dormir no sofá. – Seu queixo se enrijeceu. – Bem, pense novamente, amigo. Se não tem quartos suficientes, vocês deveriam me arranjar um hotel!

Todos ficaram em silêncio.

– Preste atenção – disse Amanda finalmente, em um impulso. – Vamos acertar algumas coisas. Em primeiro lugar...

– Brincadeirinha! – disse Jenna, e sorriu para a assustada plateia. – Vocês podem me acomodar em qualquer lugar! Para falar a verdade, não me importa onde vou dormir, nem com quem. – Ela piscou para Philip, que parecia bem assustado, e Chloe suprimiu um sorriso. – Este é o filtro solar? – perguntou, pegando um tubo plástico na penteadeira. – É, sim. Vejo vocês depois.

Ela afastou o cabelo da testa e saiu do quarto. Os outros se entreolharam sem jeito.

– Bem – disse Philip finalmente. – Ela parece... – Ele pigarreou. – Ela parece... divertida.

SAM E NAT TINHAM encontrado a piscina.

– Uau! – disse Nat quando avistaram a água azul caindo em cascata, brilhando ao sol. – *Uau!*

– Legal! – admitiu Sam, indo em direção a uma cadeira reclinável.

– Esta casa é incrível. – Nat parou quando viu duas meninas, a alguns metros de distância. De repente, sentiu-se como se estivesse invadindo um local proibido. – Quem são aquelas garotas?

– Sei lá – respondeu Sam, cruzando os braços atrás da cabeça. – Isso não importa.

Nat olhou para o irmão e para as meninas novamente. Elas eram mais novas que ele, e estavam usando trajes de banho azuis estampados com pequenas margaridas. Imediatamente, ele as reconheceu como sendo as duas meninas do avião.

– Oi – disse ele, meio sem jeito, para a mais velha. – Vai nadar?

– Não podemos entrar sem um adulto – respondeu ela.

– Certo – disse Nat. – De qualquer maneira, não estou com roupa de banho. – Ele se sentou em uma cadeira reclinável e observou as meninas sentarem na grama. – Será que elas moram aqui? – perguntou ele a Sam.

– Sei lá.

– O que será que a mamãe e o papai estão fazendo?

– Sei lá. – Sam tirou os sapatos com os pés. De repente, ele pulou espantado. – Cacete!

Nat seguiu seu olhar fixo. Uma garota surgia na parte lateral da casa: a garota de dreads ruivos.

– É ela! – falou ele baixinho. – Aquela garota que foi bacana com a gente!

Sam não estava escutando. Ele a olhava fixamente, em silêncio, surpreso. Sem se dar conta do que acontecia ao seu redor, a garota de cabelo rastafári começou a tirar a camiseta, revelando um corpo esbelto e bronzeado dentro de um minúsculo biquíni preto. Um piercing de prata brilhava no seu umbigo; na coxa, uma cobra tatuada serpenteava, de modo sugestivo, em direção ao triângulo do biquíni. Enquanto a olhava, Sam sentiu um enrijecimento na virilha, e, sem mover os olhos nem por um segundo, ele se deslocou na cadeira. Naquele momento, como se estivesse lendo seus pensamentos, a garota olhou ao redor e os avistou.

– Oi, meninos – disse ela, descontraída. – Não nos conhecemos no avião?

– Isso mesmo. Eu me chamo Nat. Estamos hospedados aqui. E este é o meu irmão Sam.

– Oi, Nat – disse a garota. Ela piscou e olhou para Sam por alguns segundos. – Oi, Sam.

– Oi – respondeu Sam, erguendo a mão de modo indiferente. – Tudo bem?

– Tudo bem, obrigada.

Ela se abaixou para apanhar o protetor solar, sorriu novamente e andou em direção às meninas, que estavam sentadas na grama.

– Muito bem – eles a ouviram dizer. – Quem vai ser a primeira a passar o protetor solar?

– Ela é bonita mesmo – disse Nat, virando-se para Sam. – Não é? – Diante do silêncio do irmão, Nat franziu as sobrancelhas. – Sam?

– Ela não é bonita – disse Sam, sem mover a cabeça. – Não é *bonita.* Ela é uma... deusa. – Ele a fitou durante mais um momento, depois pareceu voltar a si. Sentou, tirou a camiseta, olhou, com orgulho, para seu tronco firme e bronzeado e sorriu para Nat. – E eu – ele recostou na cadeira – vou ficar com ela.

QUANDO TODA A BAGAGEM foi desfeita, já era noite. Chloe foi até a varanda olhar os jardins viçosos e exuberantes. O brilho do sol havia sumido; todo o lugar estava sossegado. Não havia vozes lá embaixo, nenhum sinal de pessoas; só tranquilidade. Tranquilidade e paz.

Mas Chloe não estava tranquila. Sentia-se agitada e nervosa. Ao erguer o olhar para as montanhas, sentiu um desejo de caminhar por elas. Para longe, bem longe...

– Bem – disse Philip atrás dela, e ela teve um sobressalto. – O que está achando? – Chloe se virou para ele.

– Em relação a quê?

– Essas férias – respondeu Philip, afastando da testa o cabelo escuro. – Não é exatamente o que planejamos, não é?

– Não – disse Chloe após uma pausa. – Não exatamente.

– Mas eles parecem ser legais. Eu diria que não teremos nenhum problema.

Chloe permaneceu em silêncio. Sentia-se a ponto de explodir, mas não sabia exatamente o que a deixava assim. Frustração, diante da facilidade com que Philip aceitou a situação; raiva, devido ao rumo dos acontecimentos. E, acima de tudo, decepção. Almejara tanto a distância de um país estrangeiro; um cenário novo, uma atmosfera diferente. Desejara tanto a possibilidade de se livrar, juntamente com Philip, dos problemas que os sufocavam em casa, de deitar sob o sol e conversar, e, aos poucos, se redescobrirem.

Em vez disso, eles passariam a semana representando, encenando para outra família. Não conseguiriam conversar; não poderiam se comportar naturalmente. Estariam expostos a semana inteira, sem privacidade nem tempo para eles mesmos. Aquilo não era uma fuga dos problemas, era tortura.

E não se tratava sequer de uma família desconhecida. Não teriam nem o conforto do anonimato.

Ela se lembrou da expressão chocada de Hugh, assim que ela desceu do carro, e esfregou o rosto com força, tentando livrar-se daquela imagem. Tentando livrar-se dos pequenos espinhos do antagonismo que estava sentindo, desde aquele momento; as pequenas bolhas de curiosidade. Outra vida, disse ela a si mesma. Há muito tempo. Duas pessoas completamente diferentes. Ele não mexia mais com ela. Ela nem sequer ficou alterada ao vê-lo. Afinal de contas, tanto ela quanto Hugh moravam em Londres – embora em bairros diferentes. Era até estranho não terem se encontrado antes.

Mas tinha que ser naquela semana?, ela pensou, fechando os olhos. Justamente aquela semana, da qual ela e Philip tanto precisavam?

– O que faremos em relação ao jantar? – Philip foi até o canto do balcão e deu uma olhada em volta. – Acho que os meninos estão se virando. Acharam umas pizzas no freezer. Mas nós podemos ser um pouco mais ambiciosos.

Chloe permaneceu calada. Não conseguia pensar em comida. Só pensava na própria inquietação.

– Chloe? – Philip se aproximou. – Chloe, você está bem?

– Vamos – disse Chloe, virando-se para Philip com uma pressa súbita no olhar. – Vamos pegar o carro e ir a algum lugar. Deixar esta casa – disse, apontando para as montanhas. – Encontraremos algum lugar para ficar. Não sei, uma pensão ou qualquer outro lugar.

– Ir embora? – Philip a fitou. – Está falando sério?

Em silêncio, Chloe olhou para o marido por um momento, tentando transmitir suas emoções mistas. Tentando despertar nele a reação pela qual ela ansiava, mesmo sem saber exatamente qual era. Então, com um suspiro, ela se virou para o outro lado, pegou uma flor cor-de-rosa e começou a retirar suas pétalas, uma a uma.

– Ah, não sei. Estou agindo como uma boba. É que... – Ela fez uma pausa, olhando para a flor semidestruída. – Não foi isso o que havíamos planejado. Nós tínhamos planejado um tempo só para nós dois. Uma possibilidade de... acertar as coisas. – Ela arrancou o último grupo de pétalas com força, e soltou-as ao lado da varanda.

– Eu sei. – Philip se aproximou e pôs a mão no ombro dela. Ele olhou o caule da flor na mão de Chloe e levantou as sobrancelhas. – Coitada da flor.

Coitada de mim, isso sim, pensou Chloe com raiva. *Coitados de nós.*

De repente, ela se viu diante da possibilidade de gritar. Sentia-se limitada pela presença de Philip; por sua apatia; por sua mera aceitação das circunstâncias. Por que ele não ficava furioso, como ela? Por que não compartilhava da sua indignação? Era como se suas palavras se afundassem em um vazio manso, apático.

Ao olhá-lo de lado, ela viu que seus olhos estavam concentrados no plano médio, sua testa estava franzida no pensamento distraído. Ele não estava pensando nas férias, ela percebeu, surpresa. Sua mente ainda estava, inutilmente, preocupada; na Inglaterra. Ele não estava sequer *tentando* relaxar, ela pensou, ressentida.

– No que você está pensando? – perguntou ela, antes que pudesse se controlar, e Philip respondeu em tom de culpa:

– Nada. Nada mesmo. – Ele olhou para ela e esboçou um sorriso, mas Chloe não conseguiu retribuir o gesto.

– Vou sair – disse ela abruptamente, afastando-se. – Vou dar uma volta no jardim.

– Tudo bem – disse Philip. – Vou até a cozinha daqui a pouco, preparar algo para o jantar.

– Ótimo – disse Chloe, sem olhar para trás. – Como quiser.

HUGH ESTAVA AO LADO da banheira na segunda suíte, observando Amanda esfregar o ombro de Octavia, para retirar o protetor solar.

– Não estou gostando nada disso – dizia ela, irritada. – Olhe só para nós. Engaiolados aqui...

– Estamos longe de estar engaiolados – argumentou Hugh, olhando ao redor do espaçoso banheiro de mármore. – Além disso, eles têm todo o direito de ficar com aquele quarto.

– Eu sei – concordou Amanda. – Mas não viemos para cá para sermos expulsos do nosso quarto por pessoas que nem sequer conhecemos. Poxa, não é como se eles fossem nossos amigos. Não sabemos nada sobre eles!

– Eles parecem ser gente boa – disse Hugh após uma pausa. – Pessoas simpáticas.

– Para você, todo mundo é gente boa – disse Amanda, com desdém. – Você achava que a mulher do outro lado da rua era bacana.

– Mãããäe! – choramingou Octavia. – Você está me machucando!

– Amanda, por que você não me deixa fazer isso? – disse Hugh, indo em direção à banheira.

– Não, pode deixar – interrompeu Amanda, suspirando ligeiramente. – Vá tomar seu gim-tônica. Não vou demorar. E a Jenna já está vindo para me ajudar.

– Eu posso fazer isso – disse Hugh. – E posso colocar as crianças na cama, também.

– Olhe, Hugh – disse Amanda, virando-se para ele. – Eu tive um dia longo. Tudo o que eu quero é colocar as crianças na cama o mais rápido possível e depois, talvez, nós possamos relaxar. Está bem?

– Tudo bem – assentiu Hugh após uma pausa, forçando-se a sorrir. – Bem... boa noite, meninas. Bons sonhos.

– Boa noite, papai – responderam as meninas automaticamente, sem levantar os olhos, e Hugh saiu calmamente do banheiro, sentindo um pequeno e familiar tormento no peito.

Ao passar pela porta, cruzou com Jenna, que entrava no quarto segurando dois pares de pijama.

– Oi – disse ela erguendo as peças de roupa. – Você sabe se são esses?

Durante um momento, Hugh fitou os pijaminhas de algodão com motivos infantis; as mangas bem pequenas, os bolsos diminutos.

– Eu diria que sim – respondeu ele, finalmente. – Mas essa não é a minha área. – E se afastou rapidamente, antes que a garota pudesse perguntar mais alguma coisa. Ele foi até a cozinha, achou um armário cheio de garrafas e, lenta e metodicamente, começou a preparar um gim-tônica.

Não era a sua área. Na verdade, nada relacionado às suas filhas era a sua área. De alguma forma, durante os últimos cinco anos, desde o nascimento de Octavia, ele se tornara um pai que não conhecia as próprias filhas. Um pai que ficava tanto tempo no escritório que muitas vezes passava uma semana inteira sem vê-las. Um pai que não tinha a menor ideia das brincadeiras de que as filhas gostavam, do que viam na televisão ou até do que gostavam de comer e que, àquela altura, estava envergonhado demais para perguntar.

Hugh tomou um gole do gim, fechando os olhos e apreciando o sabor aromático. Um gim-tônica todas as noites tornara-se um dos seus apoios habituais, junto com o seu jornal e, ultimamente, os e-mails. Sempre que Beatrice se recusava a pedir-lhe para contar uma história para dormir e choramingava chamando pela mãe, ele escondia o rosto inexpressivo atrás do jornal. Quando as meninas e Amanda iam para a aula de balé, todo sábado pela manhã, ele sentava diante do computador, verificava seus e-mails e enviava respostas desnecessárias. Às vezes lia a mesma mensagem dez vezes.

Quando acabava, e elas ainda não haviam voltado, ele se punha a trabalhar em qualquer desafio corporativo que mais recentemente chamara sua atenção. Lia os dados e processava a informação, depois fechava os olhos e submergia no mundo que ele conhecia melhor que qualquer outro. Permanecia em completo silêncio, elaborando estratégias alternativas como um enxadrista; como um general militar. Quanto mais complicado o assunto, mais distrativo, melhor. Alguns dos seus trabalhos mais inspiradores haviam sido realizados em um sábado.

Ele sabia que Amanda muitas vezes o descrevia, revirando os olhos, como um workaholic. Suas amigas costumavam se reunir para tomar café em sua imaculada cozinha e trocar comentários solidários. Você parece uma mãe solteira, diziam elas, indignadas. Onde estão os Homens Modernos?

Três anos antes, Hugh chegara em casa do trabalho, cansado e com frio, com uma ideia que tivera no trem: abandonar o emprego em tempo integral e trabalhar como freelancer em assessoria empresarial. A remuneração não seria a mesma, mas ele poderia trabalhar em casa e passar muito mais tempo com ela e as crianças.

Ele nunca tinha visto Amanda tão assustada.

Hugh bebeu outro gole, foi até a sala, atravessou a porta e se encaminhou para o jardim. O céu estava parcialmente azul; o ar, quente e tranquilo. Quem cuidava do jardim de Gerard era, obviamente, alguém experiente, ele pensou. Os arbustos estavam cuidadosamente aparados; as flores, dispostas de modo ordenado, em canteiros; uma pequena fonte de pedra jorrava água clara. Ele foi até uma extremidade, tentando descobrir a extensão do jardim, e parou.

Chloe estava de pé, perto de uma parede, com a cabeça apoiada nas mãos, como se rezasse. Imediatamente, ele tentou recuar sem ser visto, mas ela ouvira o ruído e levantara os olhos. Seu rosto estava vermelho; seus olhos azuis, dominados por uma emoção que ele não conseguiu decifrar. Durante um momento, eles se olharam em silêncio. Então Hugh ergueu seu copo de forma banal.

– Saúde. Um brinde a... – Ele deu de ombros.

– Às férias felizes?

Hugh estremeceu diante da voz sarcástica de Chloe.

– Exatamente – disse ele. – Férias felizes. Por que não?

– Perfeito – disse Chloe. – Férias felizes.

Hugh tomou outro gole do gim. Mas a bebida parecia inapropriada para o momento. Ele deveria ter escolhido um vinho tinto suave.

– Por que você mentiu? – ele perguntou abruptamente. – Por que fingiu que não nos conhecíamos?

Houve silêncio, e Chloe passou a mão pelo cabelo fino e ondulado. Parecia tensa, ele pensou. Tensa e exausta.

– Eu vim para cá com a minha família para relaxar – disse ela, levantando o olhar. – Para escapar de tudo. Esquecer todas as nossas preocupações e... e nos conectarmos novamente. Para ficarmos juntos. Como uma família.

– Quais preocupações? – Hugh pousou o copo e deu um passo na direção de Chloe. – Vocês estão com algum problema?

– Não importa quais são as preocupações – respondeu Chloe de modo lacônico. – Não é problema seu. O que acontece é o seguinte... – Ela parou de falar e fechou os olhos. – Acontece que Philip e eu, e os meninos também, precisamos destas férias. *Realmente.* E eu não quero que nenhuma complicação atrapalhe os nossos planos. – Ela abriu os olhos. – Muito menos uma... aventurazinha sem importância. – Hugh a fitou.

– Você considera sem importância o que aconteceu entre a gente?

– Na época, não. – A expressão de Chloe se endureceu ligeiramente. – Mas o tempo ensina o que foi, de fato, importante e o que não foi. O tempo ensina muitas coisas. Não acha?

Houve uma pausa tensa. Uma flor branca que pendia da parte de trás da cabeça de Chloe balançou com a brisa e soltou uma pétala. Hugh acompanhou com o olhar seu caminho até o chão escuro.

– Eu nunca tive a oportunidade de me explicar de forma apropriada – disse ele, levantando os olhos, sabendo que a sua voz parecia desajeitada. – Eu... Eu sempre me senti mal com o que aconteceu.

– Você foi perfeitamente claro, Hugh. – A voz de Chloe foi leve e severa. – Aliás, bastante claro. E, realmente, agora não importa. – Hugh tentou argumentar, mas ela levantou a mão para impedi-lo. – Vamos... vamos apenas deixar que você viva a sua vida, e nós a nossa. Está bem? E talvez tudo dê certo.

– Eu realmente gostaria de falar – disse Hugh. – Gostaria de ter a chance de...

– Olhe, eu também gostaria de muitas coisas – disse Chloe, interrompendo-o.

E antes que ele pudesse responder, ela foi embora, deixando-o sozinho no crepúsculo.

CAPÍTULO CINCO

Pela manhã, Hugh sentia-se cansado e tinha a vista embaçada. Na noite anterior, ele achara uma garrafa de Rioja e acabou bebendo praticamente tudo sozinho, dizendo a si mesmo, para justificar, que estava de férias. Agora ele estava em uma espreguiçadeira, com um chapéu sobre o rosto, retraindo-se toda vez que um fio de luz penetrava a trama do chapéu e atingia suas pálpebras fechadas. Mesmo um pouco distante, ele podia ouvir a voz de Amanda e, ocasionalmente, a de Jenna.

– Lembre-se de passar protetor no pescoço das meninas – dizia ela. – E na parte de trás das pernas.

– Não se preocupe.

– E na sola do pé.

– Já passei.

– Tem certeza? – Hugh nem se dera conta de que Amanda estava na cadeira ao lado dele. – É sempre bom prevenir.

– Sra. Stratton – a voz de Jenna pareceu deliberadamente controlada –, se há uma coisa com a qual eu me preocupo é com os perigos do sol. Também prefiro não arriscar.

– Ótimo. – Houve uma pausa e Amanda se recostou na espreguiçadeira. – Então – disse ela em voz baixa a Hugh. – Nenhum sinal deles ainda.

– Sinal de quem? – murmurou Hugh sem abrir os olhos.

– *Eles.* Os outros. Para falar a verdade, não tenho ideia de como as coisas vão se resolver.

Hugh retirou o chapéu do rosto. Piscando os olhos devido ao sol, e fazendo esforço para se sentar, ele olhou para Amanda.

– O que você quer dizer com "resolver"? – perguntou. – Aqui está a piscina, aqui estão as cadeiras, o dia está ensolarado...

– Só quero dizer que... – Amanda franziu a testa ligeiramente. – É uma situação constrangedora.

– Não vejo por quê – disse Hugh, olhando Jenna conduzir Octavia e Beatrice pelos degraus rasos da piscina. – Eu falei com... – Ele fez uma pausa. – Com a Chloe, a mulher. – Ele olhou para Amanda. – Ontem à noite, quando você estava dando banho nas meninas.

– É mesmo? O que ela disse?

– Eles querem ficar na deles, assim como nós. Não há razão para invadirmos o espaço um do outro.

– Houve invasão de espaço ontem a noite, não houve? – argumentou Amanda, nervosa. – A noite passada foi um tremendo fiasco!

Hugh deu de ombros e voltou a se recostar, fechando os olhos. Ele não estivera na cozinha na noite anterior, portanto não testemunhara o incidente ao qual Amanda se referia. Ao que parece, Philip e Jenna haviam começado, cada um, a preparar o jantar para suas respectivas famílias, de olho no mesmo frango. Em algum momento, eles perceberam isso. (Será que eles atacaram o frango ao mesmo tempo?, Hugh agora se perguntava. Será que suas mãos se esbarraram no pescoço da ave? Ou teria sido uma percepção mais lenta e progressiva?) Até onde ele sabia, Philip tinha se oferecido imediatamente para tentar achar outra coisa para cozinhar, e Jenna havia agradecido.

No seu entender, isso estava longe de ser um fiasco. Mas Amanda tomara o pequeno incidente como uma confirmação de que as férias inteiras seriam arruinadas; aliás, já tinham sido arruinadas. Como haviam ficado na sala de jantar (Philip e Chloe haviam comido no terraço), ela repetiu essa opinião várias vezes, em diferentes versões, até que Hugh não aguentasse mais. Ele acabou indo para a varanda do quarto com a garrafa de vinho e bebeu tudo, lentamente, até o céu escurecer. Quando entrou, Amanda estava na cama, adormecida, em frente à TV.

– Estava demorando. – A voz baixa de Amanda interrompeu seus pensamentos: – Lá vêm eles. – Ela aumentou o tom de voz. – Bom dia!

– Bom dia – Hugh ouviu Philip retribuir o cumprimento.

– Dia lindo – ouviu-se a voz de Chloe.

– É mesmo – concordou Amanda, radiante. – Está um dia simplesmente maravilhoso.

Houve silêncio, e Amanda se recostou novamente.

– Pelo menos não estão tentando nos expulsar das nossas cadeiras – disse ela em voz baixa. – Ao menos por enquanto. – Houve uma pausa, preenchida pelo ranger da sua cadeira enquanto ela encontrava uma posição confortável para se bronzear, pegava seus fones de ouvido e os ajeitava na orelha. Um momento depois, ela os retirou e levantou os olhos. – Hugh?

– Hum?

– Você pode me passar o Fator Oito?

Hugh abriu os olhos, sentou-se e gelou. Do outro lado da piscina, de costas para ele, Chloe desabotoava seu velho vestido de algodão. Quando a roupa deslizou pelo seu corpo, até cair no chão, Hugh a observou, paralisado. Ela usava um antiquado maiô florido e seu cabelo estava preso por uma flor. Suas pernas eram brancas e bem torneadas; seus ombros, frágeis e vulneráveis, como os de uma criança. Quando ela se virou, ele não conseguiu evitar que seus olhos percorressem seu corpo, até o rápido vislumbre do seio branco.

– Hugh?

Ao lado dele, Amanda se ergueu na cadeira. Ao mesmo tempo, Chloe olhou na direção deles, diretamente para ele. Quando seus olhos se encontraram, Hugh sentiu uma pontada de desejo. De culpa. As duas sensações pareciam ser quase a mesma coisa. Imediatamente, ele se virou.

– Tome – disse ele, pegando o primeiro frasco que encontrou, passando-o para Amanda.

– Este não é o Fator Oito! – disse ela, impaciente. – É o frasco grande.

– Certo.

Hugh pegou o outro frasco, passou-o para a esposa e se recostou, com o coração disparado. Não conseguia tirar da mente o rosto de Chloe; sua indiferença, seus olhos azuis ligeiramente desdenhosos. Naturalmente ela sabia o que ele estava pensando. Chloe sempre soube exatamente o que ele pensava.

Eles haviam se conhecido 15 anos antes, em uma festa universitária, em Londres; uma festa repleta de estudantes de economia e de medicina, em um apartamento em Stockwell. Como amigo de um dos estudantes de economia, Gerard também tinha sido convidado e, como era de se esperar, em se tratando de Gerard, ele levara consigo vários estudantes de história da arte do Instituto de Arte Courtauld, que não haviam sido convidados. Uma dessas pessoas era Chloe.

Relembrando esses acontecimentos, Hugh tinha a impressão de que se apaixonara no primeiro instante. Na ocasião, ela usava um vestido meio exótico, que a destacava das outras pessoas. Começaram falando sobre pintura, assunto que Hugh não conhecia muito bem. Em determinado momento, o assunto mudou para traje de época, que Hugh conhecia menos ainda. Então, como complemento, Chloe revelara que tinha desenhado e costurado o vestido que estava usando.

– Não acredito – dissera Hugh, após vários copos de vinho, na tentativa de desviar a conversa sobre acessórios do século XIX. – Então, prove.

– Está bem – dissera Chloe, rindo e levantando a bainha do vestido. – Olhe esta costura. Observe os pontos. Eu fiz cada um, à mão.

Hugh olhara, de forma obediente, mas não percebera um único ponto. Vislumbrara apenas as pernas longilíneas de Chloe, cobertas por meias finas, e sentira um desejo abrasador por ela. Tentando recuperar a calma, bebeu um gole do vinho e olhou para ela, esperando indiferença, até hostilidade. Em vez disso, o que viu foi uma fria perspicácia em seus olhos azuis. Chloe sabia exatamente o que ele queria. E ela queria a mesma coisa.

Mais tarde, naquela mesma noite, no seu quarto em Kilburn, ela o forçara a tirar seu vestido com movimentos lentos, fazendo uma pausa para que ela pudesse mostrar-lhe cada costura feita à mão. Quando o vestido foi totalmente retirado, ele a desejava mais do que jamais desejara qualquer mulher em sua vida.

Depois, ficaram deitados, em silêncio. Hugh já estava prevendo a manhã seguinte; em como poderia se esquivar de passar o dia inteiro na companhia dela. Quando Chloe murmurou algo e saiu da cama, ele mal notou. Só quando ela estava se vestindo, ele percebeu, com uma súbita angústia, que ela se preparava para ir embora.

– Tenho que ir – ela havia dito, dando-lhe um suave beijo na testa. – Mas talvez a gente possa se ver novamente.

Quando ela fechou a porta, Hugh se deu conta, desapontado, que pela primeira vez a situação se invertera: ele era a pessoa deixada na cama, enquanto a outra dava uma desculpa para se retirar. Para sua surpresa, ele não gostou daquilo.

Na outra vez que se encontraram, ela foi embora da mesma maneira. Assim como na vez seguinte. Após algumas semanas, ele perguntou, de forma casual, por que ela precisava ir, e ela falou algo sobre uma tia, com quem vivia nos arredores de Londres, que era meio exigente. Ela nunca entrou em detalhes a respeito de sua vida; nunca mudou o padrão. Durante aqueles três meses de verão, que afora esse detalhe havia sido perfeito, ela não tinha, sequer uma vez, passado uma noite inteira com ele. Por fim, ele abandonou o orgulho e suplicou para que ela dormisse uma noite com ele. "Quero ver como você é ao acordar", disse ele, rindo, para disfarçar que falava sério. Mas ela não se dava por vencida. A tentação, ele agora percebia, devia ter sido enorme, mas ela se recusara terminantemente a ceder. Se fechasse os olhos agora, ele ainda podia se lembrar do farfalhar do jeans; o silvo de uma camisa de algodão; o tilintar da fivela de um cinto. Os sons dela vestindo a roupa no escuro e desaparecendo, para o lugar ao qual ele nunca era convidado.

Ela parecia tão etérea, tão delicada. Mas Chloe era uma das pessoas mais fortes que ele conhecia. Mesmo naquela época, ele notara isso. Correra um boato que um de seus amigos da escola havia morrido, no exterior, em um acidente de alpinismo. Gregory não era um dos amigos mais próximos, mas o choque deixara Hugh abatido. Ele nunca havia defrontado a morte antes e ficara assustado com a própria reação. Após o choque inicial, instalou-se uma depressão que durou semanas. Chloe ficara com ele o tempo todo, ouvindo, orientando, confortando. Sem pressa, sempre paciente; sempre plena de uma sensatez baseada e moderada. Ele ainda sentia falta daquele bom-senso, daquela força. Ele nunca precisou se explicar, ela sempre entendia como sua mente trabalhava. Ela parecia entendê-lo melhor do que ele entendia a si mesmo.

Hugh emergiu daquele período sombrio e deprimido completamente revigorado. Sentira-se decidido a agarrar a sua vida enquanto ainda a tinha, e fazer dela algo importante. Alcançar o êxito; ganhar dinheiro; realizar tudo o que podia. Começou a vislumbrar carreiras ambiciosas, a pedir informações sobre empresas de grande porte e a visitar o escritório de orientação vocacional da London University.

Aproximadamente na mesma época em que ele assistia a eventos de recrutamento e se encontrava com consultores, Chloe começara, pela primeira vez, a falar sobre sua vida; a referir-se à sua tia e aos seus primos em idade escolar. E a alguém chamado Sam, que ela gostaria que ele conhecesse.

Ele ainda se lembrava daquele dia com clareza. A viagem aos arredores de Londres. O passeio ao longo de ruas suburbanas, todas iguais e bem-cuidadas. Pararam em frente a uma pequena casa de falso estilo Tudor, Chloe abrira timidamente a porta e o convidara a entrar. Embora tentando se esquivar ligeiramente do cenário doméstico, ele sorrira de forma animadora e atravessara o corredor estreito até a sala. Ao entrar, ele parou surpreso. Sentado no carpete, um bebê sorria para ele.

Disposto a enfrentar a situação, ele sorriu também, achando que a criança era um sobrinho, ou o filho de uma amiga; um bebê sem relação com Chloe, que tinha 20 anos e que ainda parecia uma menina ela mesma. Ao se virar para fazer um comentário leviano, viu sua expressão coberta de amor.

– Ele gostou de você. – Ela foi em direção ao bebê e o apanhou no colo. – Diga oi para Hugh, Sam. – Confuso, Hugh fitara o rosto alegre do bebê e, aos poucos, como uma pedra caindo na água, a ficha caiu.

Ele ainda se lembrava do pânico sufocante que sentira. A raiva; a traição. Com um sorriso forçado, ele tomou um chá, conversando com a tia, respondendo suas perguntas esperançosas da melhor forma que podia. Mas sua mente estava longe, planejando a fuga. Não poderia mais olhar para Chloe sem sentir uma raiva doentia. Como ela pudera estragar tudo daquela forma? Como ela podia ter um *bebê*?

Mais tarde, ela explicou a situação. Enquanto a tia fazia barulho com a louça de barro na cozinha, ela falara do seu constrangimento em apresentar o filho a alguém; sua angústia tentando decidir quando contar; sua decisão de adiar o momento até que ele tivesse se recuperado da morte de Gregory.

– Achei que se eu dissesse que tinha um bebê, você me deixaria – disse ela. – Mas quando você o conheceu e viu o quanto ele é encantador… – Ela interrompeu a frase, com o rosto levemente corado de emoção, e Hugh acenou com a cabeça, atônito.

Rapidamente, ela lhe deu os fatos precisos e objetivos a respeito da concepção. Um caso com um professor muito mais velho, sua ingenuidade, a dolorosa decisão de manter a gravidez. Hugh mal conseguia ouvir o que ela dizia.

No dia seguinte, ele saiu do país. Viajou sozinho para a ilha de Corfu, em um arranjo de última hora, e ficou na praia, sentindo-se abatido, fitando o mar, odiando-a, porque ainda a queria. Continuava a desejá-la, mas não podia tê-la. Ele não podia ter um bebê em sua vida. *Ela deveria saber disso*, pensava irritado, com a cabeça quente entre as mãos. As coisas estavam tão perfeitas e agora ela havia arruinado tudo.

Ele ficou na praia por duas semanas, cada dia mais bronzeado e mais determinado. Não jogaria sua vida fora por causa do filho de outro homem. Não ficaria tentado em tomar uma atitude apressada e impetuosa para lamentar depois. Em vez disso, perseguiria as metas que tinha estabelecido para si; o ambicioso caminho solitário que lhe estava destinado. Teria a vida que *ele* queria.

Quando voltou, havia incontáveis mensagens de Chloe. Ele ignorou todas. Preencheu formulários de empregos em todas as grandes empresas de consultoria de gestão e começara a agir. Quando ouvia a voz dela na secretária eletrônica, ou notava sua letra no bilhete deixado sobre o capacho, sentia uma dor no peito. Mas se treinou a ignorar, a seguir adiante, independentemente de tudo, e logo o sofrimento cedeu. Aos poucos, as mensagens de Chloe foram se tornando cada vez mais escassas. E finalmente cessaram completamente, como uma criança que chora no andar de cima até adormecer.

Hugh moveu-se na cadeira e abriu um olho. Chloe estava deitada; ele não podia ver seu rosto. Philip, no entanto, estava sentado. Então, com o pretexto de pegar o jornal, Hugh o inspecionou. Não era um cara feio, do tipo desleixado, pensou de má vontade. Mas seu rosto era pálido, sua barba estava por fazer e tinha uma expressão carrancuda. Ele estava olhando ao longe, aparentemente alienado, sem se dar conta de Hugh, Chloe ou de qualquer outra coisa.

– Pai?

Philip pulou da cadeira, assustando Hugh. Sam estava correndo em direção à piscina, com uma raquete de badminton na mão. Ele inspecionou a área, percebendo, desinteressado, a presença de Hugh. Quando seus olhos se encontraram, Hugh o fitou, cheio de emoção. Aquele bebê, sentado no carpete no subúrbio, transformara-se naquele adolescente alto e bonito. Ele sentiu um desejo ridículo de se aproximar e dizer-lhe: *Eu o conheci quando você era um bebê.*

Mas Sam já tinha virado de costas para falar com o pai. O padrasto, Hugh se corrigiu.

– Pai, a gente queria jogar badminton.

– Então joguem – disse Philip.

– É, mas a rede fica caindo.

– Você a instalou corretamente? – Com total falta de interesse, Sam deu de ombros e pegou uma lata de Coca

Cola no chão. – Preguiçoso de uma figa – disse Philip. – Quer que eu a ajeite para você, não é?

– Aham.

Philip balançou a cabeça e olhou para Chloe, dando um sorriso amarelo.

– Dá para acreditar na preguiça desse garoto?

– Extremamente preguiçoso – disse Sam, satisfeito. – Eu sou assim. – Bebeu um gole do refrigerante e olhou para Hugh, que o observava, do outro lado da piscina.

Imediatamente, Hugh desviou o olhar, sentindo-se um intruso; um bisbilhoteiro que presta atenção na vida dos outros.

– Dá um tempinho – disse Philip. – Vai pra lá, que eu já vou em um segundo.

– Estamos no campo – disse Sam apontando adiante. – Atrás das árvores.

Ele foi embora e Hugh ficou olhando o rapaz se afastar sentindo um súbito ciúme. Ele estava com ciúmes do garoto de cabelo loiro; da sua relação fácil com um pai que nem era biológico; do modo como aquela família parecia se entrosar.

Levantou-se bruscamente e, tentando disfarçar seu desconforto, foi até a parte rasa da piscina, onde Octavia patinhava. Ele atraiu sua atenção e deu-lhe um sorriso animado.

– Quer brincar de agarrar a bola? – perguntou ele. – Quer brincar com o papai? – Octavia piscou perplexa e ele repentinamente percebeu que não tinha nenhuma bola por perto. – Ou... ou brincar de esconde-esconde – tentou. – Ou qualquer outra coisa divertida. – Ele apontou para a área gramada à sua direita. – Vamos brincar!

Houve uma pausa. Então, sem grande entusiasmo, Octavia começou a sair da piscina e a caminhar na direção dele. Hugh apressou-se para a área gramada, olhando ao redor, à procura de inspiração. Do que será que as crianças brincavam?

Do que ele brincava quando era criança? Montava modelos em miniatura, ele se lembrou. E aqueles trenzinhos maravilhosos que havia no sótão. Compraria uma coleção de trenzinhos para as filhas, ele decidiu entusiasmado. Por que elas também não podem gostar de trenzinhos? Ele os compraria assim que voltassem para a Inglaterra. Os maiores da loja. Mas por enquanto... bem, que tal brincar de outra coisa?

– Bem, Octavia, nós vamos... – disse ele se virando para a filha, e gelou.

Octavia não o seguira. Ela estava correndo na direção oposta, atrás de Jenna, que tinha aparecido do nada, carregando um brinquedo inflável brilhante e colorido.

Hugh fora abandonado. Estava sozinho na grama, sentindo-se um tolo, com as pernas repentinamente trêmulas. Sua filha o rejeitara. Ele era um homem de 36 anos, sentado na grama, esperando, sozinho, para brincar com ninguém.

Por alguns segundos, ele permaneceu completamente imóvel, incapaz de pensar no que fazer, em que desculpa usar. Ninguém o ouvira falar com Octavia, mas ele ainda se sentia envergonhado. Finalmente, com o rosto em chamas, andou até uma árvore próxima, ficou examinando sua casca e franziu a testa.

Após um momento, Amanda tirou o fone do ouvido e levantou os olhos, perplexa.

– Hugh, que diabos você está fazendo? – perguntou ela. Hugh olhou para ela, com os dedos ainda agarrados à casca da árvore.

– Só estou... – Ele fez uma pausa. – Só pensei em entrar e ligar para o escritório. Verificar o que está acontecendo. Não vou demorar.

Amanda revirou os olhos.

– Faça como quiser.

Ela se recostou na espreguiçadeira. Com um movimento involuntário, Hugh arrancou um pedaço da casca, olhou-a por um segundo e jogou-a no chão. Depois, com o rosto tenso, foi em direção à entrada da casa.

Os MENINOS FICARAM ENTEDIADOS olhando Philip levantar a rede de badminton e voltaram para a piscina. Chloe observou o cauteloso nado de peito de Nat com carinho aflito, controlando-se, a tempo de gritar um conselho. Após alguns minutos, ela se recostou na cadeira, tentando descansar e curtir as férias. Tentando obedecer às próprias instruções.

Mas achava isso tão difícil quanto Philip. Ele acordara naquela manhã com a mesma expressão preocupada de quando fora dormir. E ela havia acordado com as mesmas frustrações. A mesma frustração mental; a mesma frustração física. Era a necessidade física que a deixava louca enquanto estava ao sol, aparentemente calma e satisfeita.

Uma das regras implícitas do seu relacionamento com Philip era a de que eles fariam amor, se não todas as noites de todas as férias, com certeza mais frequentemente nas férias do que em casa. Com certeza na primeira noite. Sempre na primeira noite. Precisavam disso, Chloe pensou, como forma de celebrar a chegada; liberar a tensão da viagem; marcar o começo de uma semana de prazer. E, acima de tudo, para estabelecer o relacionamento mais uma vez. Para aproximarem-se um do outro, longe do cenário doméstico, do ambiente confortável que pode confundir familiaridade com amor.

Na noite anterior, nada tinha acontecido. Ela tentara se aproximar, mas ele suavemente afastara sua mão. Ela ainda se sentia ofendida quando pensava nisso; no momento do ocorrido, ficara chocada demais para se aborrecer. Permanecera olhando para cima, para o cortinado da cama, pensando, *Então é assim? As coisas chegaram a esse ponto!*

"Estou exausto", Philip havia murmurado no seu travesseiro, tão indistintamente que ela mal conseguira decifrar as palavras. Essa tinha sido a desculpa. Mas ele nem sequer virou-se para olhar para ela; sequer deu um beijo de boa-noite. Como era possível o Philip dinâmico e alegre chegar a esse nível de apatia?

"Amo você, Chloe", acrescentara ele, antes de apertar delicadamente a sua perna. Ela não respondera. Naquela manhã, eles acordaram separadamente. Vestiram-se separadamente, tomaram o café da manhã separadamente. Estavam lado a lado nas espreguiçadeiras, como estranhos educados e cautelosos. Ela não sabia por quanto tempo poderia suportar aquilo.

Havia meses, suas vidas vinham sendo dominadas pela aquisição da empresa. Tudo havia ficado obscurecido pela PBL e seus planos, até Philip parecer incapaz de pensar em qualquer outra coisa. Quantas vezes, após um dia de trabalho, ela chegara em casa querendo uma taça de vinho e um abraço e encontrava Philip e seu subgerente, Chris Harris, juntos, na cozinha, bebendo cerveja por horas a fio, especulando inutilmente. Especulavam sobre o significado do último memorando da PBL; sobre os últimos artigos publicados no jornal; sobre o relatório atrasado da Mackenzie, no qual seus destinos estavam selados. *Calem a boca!*, ela tinha vontade de gritar furiosamente. *Ficar falando sobre isso não vai mudar nada! Não vai salvar seus empregos!* Mas em todo o caso, eles insistiam naquilo, prevendo, conjecturando as visões de pessoas desconhecidas, distantes, relatando partes de informações irrelevantes e repetindo mantras de apoio, do tipo: "Não se pode administrar um banco sem funcionários", dizia Philip, abrindo mais duas cervejas. "Simplesmente não é possível", repetia Chris lealmente, erguendo sua garrafa.

E assim eles continuavam, dando força um ao outro, afirmando que tudo ficaria bem, enquanto por trás da bravata de Philip, Chloe podia ver um vazio, um medo que corroía a vida do marido. Aquele negócio o modificara completamente, tornando-o irreconhecível. Lá se fora o cara confiante, alegre e ligeiramente independente que ela conhecera há tantos anos; no seu lugar, havia um homem medroso, curvado com a depressão, derrotado por um desastre que ainda não tinha acontecido. E que talvez nunca acontecesse.

O problema, ela pensava, era que Philip tivera uma vida fácil demais. Até aquele momento, ele nunca havia sofrido uma tragédia; portanto, ele a temia intensamente. Ele realmente parecia acreditar que suas vidas terminariam se ele perdesse o emprego, que eles jamais se recuperariam de tal golpe. Ele subestimava a capacidade de recuperação do ser humano.

As pessoas se recuperam, pensou Chloe, virando-se na cadeira e fechando os olhos. *Aconteça o que acontecer, as pessoas encontram um caminho para seguir em frente. Quando eu tinha 20 anos e engravidei do meu professor, parecia uma enorme calamidade, mas o fato acabou se tornando uma das experiências mais maravilhosas e felizes na minha vida. E realmente, há coisas piores do que perder o emprego. O problema do Philip não é o seu emprego ou a falta dele, mas o seu estado de espírito. Com um pouco de sorte, essas férias ajudarão...*

Uma série de gritos e espirros aos poucos invadiu seus pensamentos. Após um grito bem alto, ela olhou, com relutância, para a piscina e, com esforço, ergueu o corpo na cadeira. Nat e Sam tinham começado a brincar de mergulho e bombardeio, jogando água para todo lado e em Amanda, que estremecia em silêncio a cada vez que era atingida por uma gota.

– Nat, Sam – disse ela imediatamente. – Meninos, parem com isso.

Era tarde demais. Sam já tinha pulado e apertado as pernas junto ao corpo. Ele caiu perto da borda da piscina, formando uma enorme onda, deixando Amanda completamente encharcada.

– Aaahhh! – ela gritou e pulou. – Você são uns *monstros*!

– Sam! – gritou Chloe para o filho que estava com a cabeça submersa na água. – Saia já daí!

– Desculpa – disse Nat, nervoso, do outro lado da piscina. – Desculpa, mãe.

– Não peça desculpas a *mim* – disse Chloe, exasperada. – Peça à Sra. Stratton.

– Desculpa, Sra. Stratton – repetiu Nat, e Amanda acenou com a cabeça, demonstrando perdoá-lo.

– Sam – repetiu Chloe. – Saia daí e peça desculpas à Sra. Stratton.

Sam foi com esforço até a lateral da piscina e olhou para Amanda.

– Desculpa – repetiu ele, interrompendo a frase. Ele parecia não conseguir falar. – Desculpa, Sra....

– Stratton.

– Stratton – repetiu Sam com a voz rouca.

Chloe seguiu o olhar fixo de Sam e, para sua surpresa, viu, pela primeira vez, que Amanda estava fazendo topless. Ela agora estava de pé, com suas pernas longilíneas um pouco afastadas, os seios cobertos com gotas de água e o rosto vermelho de raiva. O efeito total, pensou Chloe, não era muito distante de algumas fotos de modelos na parede do quarto de Sam.

Para seu espanto, Amanda parecia ignorar completamente o efeito que causara no garoto.

– Sei que foi sem querer – dizia ela, em tom formal. – Mas, por favor, não esqueça que estamos compartilhando esta piscina.

Ela deu um sorriso frio e Sam acenou com a cabeça em silêncio, com os olhos fixos, involuntariamente, nos seios nus de Amanda. *Não é possível* que ela não tenha notado, pensou Chloe. Ela não pode ser tão idiota assim. Mas quando Amanda fez um gesto para ela, do outro lado da piscina, ficou claro que ela não havia percebido, no silêncio de Sam, nada além do arrependimento por sua conduta na piscina.

– Por favor, desculpe – insistiu Chloe, dando a volta na piscina, tentando manter os olhos concentrados no rosto de Amanda. – Às vezes os garotos ficam meio agitados, então, por favor, pode falar quando eles passarem do limite.

– Tudo bem – disse Amanda, antes de se acomodar na cadeira, pegar uma toalha e começar a secar o corpo. – Não acho que esteja sendo fácil para nenhum de nós.

– Não – disse Chloe. – Acredito que não.

Ela observou em silêncio enquanto Amanda apanhava um tubo de protetor solar e começava a espalhar o creme na pele dourada e perfeita.

– Bem... até logo – disse ela finalmente. – Mais uma vez, desculpe. – Quando começou a se afastar, Amanda ergueu os olhos.

– Espere – ela disse franzindo a testa. – Queria falar com você sobre o que aconteceu na cozinha ontem à noite.

– Ah – disse Chloe, com o coração ligeiramente apertado. – É, foi um pouco desagradável. Talvez devêssemos... não sei... coordenar cardápios, ou algo assim. – Ela suspirou. – Mas isso tornaria as coisas um pouco formais...

– Eu ia sugerir outra coisa – replicou Amanda. – A partir de hoje, a nossa babá pode cozinhar para todos nós.

– Sério? – perguntou Chloe, impressionada. – Ela se ofereceu para fazer isso?

– Nós a contratamos com essas condições – disse Amanda, como se explicasse a alguém algo bastante simples. – Ela cuidaria das crianças podendo, eventualmente, cozinhar, como se faz em chalés.

– Mansões – corrigiu Chloe, sorrindo. Amanda franziu a testa novamente, parecendo não ouvir.

– Então, se você quiser, posso pedir a ela para fazer o jantar para quatro pessoas. Podemos comer juntos.

Chloe olhou para ela, espantada.

– Tem certeza? – perguntou. – Quer dizer...

– Naturalmente, mas não se sinta obrigada a nada – completou Amanda. – Se você tiver outros planos...

– Não! – disse Chloe. – É que... bem, é muito generoso da sua parte. Nós agradecemos muito.

– Ótimo – disse Amanda. – Está acertado, então. – Ela voltou a se recostar na cadeira e fechou os olhos. Chloe a observou durante um momento e pigarreou.

– Desculpe, Amanda. Não seriam seis pessoas? Com Sam e Nat.

– As crianças? – Amanda abriu os olhos com ar de desaprovação. – Eles comem com vocês?

– Nas férias, sim – respondeu Chloe. – O Sam já é adolescente...

– Eu prefiro colocar as minhas filhas para dormir cedo – disse Amanda. – Para poder conversar livremente.

Talvez você aja assim, pensou Chloe, irritada. *Mas suas filhas são praticamente bebês.*

– Os meninos estão acostumados com conversa adulta – disse ela, em tom alegre. – Afinal de contas, eles são mais velhos.

Ela olhou para Amanda com ar desafiador. Durante alguns segundos, as duas permaneceram em silêncio.

– Bem – disse Amanda finalmente. – Muito bem, então. Direi a Jenna para preparar o jantar para seis pessoas.

– Ótimo – concluiu Chloe com um sorriso amistoso. – Vai ser maravilhoso.

HUGH SURGIU NA ÁREA da piscina e parou. Sua esposa estava conversando com Chloe. As duas, sozinhas, conversando animadamente. Amanda levantava os olhos de modo inexpressivo por trás dos seus óculos escuros; quanto a Chloe, ele não podia ver seu rosto. Sobre o que elas estariam conversando? O que será que Chloe estava falando?

Um tremor o atingiu e ele sabia que não queria ser visto. Recuou ligeiramente atrás de um arbusto frondoso. O chão estava fresco e agradável sob seus pés descalços, e ele podia sentir o aroma do pinheiro. Aguardou em silêncio, com o coração disparado; mais uma vez, ali estava ele: um homem apavorado diante de uma situação difícil.

Sua secretária, Della, parecera surpresa ao falar com ele.

– Está tudo bem? – insistira ela. – Tem certeza?

– Claro! – respondera Hugh, tentando parecer despreocupado. – Eu apenas pensei em ligar para ver como estão as coisas. Há algo importante que eu deva saber?

– Acho que não – dissera Della. – Deixe-me ver... – Ele ouviu o barulho de papéis sendo folheados. Se fechasse os olhos, poderia praticamente ver-se em sua pequena sala. – As recomendações da equipe de John Gregan chegaram... – disse ela.

– Finalmente! – disse Hugh. – Quem está olhando esses papéis?

– Bem, Mitchell tem uma cópia – disse Della. – E Alistair distribuiu cópias para a equipe dele...

– Ótimo – disse Hugh. – Perfeito. – Ele se apoiou contra a parede fria, sentindo-se tranquilo ao ser transportado de volta ao cenário do trabalho. Aquele era o mundo ao qual ele pertencia, onde era bem-sucedido, onde se sentia vivo. – Só espero que Alistair tenha levado à comissão o que eu disse na semana passada – prosseguiu ele, com mais energia. – Ele precisa se lembrar que nós *temos* que dar prosseguimento à implementação, o mais rápido que pudermos. Como eu disse antes, o segredo da obtenção do valor total deste acordo é encurtar o período de transição o máximo possível. – Ele fez uma pausa, ordenando as palavras, enumerando os argumentos mentalmente. – Precisamos atacar a questão da estrutura organizacional com urgência, senão os benefícios da consolidação serão perdidos e a empresa corre o sério risco de desestabilização. Como eu disse a Alistair, já há sinais de que...

– Hugh – interrompeu Della educadamente. – Hugh, você está de férias.

Num sobressalto, Hugh voltou à realidade. Ele parou de falar e fitou a si mesmo numa imagem vagamente refletida em um armário de vidro, do outro lado do hall redondo. Viu um homem de rosto pálido e, no lugar de olhos, covas escuras, segurando um telefone como se fosse uma corda de resgate.

E, de repente, sentiu-se envergonhado. O que diabos ele estava fazendo? Dentro de casa, falando sobre estruturas organizacionais com alguém que não estava interessado, em vez de estar lá fora, tomando sol com a família. O que Della devia pensar dele? Ele deixara o escritório havia apenas 24 horas!

– É verdade – assentiu ele, rindo. – Eu sei. Queria apenas... ficar a par da situação. No caso de alguém precisar de uma resposta rápida da minha parte...

– Hugh, todo mundo sabe que você está de férias. Ninguém espera uma resposta sua até você voltar.

– Certo – disse Hugh após uma pausa. – Tem razão. Bem, nos vemos quando eu voltar. Se cuida! – Sua tentativa de descontração o fez estremecer.

– Divirta-se, Hugh – disse Della em tom amável. – E não se preocupe, está tudo sob controle por aqui.

– Tenho certeza de que sim – completou. – Tchau, Della. – Ele pousou o telefone e olhou para os próprios olhos fundos, silenciosamente, por vários minutos.

Quando viu Chloe se afastar de Amanda, sentiu um alívio. Saiu de trás da árvore e foi em direção à piscina, desfrutando a sensação do sol em sua cabeça.

– Olá, querida – disse ele ligeiramente, ao se aproximar de Amanda. – Conversando com o inimigo?

– É – disse Amanda. – Não podemos simplesmente ignorá-los. Convidei-os para jantar conosco esta noite. – Ela virou uma página da revista e observou a foto de um casaco de pele.

– Esta noite? – perguntou Hugh imediatamente.

– Sim, por que não? Jenna vai cozinhar, portanto não será nenhum incômodo. – Amanda levantou os olhos para ele. – Podíamos ser civilizados em relação a isso, não acha?

– Claro – disse Hugh após uma pausa. – Com certeza.

Seus olhos cruzaram a água azul da piscina até a cadeira de Chloe. Ela olhou para ele rapidamente, e voltou a ler. Lentamente, ela levantou os olhos outra vez. Hugh retribuiu o olhar, sentindo um desejo súbito, quase doloroso.

– Hugh – chamou Amanda. – Você está na frente do sol.

– Ah – disse Hugh. – Desculpe.

Ele sentou na cadeira, ao lado da esposa, e pegou um livro. Ao abri-lo e virar a primeira página, seus olhos ainda estavam pousados nos de Chloe.

Depois de perderem uma peteca que desaparecera em uma árvore e outra em um arbusto, Sam e Nat desistiram de jogar badminton. Jogaram-se na grama coberta de arbustos do campo e ficaram bebendo Coca-Cola ruidosamente e fitando o infinito céu azul.

– O que você acha da outra família? – perguntou Sam, após um momento.

– Sei lá – respondeu Nat, dando de ombros. – Eles parecem bacanas.

– Você podia brincar com as meninas – sugeriu Sam. – Marque um jogo, ou algo assim.

– Elas são *bebês*. – A voz de Nat era calmamente desdenhosa. – Ainda devem brincar de chocalho e coisas desse tipo.

– Bem, você é quem sabe. – Sam bebeu um gole do refrigerante.

– O que você acha deles? – perguntou Nat, baixando a voz, sem necessidade. – A mãe parece bem mandona!

– Não sei – respondeu Sam, após uma pausa. – Ela é legal.

– Quer dizer, a gente só jogou um pouco de água nela, só isso. Não fizemos de... – Nat parou de falar e cutucou Sam. – Ei, olhe. São elas. E aquela garota.

Sam virou a parte superior do corpo para olhar do outro lado. Jenna caminhava sobre a grama seca, carregando duas cadeiras de jardim e uma manta. As meninas a seguiam, uma delas carregando uma almofada, e a outra um urso de pelúcia.

– Oi, pessoal – disse ela ao se aproximar. – Estamos indo acampar. Querem vir conosco?

– Não, obrigado – respondeu Sam, com a voz relaxada e indiferente.

– Não, obrigado – disse Nat, tentando imitar o tom do irmão.

Jenna deu de ombros.

– Tudo bem.

Sam e Nat retornaram às suas posturas informais e, por algum tempo, ficaram em silêncio. Então, Nat olhou para o local onde Jenna estava montando o acampamento.

– Para falar a verdade – disse ele, com espanto relutante. – Para falar a verdade, até que esse é um acampamento muito legal. – Sam seguiu seu olhar e suspirou profundamente.

– Minha nossa!

Jenna amarrou os galhos pendentes de duas árvores, formou paredes com as cadeiras flexíveis, pôs as mantas por cima e camuflou tudo com folhas e galhos. Enquanto os garotos olhavam, ela se debruçou, espalhando algo na base do acampamento.

– Ficou legal, né? – perguntou Nat.

– Maravilhoso... fantástico – concordou Sam, com os olhos fixos nas coxas firmes de Jenna. – Vamos. – Ele ficou de pé. – Vamos dar uma mãozinha.

– Está bem!

Nat levantou-se animado e se apressou em direção ao campo. No caminho, eles passaram por um portão de ferro que dava para a estrada, e Sam parou para inspecionar o que havia do outro lado. A vista não era nada animadora. Uma estrada estreita sumia à distância; não havia carros nem pessoas. Eles estavam realmente no meio do nada, pensou ele.

– Oi, pessoal – disse Jenna, levantando os olhos.

– Oi – respondeu Sam, afastando-se do portão. – Como está se saindo?

– Bem. – Jenna levantou-se, ligeiramente ofegante. – Prontinho, meninas. O que vocês acham?

– É minha – disse Octavia imediatamente. – É a minha barraca de acampamento.

– Não é não – disse Jenna. – É minha. Mas deixo vocês brincarem, se prometerem dividi-la sem brigas.

As duas meninas se olharam e desapareceram dentro da barraca. Após uma pausa, um pouco timidamente, Nat as seguiu.

– Então – disse Sam, inclinando-se casualmente contra uma árvore e olhando para Jenna. – A gente devia ficar junto.

– Devia? – Jenna levantou as sobrancelhas. – E por quê?

– Acho que está bem óbvio, não é?

– Não exatamente – respondeu Jenna, com os olhos brilhando. – Mas você pode explicar, se quiser.

Lentamente, Sam passou os olhos pelo corpo de Jenna.

– Gostei da cobra – disse ele. – Muito sexy. – Jenna o fitou por um momento e jogou a cabeça para trás em uma risada.

– Ah, você está desesperado, não é? – perguntou ela. – Está *implorando* por isso.

Sam corou.

– Não! – respondeu ele com veemência. – De jeito nenhum! Estou só tentando...

– Tirar minha calcinha. Eu sei.

– Ah, pelo amor de Deus.

Ele se virou e foi em direção ao portão que dava para a estrada. Havia uma pessoa subindo a colina e ele se concentrou nela, tentando não pensar no olhar de zombaria de Jenna.

Imediatamente, ele percebeu que a pessoa que se aproximava era um garoto mais ou menos da sua idade, conduzindo um par de cabras ao longo da estrada.

– Olhe só aquilo! – Ele se virou para Jenna, esquecendo o próprio constrangimento. – Você tem uma câmera?

– O quê? – Jenna lançou os olhos por cima da sebe. – Você quer tirar uma foto dele?

– Por que não? É bacana. Um cara conduzindo cabras.

Jenna revirou os olhos.

– Você é um típico *turista.*

Pode falar o que quiser, Sam quis replicar, mas em vez disso olhou para a estrada.

– Oi – disse ele quando o rapaz se aproximou, e ergueu a mão como forma de saudação.

O rapaz parou e olhou para eles. Era mais baixo que Sam, embora parecesse mais forte, com braços bronzeados e musculosos. Ele sorriu e, por um momento, Sam ficou animado com as perspectivas: faria amizade com aquele rapaz e logo estaria saindo com ele e seus amigos. Talvez até conhecesse algumas garotas espanholas, realmente lindas, interessadas em garotos ingleses.

– *Hijo de puta!* – O rapaz jogou a cabeça para trás e cuspiu no portão de ferro.

Sam estremeceu. Consternado, ele olhou para o rapaz, que levantou um dedo para ele e prosseguiu rua acima, com os sinos das cabras tinindo ao vento.

– Você viu o que ele fez? – perguntou Sam virando-se para Jenna, que estava sentada no chão examinando as unhas dos pés.

– Não, o quê?

– Ele cuspiu no portão! Ele... cuspiu! – Jenna deu de ombros e Sam a fitou. – Você não acha que é um puta... um puta abuso?

– O portão não é seu – lembrou Jenna. – Nem a casa.

– Eu sei. Mas mesmo assim. Você cuspiria no portão de alguém?

– Talvez – disse Jenna. – Se tivesse motivo.

– Ah, bem – disse Sam após uma pausa. – Isso não me surpreende.

Jenna olhou para ele e sorriu.

– Você está puto comigo.

– Talvez – respondeu Sam em tom mal-humorado, dando de ombros e apoiando-se no portão. Jenna lançou-lhe um olhar carinhoso e se levantou.

– Não fique zangado – pediu ela, chegando cada vez mais perto, com um sorriso. – Não fique aborrecido. – Lentamente, ela estendeu a mão e tocou o peito de Sam. Depois, desceu o dedo frio até a sua sunga. – Nunca se sabe. Pode haver uma chance.

Ela chegou mais perto e deslizou a mão abaixo do elástico da sunga. Sam a olhou, paralisado pela súbita excitação. Os olhos dela pareciam reluzir com segredos e promessas de prazer. *Cacete*, ele pensou. *Cacete, está realmente acontecendo.*

A mão de Jenna insinuou-se na sunga. Ela puxou com delicadeza o tecido fino e ele reagiu, de forma involuntária, com a mente disparada de excitação. Até onde eles iriam? O que exatamente ela estava pretendendo? E quanto ao...

O estalo do elástico contra a sua barriga foi como um ferimento à bala. O som da risada rouca de Jenna foi outro golpe. Quando ele a fitou chocado, ela piscou, quase carinhosa, então virou-se e foi embora, fazendo a cobra tatuada no corpo se mexer conforme ela andava.

CAPÍTULO SEIS

Mais tarde, naquele mesmo dia, Chloe atravessou o silencioso corredor e foi até o quarto, vestir-se para o jantar. O piso de mármore era como bálsamo sob seus pés quentes; os quadros escuros e as cores discretas acalmavam seus olhos, após horas de exposição à luz do sol. Porém, no fundo, ela ainda se sentia abalada, ansiosa e um pouco agitada. Tinha a impressão de que, no decorrer do dia, alcançara lentamente um grau emocional do qual, agora, não conseguia escapar e que não podia se dissipar.

Durante todo o dia, ela percebera Hugh do outro lado da piscina. Externamente, tentou ignorar ao máximo toda a família dele. Mas não conseguia deixar de notá-lo a cada vez que se movia; toda vez que ele a olhava, ela percebia. Logo sua sensibilidade foi aumentando, até que o horizonte inteiro parecesse resumir-se exclusivamente aos dois, observando um ao outro, sem se observarem. Alimentando mutuamente um fascínio recíproco e consternado.

Olhar para ele era como ver um filme antigo: os movimentos silenciosos, o deslumbrante jogo de luz e sombra, a dolorosa e mista sensação de nostalgia. Ela o observara passando protetor solar na esposa e sentira as próprias costas formigando em resposta. Conhecia aquela mão, conhecia aquele toque. Enquanto Chloe o observava, ele ergueu a cabeça e olhou diretamente para ela, deixando-a constrangida.

Ela não disse nada. O silêncio tornara-se a barreira contra a qual as suas emoções se erguiam e pressionavam. Quanto mais forte o desejo de falar, mais bravamente ela resistia, satisfeita com o autocontrole. Hugh Stratton a deixara mais ferida do que ela jamais admitiria a alguém. Mas ela estava decidida a não deixar que ele percebesse isso. Não o deixaria ver nada, exceto o leve e desinteressado desprezo. Não admitiria a ninguém, nem a si própria, que seu coração dera início a um rápido e silencioso descompasso, no momento em que avistou seu rosto na entrada da casa. E que continuava descompassado mesmo agora.

Ela parou na porta do quarto e respirou profundamente, ordenando os pensamentos e concentrando-se no momento. Depois, abriu a porta. Philip estava junto à janela, olhando o jardim. Uma longa cortina branca e transparente descia suavemente ao lado dele. Ele se virou e por um momento os dois se olharam em um silêncio hesitante, repleto de incertezas. Então, Chloe deu alguns passos e pousou a bolsa na cama.

– Você resolveu entrar – disse ela sorrindo. – Estava quente demais, não é?

– Eu estava com um pouco de dor de cabeça – justificou ele, voltando a olhar para o jardim. Ela notou que ele tinha uma bebida nas mãos.

– Começando cedo – disse ela em tom de indiferença. – Isso não vai melhorar a dor de cabeça.

– Acho que não

Suas palavras soavam distraídas; ele permaneceu imóvel. Chloe sentiu um ímpeto de frustração. Desejava uma saudação no nível das suas emoções intensas e apaixonadas. Um beijo, um sorriso; até mesmo uma demonstração de raiva.

– Certo – disse ela, após uma pausa. – Bem... Vou tomar banho.

– Está bem – assentiu Philip, antes de beber um gole do uísque. – A que horas é o jantar?

– Oito.

– Os meninos já sabem?

– Eles não vão jantar conosco – declarou Chloe secamente.

Ela ainda estava muito irritada com Sam e Nat. Após não poupar esforços para colocá-los à mesa com os adultos, após ter dito a Amanda o quanto eles eram amadurecidos, ambos insistiram em comer porcarias, enquanto assistiam a um filme na TV a cabo. "Estamos de férias", argumentaram, enchendo a boca com salgadinhos e bebendo Coca-Cola ruidosamente, até ela ter vontade de gritar com eles.

Por fim, ela acabou desistindo. Seria impossível forçar o teimoso e insistente Sam a juntar-se aos outros e esperar que o jantar tivesse um tom adulto e civilizado. Pelo menos dessa forma ela não teria que se incomodar em censurar seus modos à mesa.

Chloe foi para o banheiro e abriu o chuveiro. Estava entrando no boxe quando se lembrou do xampu, que ainda estava na sacola plástica do duty free, ao lado de sua mala. Sem preocupar-se em fechar a torneira, ela saiu do banheiro e parou, surpresa. Philip falava ao telefone. Estava de costas, portanto não podia vê-la, e conversava em voz baixa. À medida que as palavras começaram a fazer sentido, ela sentiu uma raiva desproporcional.

– Então, o que ele disse? – perguntou Philip. – Posso apostar que foi, aquele departamento não sabe de nada – disse antes de fazer uma pausa. – Você está sugerindo que a gente fique sentado sem fazer nada? – Ele balançou a cabeça. – Aqueles filhos da mãe. Tudo bem. Vou tentar. Você tem o meu número. Obrigado, Chris. Vou ter que desligar.

Philip pousou o telefone, apanhou o copo e se virou. Ao dar de cara com Chloe, levou um susto.

– Oi – disse ele, meio desconfiado. – Pensei que você fosse... – Ele apontou para o banheiro.

– Não posso acreditar no quanto você é egoísta – disse Chloe com a voz trêmula. – Você prometeu não pensar nisso. Você *prometeu.* E agora o que é que eu descubro? Assim que eu viro as costas...

– Não é bem assim – argumentou Philip. – Eu só dei um telefonema para pôr um fim nisso.

– Mas não é o fim – replicou Chloe. – Eu ouvi o que você disse! Você deu o número daqui, não foi? – Ela ergueu as mãos, cética. – Nós combinamos que iríamos fugir de tudo e você distribui o número do telefone daqui!

– Eu *estou* fugindo de tudo! – exclamou Philip. – Estou na maldita Espanha! Só dei um telefonema para o Chris. E ele só vai telefonar se... bem. Se acontecer alguma coisa.

Chloe balançou a cabeça, em sinal de desânimo.

– Um telefonema ou vinte. Dá no mesmo. Você simplesmente não consegue se desvencilhar, não é? Toda vez que eu olho para você, está pensando nisso. Seria melhor nem ter vindo para cá.

– Ah, quer dizer que agora você policia os pensamentos dos outros, Chloe? – disse ele bruscamente. – Consegue ler a mente das pessoas. Ora, meus parabéns.

Chloe respirou profundamente, tentando manter-se calma.

– Nós combinamos que você esqueceria isso durante a semana. Você prometeu.

– Ah, está certo – disse Philip, com sarcasmo. – Eu devo *esquecer* que, durante esta semana, nossa vida pode mudar completamente. Esquecer que a minha carreira está por um fio. Esquecer que tenho uma família para sustentar, uma hipoteca para pagar.

– Eu compreendo tudo isso! – replicou Chloe. – É claro que eu sei de tudo isso! Mas pensar a respeito, o tempo todo, não vai resolver nada! Não afetará o rumo dos acontecimentos. – Ela deu alguns passos em direção a ele. – Philip, você tem que fazer um esforço. Tem que tentar tirar isso da cabeça. Ao menos durante esta semana.

– Você acha que é fácil, é? Esquecer isso? – Seu tom a fez estremecer.

– Não é fácil. Mas você consegue.

– Não consigo.

– Conseguiria se tentasse!

– Deus do céu! – protestou Philip, furioso, e o quarto pareceu tremer. – Você não faz ideia de como eu me sinto, não é? Treze anos juntos e você não me compreende!

Chloe o fitou com a garganta apertada e o rosto em brasa.

– Isso é extremamente injusto – disse Chloe, antes de engolir em seco. – Sempre me coloco no seu lugar.

– Exatamente! – disse Philip. – Exatamente. Você sempre coloca a *si* mesma no meu lugar. Nunca tenta imaginar como é ser eu. Eu, na minha situação. – Ele fez uma pausa e esfregou o rosto. – Talvez eu *precise* pensar nisso – acrescentou ele mais calmamente. – Talvez eu *precise* telefonar para o Chris, falar sobre isso e saber o que está acontecendo.

Talvez, se não fizer isso, eu enlouqueça. – Ele a fitou por um momento e balançou a cabeça. – Chloe, nós somos muito diferentes. Você é inacreditavelmente forte e decidida. Nada jamais a deixa abalada.

– Há muitas coisas que me abalam. – Ela sentiu que as lágrimas ameaçavam a brotar. – Mais do que você imagina.

– Talvez. Mas seja o que for, você sabe como lidar com a situação. Facilmente. E espera que todo mundo seja assim. – Philip deixou-se afundar lentamente na cama. – Mas eu não sou assim. Não consigo simplesmente esquecer as coisas e seguir em frente. Não consigo fingir que sou um... piloto. – Ele tomou um gole do uísque e olhou para ela, com uma expressão séria. – Eu não sou piloto. Sou um bancário medíocre prestes a ser considerado desnecessário.

– De jeito nenhum – contestou Chloe após uma longa pausa.

– De jeito nenhum o quê? Medíocre ou prestes a ser considerado desnecessário?

Chloe corou. Sem responder, ela foi até onde ele estava sentado e tentou tocar suavemente o seu ombro, mas ele se desviou do toque e se levantou.

– Tudo não passa de conjecturas – disse ela, sem esperar que suas palavras surtissem algum efeito. – Você não sabe se será o escolhido.

– Também não sei se não o serei – acrescentou Philip.

Ele olhou para ela de um modo que a fez estremecer, depois se afastou e foi em direção à porta, fechando-a atrás de si. Um silêncio absoluto tomou conta do quarto, quebrado apenas pelo barulho da água correndo no chuveiro ainda aberto no banheiro, como uma tempestade.

Beatrice estava indisposta; pálida e enjoada após tanto sol. Hugh estava na porta do quarto das meninas, pouco à vontade, observando Amanda sentada na cama, acariciando a testa da filha e falando com uma voz doce e suave, que ela nunca usava com ele.

– Há algo que eu possa fazer? – perguntou ele, sabendo qual seria a resposta.

– Não, obrigada. – Amanda virou-se e franziu a testa ligeiramente, como se irritada por vê-lo ali. – Pode descer. Não precisa esperar por mim. Vou assim que puder.

– Quer que eu chame a Jenna?

– Ela está *preparando* o jantar – disse Amanda. – Não se preocupe, pode descer.

– Tudo bem – assentiu Hugh. – Se você prefere. Boa noite, meninas.

Não houve resposta. Amanda havia se virado para Beatrice; Octavia estava concentrada em um livro colorido em tons pastel. Hugh olhou para sua família por um minuto, então se afastou e atravessou o corredor.

Quando chegou à escada, pôde ouvir o som, cheio de ruídos, de uma música antiga, que ele pouco conhecia. Ele atravessou o hall, alcançou a entrada e, com a garganta apertada, parou. Chloe estava no centro da sala pouco-iluminada, olhando, de modo enigmático, para o vazio. Ela usava um vestido escuro e largo, seu cabelo loiro estava jogado para trás, e segurava uma bebida. A imagem parecia algo nostálgico, distante do momento atual, pensou Hugh enquanto a observava. Talvez uma ilustração de Beardsley, ou um desenho de moda dos anos 1930. Sua pele continuava pálida, apesar do sol, mas quando ela se virou e olhou para ele, um leve rubor surgiu em seu rosto.

– Oi – disse ela, e tomou um gole da bebida.

– Oi – respondeu Hugh, e entrou cautelosamente na sala.

– Tem gim, vinho e uísque... – disse Chloe, apontando para uma mesinha de canto. Ela tomou outro gole, foi até a lareira e se virou. – Onde está a Amanda?

A pergunta, pensou Hugh, soou mais como uma afirmação. Um resumo da situação.

– Está lá em cima, com as crianças – respondeu Hugh sem dar mais detalhes. Ele não queria pensar em Amanda. – Onde está o Philip? – ele contra-atacou.

– Não faço a menor ideia – respondeu Chloe, com um leve brilho no olhar. – Não ficamos vigiando um ao outro.

Lentamente, tentando ganhar tempo, Hugh preparou um gim-tônica. Adicionou dois cubos de gelo ao copo e observou a bebida efervescendo e brilhando ao redor deles.

– Bonita música – disse, virando-se para ela.

– É mesmo. É um toca-discos antigo, de 78 rotações. Jenna o achou.

– É típico do Gerard possuir algo tão peculiar – disse Hugh, sorrindo e erguendo o copo. – Bem... saúde.

– Saúde – repetiu Chloe, em tom levemente sarcástico. – À sua excelente saúde.

Eles beberam em silêncio, entreolhando-se por sobre as bordas dos copos, ao som da música dos anos 1930.

– Você está linda – disse Hugh finalmente. – Esse vestido é muito bonito. Foi você que...

Ele parou de falar bruscamente, antes de completar a frase.

Mas era tarde demais. Um misto de incredulidade e desprezo já surgia no rosto de Chloe.

– Exatamente, Hugh – disse ela, devagar, como se analisasse cada palavra cuidadosamente. – Como era de se esperar, eu mesma fiz este vestido.

Um silêncio desconfortável instalou-se na sala. A música terminou, dando lugar ao ruído sibilante do disco girando na vitrola.

– Certo! – A voz alegre de Jenna interrompeu o silêncio, assustando Hugh e Chloe. – O que houve com a música?

– Acabou – disse Hugh. Ele olhou para Chloe, mas ela estava olhando em outra direção.

– Bem, vamos tocar novamente! – disse Jenna. – É fácil!

Ela foi até o aparelho, pousou a bandeja e, vigorosamente, deu corda no aparelho. A música recomeçou com mais energia, mais rápida que antes, quando Hugh entrou na sala.

– Você tem razão – disse Hugh. – É fácil.

Ele olhou novamente para Chloe e, dessa vez, os olhos de ambos se encontraram. Por alguns segundos, uma conexão tensa e faiscante pareceu estender-se entre eles, como a teia de uma aranha; então ela se virou e o encanto foi quebrado.

AO SENTAREM-SE À MESA, Philip já tinha bebido três doses de uísque e estava se servindo da quarta. Ele mal notou Chloe quando entrou na sala. Cumprimentou os outros com um gesto de cabeça e se jogou na cadeira, com a mente girando em torno dos mesmos pensamentos.

Por que ela nunca o deixava em paz? Por que ela precisava fazer tanto estardalhaço por causa de um simples telefonema? Se ela não tivesse dito nada, ele teria conseguido manter seus temores sob controle. Conseguiria manter as aparências; o seu já treinado equilíbrio. Mas a bisbilhotice e a consequente reclamação dela haviam perturbado a superfície turva de sua mente, fazendo emergir nuvens de inquietação que agora, tal qual uma fumaça de poluição, pairavam imóveis, recusando-se a assentarem; destruindo todos os pensamentos novos e revigorados, deixando apenas as velhas apodrecidas preocupações flutuando na escória.

Uma operação que envolvia assumir o controle, era a forma como eles definiam a situação. Bem, e eles realmente conseguiram assumir o controle: sobre seus pensamentos, sobre sua vida e sua família. Philip tomou um gole do uísque, como se desejasse limpar aqueles sentimentos com o álcool, e repetiu para si a frase que funcionara como seu mantra. Eles manteriam cinquenta por cento das filiais em funcionamento. Cinquenta por cento, conforme noticiara a imprensa. E também o memorando, que circulara no mesmo dia do anúncio da compra da empresa. Uma promessa clara, em meio a toda a bajulação; todas as referências eufemísticas para rentabilidade econômica, para sinergias, para estratégias progressistas.

Haviam prometido, publicamente, manter cinquenta por cento das filiais, o que significava, em termos lógicos, que ele tinha cinquenta por cento de chance de manter o emprego. Mais que isso, já que sua filial era bem-sucedida. Sua equipe era boa; ele havia inclusive recebido um prêmio. Quaisquer que fossem as regras distorcidas que aquela equipe contratada de gerentes sanguessugas tinha como modelo – independentemente da visão implacável que tinham em relação ao banco –, por que eles despediriam um dos seus melhores funcionários?

Antes que pudesse fazer alguma coisa, uma pequena esperança familiar e traiçoeira brotou em sua mente. Provavelmente, tudo ficaria bem. O relatório da Mackenzie recomendaria que a East Roywich permanecesse funcionando. Ele seria selecionado e promovido. Diante desse pensamento, uma sensação de alívio tomou conta de sua tristeza. Ele começou a se imaginar nessa situação: um homem confiante, seguro na carreira, achando graça ao lembrar da ansiedade desses últimos meses.

– Foi difícil por um período – ele diria aos amigos, servindo bebidas com uma tranquilidade casual. – Sem saber que rumo as coisas tomariam. Mas agora...

Ele daria de ombros de modo descontraído; um gesto simples, demonstrando o resultado tão positivo que a vida tinha reservado para ele. Depois, abraçaria Chloe e ela o olharia orgulhosa, da forma que costumava fazer. Da forma que não fazia há muito tempo.

Um forte desejo tomou conta de Philip, e ele fechou os olhos rapidamente, perdendo-se nos pensamentos. Ele queria ser aquela pessoa bem-sucedida; queria que sua família o olhasse com amor e admiração; queria ser um dos vencedores, e não parte do grupo dos recusados, os rejeitados de meia-idade, lentos demais para acompanhar um mundo tecnológico.

Você deveria se reciclar, insistia Chloe, com seu incansável e desgastante otimismo. *Reciclar-se em informática.*

Mas aquela frase em particular o fez sentir um frio na espinha. O que significava, nos dias de hoje, "reciclar-se em informática"? Significava ser um fracassado. Significava ser incapaz de fazer parte de um seleto grupo, no qual as pessoas apertavam botões para você. Significava estar destinado a ser um mero apertador de botão para o resto da vida.

– Ele adora computadores. Mas todos eles gostam, não é? – A voz de Chloe invadiu seus pensamentos e ele se assustou. Será que ela estava falando dele? Ergueu os olhos e viu que ela olhava para Amanda, do outro lado da mesa. Ele concluiu que ela devia estar se referindo a Sam.

– Ele parece um menino muito bonzinho – disse Amanda. – Paciente com o irmão. Desculpe, como é mesmo o nome dele? – Ela não parecia totalmente envolvida na conversa. Mas, com certeza, estava mais do que ele.

– Nat – respondeu Chloe, após uma pausa. – É verdade, o Sam é paciente com o irmão. Aliás, ele é um garoto maravilhoso.

– Quantos anos ele tem?

– Dezesseis – respondeu Chloe. – Já é quase um adulto.

Ela olhou para Hugh, em seguida para seu copo. Seus olhos pareciam estranhamente brilhantes, como se uma forte emoção tivesse vindo à tona, e Philip perguntou-se o que havia de errado. Seria uma súbita onda de afeto por Sam, ou o reconhecimento de que seu filho era quase um adulto? Talvez ela ainda estivesse aflita pela discussão que haviam tido mais cedo. Ou talvez fosse apenas efeito da bebida. Ele tomou outro gole e pegou a garrafa de vinho: se era para beber, ele iria ficar totalmente bêbado.

CHLOE JÁ ESTAVA UM POUCO TONTA. Jenna ainda não tinha aparecido com a comida e ela começava a sentir os efeitos do álcool no estômago vazio. Ao lado dela, Philip afundava, mal-humorado, na cadeira, bebendo vinho tinto. Ele não havia lhe dirigido a palavra; não havia sequer olhado para ela. Era como se a briga que tiveram estivesse exposta no ar entre eles, para todos verem. E quanto a Hugh, a situação ficava cada vez mais surreal. Ali estava ela, sentada em frente a ele durante o jantar, falando com sua esposa a respeito de Sam. Quando Amanda perguntou a idade de Sam, ela teve um súbito retrospecto da única vez que Hugh o vira. Sam tinha 9 meses na época. Nove meses. O pensamento quase a fez chorar.

– Então ele já... fez as provas do ensino médio? – perguntou Amanda. – Ou ainda está se preparando?

– Já fez – respondeu Chloe, forçando-se a voltar ao presente, forçando-se a respirar calmamente. – Graças a Deus.

– Quantas matérias? – perguntou Amanda educadamente, como se seguisse as perguntas de uma lista padronizada, e Chloe sufocou um impulso de gritar: *Por que você quer saber?*

– Onze – respondeu Chloe.

– Nossa, que menino inteligente – completou Amanda, antes de olhar para Hugh. – Espero que as nossas filhas sejam assim.

– Em que ele mais se sobressai? – perguntou Hugh, pigarreando. – Do que ele gosta? – Era a primeira vez que ele falava, e Chloe sentiu um leve formigamento começar a invadir seu rosto.

– Das coisas que um garoto dessa idade geralmente gosta – respondeu ela. – Futebol, críquete...

– Ah, críquete! – disse Amanda, revirando os olhos. – Hugh vive se lamentando que as meninas jamais jogarão críquete com ele.

– É mesmo? – disse Chloe, antes de beber um gole do vinho.

– E o que ele quer ser? – perguntou Amanda, como se tivesse mudado para uma nova seção do questionário.

– Não tenho ideia – respondeu Chloe, sorrindo. – Algo interessante, espero. Eu odiaria que ele se sujeitasse a um emprego do qual não gostasse.

– Há tantas opções nos dias de hoje – disse Amanda. – Deve ser muito difícil escolher.

– Bem, não há nenhuma pressa – acrescentou Chloe. – Ele pode experimentar muitas coisas diferentes antes de se decidir. Ao que parece, os patrões não se incomodam com isso hoje em dia. – À sua esquerda, ela sabia que Philip a observava por cima do copo. Ela lhe lançou os olhos e viu, para seu espanto, que ele estava bêbado; e prestes a começar a falar.

– Que interessante – completou Amanda, parecendo completamente entediada. – E você acha que...

– Então, Chloe – interrompeu Philip. Ele fez uma pausa, e ela prendeu a respiração. – Pelo visto você sabe o que se passa na cabeça dos patrões, Você é mestre em assuntos de trabalho, bem como em qualquer outra coisa.

– De jeito algum – argumentou Chloe, forçando-se a falar calmamente. – Eu só acho...

– Talvez você possa ler a mente deles também – disse Philip. – Sabiam que a Chloe tem poderes mediúnicos? – perguntou ele aos outros. – O que quer que vocês estejam pensando, ela sabe. Portanto, tomem cuidado!

Ele parou de falar e tomou outro gole de vinho. Hugh e Amanda olhavam fixamente para seus respectivos pratos.

– Philip... – disse Chloe, sem esperança – talvez você devesse comer um pouco. Ou tomar um café...

Ela parou quando a porta se abriu e Jenna apareceu, carregando uma bandeja de cerâmica.

– Oi! – Ela se aproximou da mesa, aparentemente ignorando a tensão que pairava no ar – Desculpem a demora. Bem, como estamos na Espanha e tudo o mais, eu me inspirei em um tema *Tex-mex*. Todo mundo gosta de *Tex-mex*, certo?

– É muito bom – disse Amanda, após uma pausa.

– Delicioso – murmurou Chloe.

– Aqui está o arroz... – Jenna pousou a bandeja e retirou a tampa, revelando um redemoinho brilhante rosa e amarelo, igual a uma pintura abstrata luminosa. – É morango e banana. Eu vi uma vez no Masterchef. – Ela sorriu. – Brincadeirinha! Usei um pouco de corante, só isso – acrescentou com um largo sorriso para os rostos estupefatos. – Ficou mais interessante, não acham? Bem, podem atacar!

Todos permaneceram em silêncio, e então Hugh apanhou a colher e a entregou a Chloe.

– Obrigada – disse ela. – Philip, quer que eu sirva você?

Philip olhou para ela por um momento e empurrou para trás a própria cadeira.

– Sabe de uma coisa? – disse ele. – Acho que vou lá fora. Dar um passeio. – Ele ergueu a mão. – Não se sinta ofendida, Jenna. Só não estou com fome no momento.

– Não se preocupe! – disse Jenna. – Você está de férias!

– Bom apetite – acrescentou Philip, antes de deixar a sala sem sequer olhar para Chloe.

Quando ele saiu, houve um silêncio desconfortável. Chloe olhava para baixo, sentindo o rosto arder de raiva e vergonha. Ela sabia que as coisas estavam difíceis para Philip. As coisas estavam difíceis para ambos. Mas o mais importante daquelas férias era fugir de todos os problemas. Será que ele não podia fazer um *pequeno* esforço?

– Então, para quem ficou, bom apetite! – disse Jenna. Ela olhou para Chloe. – O arroz não está fantástico?

– É... maravilhoso – respondeu Chloe sem muita convicção.

– Está ótimo, não é? – disse Jenna indo em direção à porta. – Esperem só até ver o chili!

Houve silêncio até a porta se fechar atrás dela. Imediatamente, Chloe levantou os olhos.

– Não sei como me desculpar pelo comportamento de Philip – disse ela.

– Não se preocupe – disse Amanda, educadamente.

– Ele... ele tem andado sob muita tensão ultimamente. Aliás, nós dois.

– Por favor, não se preocupe! – repetiu Amanda. – Essas coisas acontecem com qualquer um. Todo casamento tem altos e baixos...

– Nós não somos casados – revelou Chloe, de modo mais incisivo do que pretendia.

– Ah. – Amanda olhou para Hugh. – Desculpe, simplesmente presumi...

– Philip não acredita em casamento – completou Chloe. – E eu... – Ela parou e esfregou o rosto. Após alguns segundos de silêncio, Amanda falou em tom de conhecimento de causa:

– Muitas pessoas *não* se casam nos dias de hoje. Um amigo meu preferiu uma cerimônia pagã. Em uma montanha. Foi simplesmente lindo. O vestido dela era um Galliano. – Ela fez uma pausa. – Bem, eles se separaram um ano depois, mas sinceramente não acho que um casamento formal teria feito qualquer diferença...

– Amanda, coma um pouco de arroz cor-de-rosa. – Hugh empurrou a bandeja na direção dela.

– Estamos ligados um ao outro, como qualquer casal – disse Chloe, com uma leve tensão na voz. – Até mais, eu diria.

– Vocês têm um filho – disse Hugh.

– Temos dois filhos – corrigiu Chloe, erguendo os olhos. – Dois. – Ela olhou nos olhos dele e houve uma pausa, durante a qual uma mensagem silenciosa pareceu atravessar a mesa.

– Este arroz está extraordinário! – elogiou Amanda, fungando desconfiada. – Você acha que está bom?

– Experimente! – Jenna abriu a porta e se aproximou da mesa, segurando outra enorme bandeja de cerâmica. – Guacamole como acompanhamento.

Ela pousou a bandeja e todos olharam atônitos para a substância verde-clara. A comida fez Chloe se lembrar de um brinquedo gosmento de Nat, chamado Slime.

– Parece delicioso – disse Hugh finalmente. – Muito... verde.

– Pois é – disse Jenna. – Achei que o abacate parecia um pouco pálido. Sem graça, para falar a verdade. – Ela olhou para o prato com satisfação. – É isso aí. Agora só falta o chili.

Ela foi em direção à porta e parou surpresa.

– Octavia, querida, o que você está fazendo aqui embaixo?

Todos se voltaram para a porta. Octavia entrava lentamente na sala, usando pijama de algodão e segurando um elefante felpudo.

– Mamãe – disse ela. – A Beatrice está chorando. Está chamando você.

– Ah, meu Deus – disse Amanda, levantando-se.

– Querida, sente-se – disse Hugh. – Eu vou até lá.

– Não! – disse Octavia. – Ela quer a *mamãe.*

– Quer que eu suba? – perguntou Jenna. – Para tentar acalmá-la?

– Não se incomode – disse Amanda, suspirando ligeiramente. – É melhor eu ir. Desculpe ter que sair assim – acrescentou ela, dirigindo-se a Chloe. – Não é muito sociável.

– Ah, não tem problema – disse Chloe. – Tudo bem! – Ela percebeu que Hugh a olhava e ficou levemente ruborizada. – Quero dizer – ela continuou sem olhar para ele –, eu sei como é quando um filho está doente.

– Quer que eu faça um prato para você? – perguntou Jenna.

– Não precisa – respondeu Amanda. – Eu como alguma coisa mais tarde. Vamos, Octavia. – Ela se levantou, pousou o guardanapo na mesa e andou em direção à porta, tomando a mão da menina.

– Parece que só restamos nós dois – disse Hugh.

– É, tem razão – assentiu Chloe após uma pausa, antes de beber o vinho.

– Não tem problema – disse Jenna. – Assim vocês podem comer mais! Bem, vou ver se o chili está pronto.

Ela saiu da sala, fechando a porta atrás de si. Chloe respirou profundamente, pretendendo dizer algo leve e impessoal, mas se deu conta de que não conseguia falar; as frases simplesmente se esvaneciam antes de serem proferidas. Quando seus olhos encontraram os de Hugh, ela notou que ele também não conseguia falar. A sala pareceu temporariamente imobilizada, como uma pintura de natureza-morta. A mesa iluminada pela luz das velas, o brilho dos cristais; os dois, em silêncio.

Forçando-se a quebrar o encanto, Chloe tomou outro gole de vinho, esvaziando o copo. Em silêncio, Hugh pegou a garrafa e o encheu novamente.

– Obrigada – murmurou Chloe.

– De nada.

Houve outra pausa.

– Acho que vou experimentar o guacamole. – Chloe ergueu o prato e se serviu de um bocado da substância verde.

– Você está linda – disse Hugh em voz baixa.

Um raio de emoção atingiu Chloe, antes que ela pudesse se precaver.

– Obrigada – disse ela sem levantar os olhos, colocando outro bocado de guacamole no seu prato. – Você sempre foi bom em hipocrisia.

– Eu não... – replicou Hugh furiosamente, sem terminar a frase. – Chloe, eu gostaria de falar. Sobre... – Ele fez uma pausa. – Sobre o que eu fiz.

Houve silêncio. Deliberadamente, Chloe pôs uma terceira porção do mingau verde no prato.

– Queria que você entendesse por que eu agi daquela forma – prosseguiu Hugh. – E... e como foi difícil a decisão...

– Difícil? – interrompeu Chloe sem emoção. – Coitadinho! – Hugh estremeceu.

– Eu era uma pessoa diferente naquela época – argumentou ele. – Era jovem.

– Eu também era jovem – replicou Chloe. Ela começou a pegar uma quarta colherada, mas pousou a colher.

– Não sabia nada sobre a vida, sobre as pessoas...

– Acontece, Hugh – interrompeu Chloe –, que eu não quero saber. – Ela olhou bem nos olhos dele. – Realmente não estou interessada... no que você pensava ou por que fez o que fez. Como você disse, já faz muito tempo. – Ela tomou um gole do vinho e empurrou o prato de guacamole na direção dele. – Sirva-se de lama.

– Chloe, pelo menos escute – pediu Hugh, inclinando-se para a frente. – Se eu pudesse ao menos explicar como eu me senti, como eu estava apavorado ...

– O que você quer, Hugh? – cortou Chloe, tomada pela raiva. – O que você quer? Perdão? Absolvição?

– Não sei – respondeu Hugh defensivamente. – Talvez eu apenas queira... falar com você.

– Por quê?

Hugh não respondeu. Apanhou um garfo e examinou-o atentamente. Após um momento, levantou os olhos.

– Acho que eu gostaria de conhecê-la novamente. E que você pudesse me conhecer. A pessoa que eu sou agora. – Sem tirar os olhos dele, Chloe balançou a cabeça, incrédula.

– Você – disse ela – está invadindo um território muito perigoso.

– Sei disso. – Hugh tomou um gole do vinho, olhando-a fixamente.

Chloe pegou seu copo e repetiu o gesto, tentando manter a compostura. Mas a conversa a abalava mais do que ela poderia imaginar. Sob a aparente tranquilidade, podia sentir a antiga mágoa ressurgir, a antiga vulnerabilidade crua. Foi então que teve vontade de gritar para Hugh, de machucá-lo, de fazê-lo sentir um pouco da dor que ele lhe causara no passado.

– Chloe. – Ela levantou a cabeça e viu o olhar sério de Hugh. – Perdão. Por favor... me perdoe.

As palavras atingiram Chloe como um raio. Para seu espanto, ela sentiu um súbito ardor nos olhos.

– Me perdoe por tudo o que fiz – prosseguiu Hugh. – Se eu pudesse ao menos... Não sei, voltar no tempo...

– Não! – A voz de Chloe soou como um golpe de autodefesa. Ela respirou profundamente e balançou a cabeça. – Por favor... por favor, pare aí mesmo. Perdão é algo irrelevante. É inútil pedir perdão, a menos que se possa fazer algo a respeito. E você não pode. Não podemos voltar no tempo. Não podemos mudar o que aconteceu.

Consciente de que estava ruborizada e arfando levemente, ela parou de falar e olhou para Hugh; ele a olhava com uma expressão ansiosa, como se esperasse ela falar mais.

– Não podemos voltar no tempo – disse ela, mais calmamente. – Não podemos modificar o que aconteceu. – Ela puxou a cadeira para trás, levantou-se e olhou para Hugh com ar imparcial. – E mesmo se pudéssemos, eu não ia querer.

Ela deixou o guardanapo na mesa e se afastou. Ao sair, viu Jenna se aproximar com uma bandeja oval nas mãos.

– Desculpe – disse ela abruptamente, e foi embora.

QUANDO JENNA ENTROU NA SALA, Hugh estava com o olhar fixo na mesa.

– Então – disse ela. – Pronto para queimar a língua? – Ela pousou a bandeja e sorriu. – Brincadeirinha! Não está tão apimentado. Não deu trabalho nenhum preparar o chili. Aliás, tem tabasco na cozinha, se achar que está fraco. Tudo depende de como você gosta... – Ela pegou uma colher. – Quanto você acha que a Chloe vai querer?

– Para falar a verdade...– disse Hugh, levantando os olhos como se fizesse um grande esforço. – Para falar a verdade, acho que ela não vai voltar.

– Ah – disse Jenna, segurando a alça da tampa. – Tudo bem. Então, é só você, certo?

Hugh olhou em silêncio para a mesa vazia. Então levantou os olhos.

– Sabe de uma coisa, Jenna, acho que vou deixar para a próxima também. Tenho certeza de que a comida está absolutamente deliciosa... – ele apontou para o prato – ... mas não estou com tanta fome.

– Entendi – disse Jenna. Durante um momento, ela olhou para o prato, com a colher ainda na mão. – Bem – disse ela finalmente. – Espero que comam tudo amanhã.

– Desculpe – disse Hugh, levantando-se da cadeira. – Sei que você teve muito trabalho.

– Ah, não é nenhum problema! – disse Jenna, animada. – São as suas férias. Se você não quiser comer, não precisa comer e pronto!

– Obrigado por ver as coisas desse modo – disse Hugh com um sorriso tenso, antes de sair da sala.

Assim que a porta se fechou, o sorriso de Jenna desapareceu. No silêncio, ela olhou para a mesa cuidadosamente arrumada; a comida intacta; os guardanapos amassados, descartados.

– Bem, ótimo – disse ela em voz alta. – Isso é simplesmente ótimo. Simplesmente... excelente.

Então, afundou em uma cadeira e fitou sombriamente o vazio durante alguns minutos. Depois, estendeu o braço e levantou a tampa da bandeja de chili. As palavras BOAS FÉRIAS, PESSOAL!, escritas com ervilhas e milho verde, sorriam para ela.

CAPÍTULO SETE

Chloe acordou em plena escuridão e no silêncio. Durante algum tempo, permaneceu na cama fitando o teto, permitindo aos fragmentos de pensamentos e sonhos que flutuavam em sua mente se acomodarem, pouco a pouco, nos seus devidos lugares. Trechos de lembranças, retalhos de emoções, desejos semiplanejados, tudo lentamente se assentava, como um quebra-cabeça. Só quando estava certa de que se movesse a cabeça eles não mudariam de posição é que se permitiu sentar e inspecionar o cômodo vazio.

A luz penetrava pela persiana de madeira, cobrindo de faixas o piso azulejado. Enquanto fitava o desenho formado no chão, Chloe notou um pedaço de papel branco colocado propositadamente no centro do quarto, para que ela pudesse vê-lo. *Um bilhete de Philip*, ela pensou de modo imparcial, sem saber se estava realmente interessada em ler seu conteúdo. Ela achava que ele havia passado uma parte da noite ao seu lado, mas não tinha certeza. Depois de deixar a sala de jantar na noite anterior, ela fora diretamente para o quarto. Como Philip não estava lá, tomou um longo banho e leu vários capítulos de um livro, cuja história, agora, mal conseguia lembrar. Por fim, apagara a luz e ficara deitada, com os olhos abertos, na escuridão. Em algum momento, provavelmente mais cedo do que imaginava, acabara adormecendo.

Um lampejo silencioso de raiva a atingiu ao lembrar-se da frustração que sentira por não ter encontrado Philip para conversar. Em vez disso, ficara sentada com o coração acelerado, compondo argumentos mentalmente, levantando a cabeça a cada ruído de passos. Mas Philip não aparecera. Quanto mais esperava, mais determinada ficava em não tentar procurá-lo. Se ele não queria ficar com ela, tudo bem então, que fosse feito seu desejo. Se ele preferia embriagar-se e arranjar briga, que assim fosse também.

Com uma súbita rapidez, ela saiu da cama, apanhou o bilhete e o leu rapidamente.

> Querida Chloe,
>
> Você merece um dia sem mim. Levei os meninos para o litoral. Aproveite o dia. A gente conversava à noite. Desculpe.
>
> Philip

Chloe fitou a escrita familiar por um momento e amassou o papel nas mãos. O bilhete era uma deixa para a reconciliação conjugal, para arrependimento e perdão. Mas ela não sentia nada disso. Tudo o que conseguia sentir era irritação.

Ela abriu a persiana e olhou para o jardim. Vistos de cima, os canteiros de flores pareciam imaculados; a piscina era de um azul cintilante; as espreguiçadeiras estavam espalhadas de modo convidativo. Mas Chloe sabia que não queria aquilo. Olhou para mais além, para as montanhas, e sentiu um súbito desejo de estar longe dali, longe daquela casa e de seus ocupantes, longe da tensão, dos atritos e do ambiente claustrofóbico que ali reinavam. Queria ser ela mesma, anônima, naquele lugar estrangeiro e rural.

Imediatamente, pôs um velho vestido de algodão e calçou as sandálias. Passou protetor solar, pegou um sombreiro e encheu uma garrafa de Evian e guardou-a numa cesta com água da jarra da mesinha de cabeceira.

Ao descer as escadas, a casa estava silenciosa e tranquila, sem nenhum sinal de vida. Chloe sentiu-se como a Alice no país das maravilhas, andando por uma terra encantada com regras próprias. *Se eu conseguir passar pelo portão sem falar com ninguém*, ela pensou de modo supersticioso. *Se eu conseguir passar pelo portão... tudo vai dar certo.*

Ela fechou a pesada porta dianteira atrás de si e começou a descer o caminho sombreado, em direção ao portão principal. Sua mente começou a esvaziar-se, concentrando-se apenas nos próprios passos, um após o outro, como uma marcação hipnótica.

– Ei! Chloe!

Chloe virou-se assustada e, com o coração disparado, olhou em volta, procurando a fonte da voz. Mas não viu ninguém. Será que sua mente resolvera pregar-lhe uma peça? Será que estava ficando louca?

– Aqui!

Chloe viu o rosto de Jenna por cima de uma sebe e sentiu um misto de alívio e irritação.

– Estamos brincando de pique-esconde – disse Jenna. – Não é, Octavia? – Ela sorriu para Octavia, que não podia

ser vista, e olhou curiosa para o chapéu e a cesta de Chloe.
– Vai sair?

– Vou – disse Chloe com relutância.

– Ah, sim. Vai aonde?

– Não sei ainda – respondeu Chloe forçando um sorriso amável e, antes que Jenna pudesse perguntar mais alguma coisa, ergueu a mão como despedida e se afastou.

Do lado de fora, a estrada estava silenciosa e vazia, reverberando sob o calor intenso. Chloe começou a andar, arrastando os pés no chão arenoso, sem se preocupar com o lugar onde iria parar. Ela chegou a uma curva na estrada e parou. Olhou para o caminho à sua frente e para a íngreme montanha à sua esquerda. Então, hesitou por um momento. Pulou a barreira, começou a andar e logo estava correndo montanha abaixo. Ao ganhar velocidade, viu-se escorregando no chão seco, arenoso, descendo cada vez mais rápido, quase perdendo completamente o equilíbrio. Ela parou durante alguns minutos, arfando, em uma pequena rocha. Quando olhou para a estrada, ficou surpresa e feliz por ter percorrido uma grande distância em tão pouco tempo. Já experimentava uma sensação de fuga, de liberdade. Estava longe; estava livre.

Subiu em uma enorme pedra e olhou em torno do local seco e silencioso. O solo árido estava chamuscado pelo sol; os arbustos enrugados cresciam à sombra de árvores desfolhadas, cheias de galhos. Ao longe, ouviu os sinos de cabras sendo levadas para o pasto. Olhando a vegetação escassa, se perguntou o que os animais poderiam comer.

Os sinos foram parando lentamente e ela voltou a ficar no silêncio, deixando o sol aquecer seu corpo. Num impulso, apanhou uma pedra e lançou-a, com toda a força, do alto da montanha. Depois, lançou outra e mais outra, sentindo o ombro quase deslocar-se. Conforme cada pedra descia a montanha e desaparecia de vista, ela sentia uma estranha e poderosa liberdade. Então, pegou mais uma e parou. Três eram o bastante.

Ela permaneceu ali durante algum tempo, bebendo água de vez em quando, deixando sua mente vagar ociosamente. Deixando-se fazer parte da paisagem. Um pequeno lagarto atravessou a pedra na qual ela estava sentada e fez o caminho de volta. Na terceira vez que ele passou, o animal cortou caminho subindo pela sua mão e ela sentiu um inesperado prazer por ser aceita tão facilmente.

Por fim, levantou-se, espreguiçou-se e continuou andando, deliberadamente tomando o caminho mais difícil, estabelecendo desafios para si mesma. O sol martelava em sua cabeça; mais forte que ontem, ela pensou. Logo suas pernas começaram a doer e seus braços, a suar. Mesmo assim, ela continuou andando com passos largos, cada vez mais rápido, como se tentasse bater o próprio recorde. Sentia-se em um estado quase febril, como se tivesse que ir o mais longe possível, além das montanhas, para outras terras. Mal se dava conta do que havia a sua volta, mal se dava conta de qualquer coisa, exceto do ritmo de seus passos, da sua respiração e do suor na testa. Então, quando distraidamente olhou para cima, acompanhando o voo de uma borboleta, ela parou, surpresa.

À sua direita, do nada, surgira um grupo de casas totalmente brancas, coroadas por uma torre com um sino. Devia ser a aldeia pela qual haviam passado quando subiram a montanha, ela pensou. Qual seria o nome daquela região? Ian... alguma coisa. San Luis. Durante um momento, Chloe sentiu-se cansada demais para se mover. Ela não planejara visitar San Luis; sua intenção era se soltar nas montanhas. Mas agora, sentia-se dominada. Alguém, de uma daquelas fendas escuras das janelas a estaria observando, perguntando o que aquela louca estava fazendo ali. Talvez já estivessem até acionando o médico da região.

Uma motocicleta passou a toda velocidade na estrada e ela pulou assustada, sentindo-se uma boba. Deu alguns passos adiante, tentando recuperar o ritmo, e tornou a parar. Novos pensamentos agitavam sua mente. O sol estava em sua posição mais alta, devia ser quase meio-dia. Talvez houvesse um restaurante em San Luis para uma taça de vinho e talvez um chouriço. Cogumelos marinados. Pitu no alho. De repente, Chloe percebeu que estava faminta; lembrou-se de que não comera nada na noite anterior e nem tomara café da manhã mais cedo. Apressadamente, procurou pela carteira na bolsa e continuou seu caminho em direção à aldeia.

AMANDA FICARA ACORDADA a maior parte da noite com Beatrice. Quando Hugh saiu furtivamente do quarto naquela manhã, as duas dormiam profundamente, cobertas por um lençol amassado. Ele bebeu um café rapidamente na cozinha e foi para a piscina, que estava vazia, afora Jenna e Octavia, que patinhavam na parte rasa.

– Bom dia, Sr. Stratton – cumprimentou Jenna em tom animado. – A Beatrice melhorou?

– Ela está dormindo – disse Hugh. – Amanda também. – Ele se sentou em uma das espreguiçadeiras e olhou ao redor. – Onde está todo mundo?

– Todos saíram – disse Jenna. – Philip levou Sam e Nat para o litoral.

– A Chloe não foi junto com eles?

– Não. Ela saiu para dar uma volta.

– Ah. – Hugh fez uma pausa. Ele apanhou uma das revistas de Amanda, deixadas ali desde o dia anterior, e a folheou com a expressão atenta. Ele parou diante de um artigo sobre esculturas de vidro e leu as três primeiras linhas. Logo depois, pousou a revista. – Você viu para que lado ela foi? – perguntou ele casualmente.

– Infelizmente, não – respondeu Jenna.

– Tudo bem.

O sol pareceu ficar mais quente na cabeça de Hugh. Ele permaneceu sentado por um minuto, imobilizado pela indecisão. Finalmente, levantou os olhos.

– Acho que vou fazer umas compras – declarou ele. – Vou levar o carro. Você não vai precisar dele, vai?

– De jeito nenhum! – Jenna riu. – Se precisarmos de um carro, faremos um. Certo, Octavia?

– Ótimo.

Hugh fez uma pausa, acenou com a cabeça despedindo-se de Jenna e andou o mais lentamente possível até o carro. Quando abriu a porta, ouviu Octavia gritar:

– Tchau, papai! Tchau! – Sentindo-se ligeiramente abatido, ele entrou e ligou o motor.

Quando alcançou a estrada, ele parou. Uma mulher não poderia andar tão rápido. Se ela não estava naquela direção, com certeza tinha ido para o outro lado. Ele olhou de um lado ao outro e decidiu que, em se tratando de Chloe, ela teria optado pela subida.

Ao atravessar o portão, um rapaz que conduzia suas cabras morro acima gritou algo para ele. Com uma careta,

Hugh verificou as luzes do painel. Olhou no espelho retrovisor e percebeu que o rapaz continuava gritando. Hugh deu de ombros, acelerou e passou a terceira marcha. O carro subiu o morro com um ruído e ele se inclinou para a frente, examinando a paisagem, em busca de Chloe.

Chloe andou pelas ruas pavimentadas de San Luis como se estivesse entrando em um lugar encantado. De ambos os lados da rua as casas eram totalmente brancas, acentuadas por telhados, varandas de ferro batido, pesadas portas tachonadas e flores coloridas em vasos. A cidade fora construída quase verticalmente, seguindo a encosta da montanha íngreme. Ao aproximar-se de uma estrada tranquila, em direção à praça principal, ela sentiu que suas pernas começavam a doer.

Então, parou para respirar e olhou ao redor. A rua estava vazia, exceto por um cão magro que tentava cavar o chão. Pelo número de pessoas que havia encontrado, a cidade inteira parecia abandonada. Ainda assim, ouviu algo: umas vozes não muito longe e, à distância, o fraco som de uma música. Respirando profundamente, jogou o cabelo para trás e continuou andando sobre as pedras arredondadas, passando por diversas casas fechadas. Ao dobrar a esquina, avistou duas senhoras usando vestidos florais vindo na sua direção e sorriu indecisa. A música tornava-se cada vez mais alta; ela devia estar chegando à parte central do lugar, seja ele qual fosse.

Um barulho chamou sua atenção e ela se virou para olhar. De repente, uma motocicleta surgiu em sua direção. Os dois adolescentes sobre a moto gritaram algo quando passaram, que ela mal conseguiu ouvir, muito menos entender, mas acenou com a cabeça e continuou andando em direção à música, que ficava mais alta a cada passo que ela dava.

Cortou caminho por uma pequena passagem sombreada, virou outra esquina e parou, surpresa. Chegara à praça principal da aldeia. A torre do sino que ela avistara da encosta da montanha erguia-se no lado oposto. No meio das pedras arredondadas, uma enorme cabeça de leão esculpida jorrava água em uma bacia de pedra ornamental. Um pouco mais adiante, em um dos lados da praça, havia uma rua cheia de lojas, em cujas vitrines havia pratos pintados com tintas brilhantes, enormes presuntos e figueiras em vasos. Ela permaneceu imóvel olhando ao redor, ligeiramente tonta após a íngreme caminhada. *Aqui está uma cidade,* ela se pegou pensando, de modo ridículo. *Aqui está uma igreja; o campanário. E aqui estão todas as pessoas.*

Do silêncio árido da encosta da montanha e da tranquilidade silenciosa das ruas rústicas pavimentadas, ela havia penetrado em uma atmosfera de sons, cores e atividades. Ela podia sentir o cheiro de alho e carne assada; podia ouvir vozes chamando umas às outras, ressoando pelas paredes brancas. Um grupo de senhores estava reunido em uma mesa, do lado de fora de um pequeno café; uma mulher com um bebê no colo gritava com um homem debruçado no balcão. Enquanto observava a cena em silêncio, dois jovens se aproximaram da fonte do leão, tiraram a camisa e começaram a lavar o rosto e o peito, conversando por meio de frases curtas em espanhol. Um deles ergueu os olhos e, ao perceber que Chloe os observava, deu uma piscadela. Ela sentiu ruborizar-se e virou-se rapidamente, fingindo examinar um jogo de telha ricamente pintado na parede de uma casa.

Havia apenas alguns turistas perambulando no local, facilmente identificáveis por seus rostos pálidos, bonés de beisebol e câmeras. Um homem ruivo de tênis e com um guia de viagem nas mãos olhava um aviso na porta da torre do sino, enquanto sua esposa permanecia um pouco distante, olhando o vazio, em uma nítida demonstração de tédio absoluto. Após alguns instantes, o homem se virou e começou a andar na direção de Chloe, com a cara ainda enfiada no guia de viagem.

– Ao que parece, o lugar para se comer é o Escalona – disse ele. – Fica a meia hora de distância. Ou podemos comer aqui...

Vá, Chloe pensou. *Por favor, vá.*

– Vamos – disse a esposa finalmente. – Tanto faz. – Ela olhou em volta da praça com total desinteresse. – De qualquer maneira, não há nada mesmo por aqui. Onde está o carro?

Quando o casal inglês se afastou da praça, Chloe começou a andar lentamente, encaminhando-se para a rua de lojas. Passou pela fonte de pedra, onde os dois homens que lavaram o rosto e o peito agora descansavam ao sol, secando o corpo. O homem que havia piscado para ela sorriu e falou algo, provavelmente alguma observação sexista, que na Inglaterra a teria deixado enfurecida. Mas, em espanhol, tudo parecia mais romântico; o que eles diziam poderia ser poesia. Involuntariamente, ela percebeu que reagia à atenção que despertava. Seu passo diminuiu; sentiu os quadris começarem a se mover mais fluidamente sob seu vestido, conforme a música que ainda ouvia pulsando à distância, de algum lugar invisível.

Quando começou a descer a rua de lojas, uma espanhola usando um vestido tomara que caia passou correndo, segurando um pão. Sua pele era bronzeada e macia; o vermelho-escuro do seu vestido aderia às curvas do seu corpo e suas pernas moviam-se de modo sensual sobre as pedras arredondadas. Chloe observou a mulher, fascinada: o equilíbrio da sua cabeça, a curva confiante do seu queixo. Ela parecia, pensou Chloe, deleitar-se consigo mesma.

A mulher desapareceu em uma loja, cuja vitrine estava repleta de vestidos de cores brilhantes, saias franzidas e sapatos exuberantes. Curiosa, Chloe aproximou-se da loja e parou de repente, desanimada, ao ver sua imagem refletida no vidro. Sentiu-se surpresa diante do que viu. Uma mulher de idade indeterminada, em um vestido de linho desbotado e sandália rasteira. Ela estava usando uma roupa que representava bom gosto discreto na Inglaterra: fibras naturais, cores neutras, modelos folgados. Ali, naquele cenário, o traje parecia mais um saco de batatas.

Enquanto se olhava, Chloe sentiu um súbito desejo de usar roupas coloridas. De um pouco de brilho. Do equilíbrio, da confiança e da beleza, que pareciam fluir naturalmente nas espanholas. Então, abriu a porta da loja e pestanejou algumas vezes, ajustando-se à luz. A mulher de vestido vermelho se aproximou de forma elegante e sorriu. Chloe retribuiu o sorriso educadamente e pegou um vestido de algodão azul que estava pendurado. Examinou o tecido por alguns segundos e virou-se para a mulher.

– Este é muito bonito – disse ela.

– É mesmo. – A mulher tinha uma voz cadenciada e um leve sotaque espanhol. – É bonito. Mas você ficaria bem com algo... Hummm, deixe-me ver.

Ela inspecionou Chloe em silêncio por um momento, e Chloe também a fitou, com uma leve expectativa. Sendo costureira, ela estava acostumada a examinar cuidadosamente as pessoas, a medi-las, a torná-las mais bonitas. Ultimamente, ela raramente tinha tempo para analisar-se objetivamente, de se ver como os outros a viam.

– Algo como isto. – A mulher foi até o outro lado da loja e apanhou um vestido vermelho. – Ou isto. – Ela apanhou o mesmo vestido em preto e o mostrou a Chloe.

– Ah. Bem... Não sei. – Chloe sorriu, disfarçando a decepção. Ela esperava uma descoberta mágica, um passaporte para a elegância mediterrânea. Mas aqueles vestidos não eram seu estilo. Eles eram curtos, justos e frente única. – Acho que não tenho idade para isso.

– Idade? – disse a mulher. – Você é jovem! Quantos anos tem, 30? – Chloe riu.

– Um pouco mais. A ponto de ser mãe de um adolescente. – A mulher balançou a cabeça, sorrindo.

– Você parece uma menina. Quer se vestir como uma avó antes mesmo de se tornar uma?

– Não me visto como ...

Chloe fez uma pausa ao vislumbrar seu reflexo no vidro da porta; sua silhueta amorfa e inexpressiva. A mulher, como se percebesse sua indecisão, balançou os cabides na frente dela.

– Experimente. Experimente o preto.

O provador era um cubículo sem espelho e fechado por uma cortina. Lutando para entrar no vestido justo e o calor, Chloe sentiu-se um pouco desconfortável. O dia havia sido tão perfeito... Por que ela tinha que estragá-lo com uma investida em uma loja de roupas de segunda categoria? Ela saiu do cubículo com uma expressão insatisfeita e olhou para a mulher.

– Realmente não acho... – ela começou, mas logo parou. A mulher estava segurando um espelho de corpo inteiro de frente para Chloe, o que lhe permitia ver seu próprio reflexo.

– Ficou bom, hein? – disse a mulher com satisfação. – Bem sexy.

Com o coração acelerado, Chloe olhou com mais atenção a imagem refletida no espelho, incapaz de falar. Ela via uma mulher de 25 anos. Uma mulher de 25 anos, de pernas longas e costas douradas e macias, usando o vestido mais simples, mais sexy que ela jamais usara na vida. Instintivamente, passou a mão no cabelo e o suspendeu em um coque.

– Exatamente. – A espanhola acenou com a cabeça em sinal de aprovação. – Ponha uma flor no cabelo. E um xale, talvez para a noite... Fica muito elegante. – Ela encontrou os olhos de Chloe no espelho e lançou-lhe um sorriso de mulher para mulher. – Viu... talvez você não seja tão velha quanto pensa.

Chloe sorriu em silêncio. Sentia uma tola leveza crescer dentro de si; a qualquer momento, daria uma sonora risada.

A mulher pegou um lírio de seda de um cesto e prendeu o cabelo de Chloe com a flor. Depois, olhou para o reflexo de Chloe e, como se percebesse que ainda faltava um detalhe, foi em direção a uma prateleira de óculos escuros.

– Isto completará o visual. – E ajeitou os óculos de tartaruga no rosto de Chloe. – Agora você é uma estrela de cinema.

Chloe virou-se para o espelho e fitou sua imagem, incrédula: uma garota loira e misteriosa a olhava calmamente.

– Essa não sou eu – disse ela, começando a rir. – Essa não sou eu!

– É você sim – disse a espanhola, sorrindo, antes de acrescentar, com um sotaque americano afetado: – Pode acreditar, baby.

QUINZE MINUTOS DEPOIS, Chloe saiu da loja usando o vestido preto justo, óculos escuros e um novo par de sandálias de salto alto, amarradas no tornozelo. Pagara tudo com cartão de crédito, sem se preocupar com o quanto havia gastado. A vendedora espanhola perguntara se ela queria embrulhar a roupa que estava usando quando entrou na loja, mas Chloe jogou tudo na lata de lixo, sem hesitar.

Ao descer a rua, ela repentinamente se deu conta do calor do sol sobre o corpo e dos olhares masculinos que começava a atrair. Seu andar tornou-se mais provocante e ela começou a cantarolar baixinho. Estava em parte levando tudo na brincadeira, mas só em parte. Seu outro lado reagia às frustrações dos últimos dias, desejando verdadeiramente os olhares de estranhos. Ela passou por três jovens espanhóis sentados nos degraus de uma casa e, para ver a reação que provocava, lançou-lhes um olhar sensual. Quando eles assobiaram, ela se sentiu triunfante, tomada por um prazer que a fez querer rir. Sentia-se jovem como não se sentia havia anos, cheia de vitalidade. Viva com tantas possibilidades. No fundo de sua mente, ocorreu a lembrança de que tinha marido e dois filhos. Mas era um pensamento distante, como se estivesse do outro lado de um mar nebuloso. Tudo o que realmente importava era aquele momento, o agora.

A música que ouvira ao chegar à praça estava mais alta e, quando se aproximou de um restaurante na esquina, percebeu que o som vinha dali. Ela entrou no restaurante escuro e praticamente vazio, e o ritmo pulsante invadiu seu corpo imediatamente. Teve vontade de dançar, ou de se embriagar. Queria soltar-se completamente.

Aparentemente calma, sentou a uma mesa de madeira maciça perto da janela e pediu uma taça de vinho tinto. O primeiro gole foi a coisa mais deliciosa que ela já havia provado. Depois, comeu uma azeitona e fechou os olhos, deleitando-se ao som dos violões e do palavreado em espanhol, do outro lado do salão. Então, bebeu um pouco mais, e mais uma vez deixou o álcool tomar o controle, soltando suavemente as amarras. Continuou sorvendo a bebida lentamente, deixando-se levar, como se começasse flutuar.

Quando já havia tomado quase todo o vinho, ela abriu os olhos e procurou o garçom para pedir outra taça. Ao fazer isso, Chloe sentiu como se uma flecha incandescente atravessasse seu corpo.

Sentado no canto do restaurante, olhando-a em silêncio, estava Hugh Stratton. Em sua mesa havia um copo de conhaque e um prato de azeitonas, além de um jornal. Ele a olhava fixamente.

O coração de Chloe disparou. Ela tomou outro gole de vinho, tentando se manter calma, mas seus lábios estavam trêmulos, e suas mãos mal conseguiam segurar a taça.

Isso é efeito da surpresa, disse ela a si mesma. *Você simplesmente não esperava vê-lo aqui. Não esperava encontrar nenhum conhecido.*

Mas, no fundo, algo começava a murmurar. Começava a despertar, a espalhar-se e observar o que acontecia ao seu redor. Ela olhou na direção dele novamente e viu que ele a observava, com aqueles olhos escuros e penetrantes, como se conhecesse seus pensamentos. Como se ele soubesse de tudo. Ele bebeu um gole do conhaque lentamente e pousou o copo, sem tirar os olhos dela. Chloe o fitou, quase desfalecendo de medo, de desejo.

A música parou e algumas pessoas que estavam no restaurante aplaudiram, mas Chloe e Hugh não se moveram. Um garçom se aproximou para retirar o copo de Chloe e ela nem o notou.

Finalmente, Hugh se levantou. Ele dobrou o jornal, deixou-o na mesa, passou lentamente pelo bar e foi até a mesa de Chloe.

– Oi – disse ele em tom sério, estendendo a mão. – Eu gostaria de me apresentar. Meu nome é Hugh Stratton.

Chloe ergueu os olhos, com o coração batendo cada vez mais rápido, como um coelho em fuga.

– Oi – respondeu ela com a voz fraca, estendendo a mão lentamente, para retribuir o cumprimento; quando seus dedos se entrelaçaram, ela sentiu um arrepio na espinha. – Meu nome é Chloe. Pode... sentar.

CAPÍTULO OITO

Philip estava em um café em Puerto Banus, bebendo um cappuccino caríssimo, observando as pessoas bem-vestidas que caminhavam pela rua ensolarada. Algumas olhavam as vitrines brilhantes; outras, os iates que se alinhavam na marina. Uma Ferrari vermelha, assustadoramente rebaixada, passava por entre os pedestres de modo tranquilo e relaxado, como se o próprio carro desfrutasse do visual.

Ele não queria ir àquele lugar; queria ir às montanhas explorar algumas aldeias da Andaluzia que vira em seu guia de viagem. Imaginara-se sentado em um pátio sombreado, debaixo de uma oliveira, absorvendo os aromas, os cenários e o idioma espanhóis. Mas os meninos haviam insistido em ir ao litoral. Sam, especialmente, queria um pouco de agitação, depois do tédio da vila. Então, ali estavam eles, sob o sol abrasador, rodeados por ostentação, brilho e pela diversidade dos idiomas europeus. Os meninos haviam terminado suas bebidas e foram até os iates. Ele sabia que, a qualquer momento, eles pediriam para entrar em um dos fliperamas.

Uma mulher com um perfume fortíssimo passou por Philip e ele fez uma careta. Lamentou que Chloe não estivesse ali. Ela ficaria observando as pessoas com ele, cutucando seu pé para indicar o homem lá adiante com uma enorme pança, o topete postiço e o Rolex de diamante incrustado. Ela teria sorrido, ele teria sorrido, e os dois ficariam em silêncio.

Automaticamente, Philip procurou, mais uma vez, o pequeno pacote no bolso. Ele havia comprado um presente para Chloe em uma das lojas pelas quais passara com os meninos. Uma corrente fina de ouro, com um pingente em forma de gota. Não planejara comprar aquilo, mas assim que viu a joia se lembrou do pescoço elegante de Chloe e de sua pele branca e macia. E da raiva que ela sentira dele na noite anterior.

Philip fechou os olhos e massageou a testa. Queria reparar o que havia feito, endireitar as coisas novamente. A incerteza do seu emprego empurrava-os em direções diferentes, estabelecendo uma enorme tensão em ambos. Ele não deveria ter dito as coisas que dissera na noite anterior, não deveria tê-la atacado, não deveria ter bebido tanto. Ao mesmo tempo, acreditava em algumas coisas que havia dito. Ele lidava com os problemas de forma diferente; não era tão decidido quanto Chloe. Poucas pessoas o são.

Quando a viu pela primeira vez, ela brilhava como um farol. Ele havia aceitado, temporariamente, dar aulas no turno da noite, para fazer um favor a um amigo, e se viu acolhendo uma turma nova.

– Não serei o professor titular desta turma – ele havia anunciado. – Mas durante as primeiras semanas introduzirei vocês neste fascinante e tão subestimado assunto.

Ele sorrira, e um riso receptivo ecoara na sala. A única pessoa que permanecera séria tinha sido a garota de cabelo claro e olhos azuis, sentada em uma das carteiras da frente. Ela havia levantado a mão e ele lhe acenara com a cabeça, feliz por ter uma desculpa para olhar para ela.

– Você realmente sabe sobre o que está falando? – perguntou ela, olhando direta e intensamente para ele. – Estou pagando uma babá para poder vir a esta aula. Não quero um substituto que não seja capaz de me ensinar o que eu preciso.

Philip a olhou, impressionado com seu temperamento.

– Eu lhe garanto uma coisa – ele havia dito. – Sou formado em contabilidade e trabalhei em um banco durante quatro anos. Se há uma coisa que eu realmente sei é administrar. Mas se você preferir esperar pelo professor titular, ou fazer outra matéria...

– Não – interrompera a garota friamente. – Está ótimo. Vamos continuar.

Depois dessa troca inicial, ele mal conseguira tirar os olhos dela. Com o pretexto de encontrar um exemplo para usar na aula, ele perguntara por que ela queria aprender escrituração e descobrira que ela era costureira e que estava iniciando o próprio negócio em casa. Mais tarde, no intervalo, ele ficou sabendo que ela era solteira e formada, com um diploma melhor que o seu, pelo Courtauld Institute.

– Você pode conseguir um emprego bem remunerado em qualquer lugar – dissera ele cautelosamente. – Pode arranjar uma babá, ou uma creche...

– Eu já pensei nisso – respondera ela, dando de ombros. – Mas com que propósito?

– Entendo – ele dissera, antes de beber um gole de café, perguntando-se quando seria apropriado convidá-la para sair.

Por fim, esperou até a última aula para sugerir uma pizza. Ela olhou para ele pensativa por um momento e acabou aceitando. Philip sentiu uma centelha de contentamento passar por seu rosto.

– Tem certeza? – perguntou ele em tom de brincadeira.

– Tenho – respondeu Chloe, séria. – Aí que está. Eu preciso ter certeza.

Sam fizera parte do relacionamento dos dois desde o início. Na pizzaria, como se quisesse pô-lo à prova, ela havia mostrado fotos do seu filho e ele as admirara com mais sinceridade do que poderia esperar de si mesmo. Quando pouco antes de terminarem a refeição ele lhe perguntara se gostaria de sair novamente, ela havia acenado com a cabeça e dito:

– No domingo. – E corou ligeiramente, antes de acrescentar: – No parque. Vou levar o Sam. – E seus olhos azuis haviam encontrado os dele, desafiando-o a discordar.

Alguns meses depois, quando ele já estava praticamente morando no apartamento dela e os dois planejavam férias juntos, ele comentara sua vontade em apresentar-se ao pequeno Sam. Para surpresa dela, ele percebeu que abordara um assunto delicado.

– Eu não pretendia jogá-lo para cima de você – dissera ela, tensa, evitando olhar para ele. – Só não quis que você pensasse que a existência dele era um... segredo.

– Bem, você fez a coisa certa – dissera ele, apressando-se em abraçá-la. – Todos os segundos encontros deveriam incluir crianças como parte do programa. – Ele dera de ombros, de forma inexpressiva. – Para falar a verdade, sair só com você pode ser algo bem maçante.

– Pare com isso – dissera ela meio sorrindo. – Seu cretino.

A verdade é que Philip se apaixonara por Sam quase tão rapidamente quanto se apaixonara por Chloe. Quem não se apaixonaria por uma criança de 3 anos tão simpática, alegre e educada? Uma criança de 3 anos que ia aos jogos de domingo e vibrava animada toda vez que você chutava a bola; que pedia sorvete em pleno inverno; que se agarrava à sua perna afetuosamente toda vez que você tentava ir embora? A primeira vez que Sam o chamou de "papai", Philip ficou sem ação e olhou para Chloe. Mas ela não retribuíra seu olhar fixo, nem o ajudara com uma resposta. Sua expressão tornara-se impassível.

– Papai! – Sam havia dito novamente.

– Sim? – respondera Philip, com a voz ligeiramente tomada pela emoção. – O que foi, Sam?

– Olhe ali. – Sam apontara para alguma coisa à distância, e Philip fingira acompanhar a direção do seu dedo. Mas seus olhos estavam fixos em Chloe, no rubor que lentamente cobria seu rosto. Aos poucos, ela olhou para ele e, em resposta ao gesto de Philip, que arqueara as sobrancelhas em sinal de interrogação, ela acenara com a cabeça, afirmativamente.

Pouquíssimas vezes eles falaram sobre o pai biológico de Sam. Pouquíssimas vezes falaram sobre o passado. Devia ter havido outros namorados, mas eles nunca conversaram a respeito. Tudo o que ele sabia era que Chloe havia sofrido. Uma vez, ela disse que queria começar novamente com ele do zero; passar uma borracha no passado. Ele não argumentara. Faria tudo o que pudesse para ajudá-la.

Uma risada rouca e familiar interrompeu seus pensamentos e ele levantou os olhos. No início, não conseguiu ver os meninos, mas quando Sam riu novamente, ele os avistou. Para seu espanto, eles estavam conversando animadamente com uma mulher de uns 40 anos. A mulher tinha o cabelo loiro oxigenado, usava um terninho branco justo e tinha nas mãos uma bolsa dourada com alça de corrente. Parecia ter saído de um dos maiores e mais luxuosos iates do local.

Enquanto Philip os observava, Sam sorriu e levantou a camiseta, indicando o logotipo no cós da bermuda de surfe. Imediatamente, Philip se levantou e atravessou a rua.

– Desculpe – disse ele ao se aproximar da mulher. – Meus filhos devem estar incomodando a senhora.

– De jeito nenhum – retrucou a mulher com sotaque escandinavo. – Eles são encantadores. Bem divertidos. – Ela sorriu para Philip.

– Bem, fico contente em ouvir isso – disse Philip meio sem jeito. – Mas já está mesmo na hora de irmos embora, portanto...

– Eu ofereci uma bebida a Agnethe – disse Sam corajosamente. – Podemos ir todos juntos?

– Sam! – exclamou Philip, em parte horrorizado, em parte com vontade de rir. – Realmente não acho... – Ele lançou os olhos a Agnethe, esperando uma recusa; uma dispensa que ele poderia usar agradecidamente para tirar os garotos dali. Mas a mulher estava sorrindo e levantou as sobrancelhas de modo convidativo. Involuntariamente, Philip sentiu-se corar. – Realmente temos que ir – disse ele bruscamente. – Vamos, meninos.

– Tchau, Aggie – disse Nat quando eles se afastaram, e Philip olhou para ele desesperado. – Ela disse que eu poderia chamá-la de Aggie – replicou Nat na defensiva. – Não conseguia falar o nome dela direito.

– Agnethe – disse Sam com todas as letras. – Agnethe, o anjo. Eu passei uma cantada nela.

– Espero que você não tenha feito isso.

– Bem, eu fiz. Não fiz, Nat? Ela estava a fim – ele acrescentou com satisfação.

– Sam! – disse Philip.

– Ele fez sim – confirmou Nat, antes de olhar para um cartaz e diminuir o passo. – Papai!

– O que foi?

Philip olhou para o filho, perguntando-se se um dia Nat também se aproximaria de uma mulher desconhecida, 25 anos mais velha, e a convidaria para tomar uma bebida. Ele simplesmente não conseguia imaginar tal situação.

– Posso comprar batata frita?

– Está bem – concordou Philip. – Um pacote de batata frita para cada um. – Ele tateou o bolso à procura do presente. – Depois vamos voltar para casa e encontrar a mamãe.

Chloe estava diante de Hugh, quase sem respirar, com o coração acelerado. Sentia-se um pouco tonta após um dia inteiro de exposição ao sol; pelo efeito das três taças de vinho; pela sensação do olhar fixo de Hugh, que a atingia com perguntas silenciosas. Toda vez que a mão dele esbarrava na sua, seu coração dava um salto. No fundo, ela sentia um estímulo mais instintivo, primitivo, um fluxo de desejo, que se tornava mais forte a cada segundo.

Eles haviam trocado no máximo três comentários, desde que Hugh se sentara à mesa. No ar, um diálogo silencioso havia despontado e ficara gradualmente mais íntimo, mais intenso. Cada gesto, cada olhar tinha um significado. E não havia dúvida do que representava.

Hugh pedira um prato, que permanecia sobre a mesa, entre eles, intacto.

O restaurante começava a lotar e, do lado de fora, no pátio, um grupo de violinistas tocava uma música diferente, mais vibrante. O ambiente ficava cada vez mais inebriante para Chloe: uma mistura de calor, luz e música arrebatadora e sensual, que fazia seu corpo querer mover-se de acordo com o ritmo. Quando fechou os olhos e inspirou, ela sentiu o cheiro de uma mistura aromática de alho, tomilho e alecrim. E, do outro lado da mesa, o leve aroma da loção pós-barba de Hugh. Após todos aqueles anos, a pele dele tinha o mesmo perfume seco, almiscarado.

O simples pensamento causou-lhe um ímpeto de desejo, tão forte que a assustou. Ela bebeu alguns goles do vinho e, ao erguer a cabeça, viu que ele a observava. Seus olhares se cruzaram como uma confirmação. Chloe tentou engolir e viu que não conseguia. Sem dizer uma palavra, Hugh encheu novamente sua taça. Um garçom retirou os pratos intactos; nenhum dos dois sequer desviou o olhar.

– É difícil falar – disse Hugh após um momento. – Com a música e o... – Ele parou de falar aos poucos e olhou fixamente para a mesa, como se tentasse resolver um problema de matemática. Então, levantou os olhos. – Posso perguntar ao garçom se há algum lugar por aqui... com mais privacidade.

Houve silêncio. Então, lentamente, Chloe acenou com a cabeça, concordando.

Conforme o carro subia a montanha, Sam ficava cada vez mais triste. Sua manhã tinha sido tão boa, no litoral, paquerando as europeias ricas e cobiçando os carros de seus maridos. Agora, era hora de voltar à piscina e à lamentável seleção de canais a cabo.

– Podemos ir a San Luis? – perguntou ele ao passarem pela placa, na estrada. – Para conhecer?

– Agora não. Quero voltar para a vila.

– Mas lá é muito chato.

– Se acha chato, Sam – disse Philip –, posso tranquilamente achar algo para você fazer.

Sam fez uma cara feia e se afundou no banco do carro.

Eles se aproximaram do portão de ferro que conduzia à estrada e ao entrarem no terreno, ele olhou, meio chateado, para fora do carro. Para sua surpresa, pela grade de ferro, ele viu Jenna. Ela jogava a cabeça para trás, estava rindo e... fumando? E havia outras pessoas com ela.

Droga, pensou Sam, afundando-se no banco. *Tem algo rolando. Algo muito bom rolando. E eu vou participar.* Assim que Philip estacionou o carro, ele olhou para o relógio e, em seguida, para Nat.

– Acho que está passando *Os Simpsons* no Canal 9 – disse, como quem não quer nada. – Sessão dupla.

– Legal! – disse Nat, entusiasmado.

– Televisão? – perguntou Philip, incrédulo.

– *Os Simpsons*, pai – disse Nat, revirando os olhos para Sam, antes de sair correndo do carro.

Sam desceu do carro também, mas não seguiu Nat. Casualmente, ele se abaixou para amarrar o tênis e ficou observando Nat entrar na casa. Logo depois, Philip foi em direção à piscina e Sam levantou-se. Conferiu rapidamente sua aparência no vidro do carro e se dirigiu ao jardim.

Ele logo os avistou: Jenna e o cara espanhol que cuspira no portão estavam sentados no chão, compartilhando um cigarro. E junto deles, Sam percebeu com o coração disparado, havia uma garota. Uma espanhola, de aproximadamente 16 anos, usando calça jeans apertada e camiseta preta.

Ao se aproximar, ele se sentiu um pouco apreensivo. Tanto a garota quanto o garoto espanhol olharam para ele com um sorriso levemente afetado. O que será que Jenna havia dito a respeito dele?

– Oi – disse Jenna logo que ele chegou mais perto. – Onde você estava?

– Em Puerto Banus.

Jenna deu de ombros para indicar que isso não significava nada para ela.

– Pode sentar – disse ela. – Tome. – Quando ela lhe passou o cigarro, ele percebeu, surpreso, que se tratava de maconha.

– Você não acha... – Ele pigarreou. – Isso não é o mesmo que beber em serviço?

– Não estou em serviço – retrucou Jenna com ironia. – Estou em minha tarde de folga, e o que eu faço ou deixo de fazer é assunto meu. Certo? – acrescentou ela com olhar ameaçador, e ele engoliu em seco.

– Claro.

Ela olhou para ele e deu um sorriso.

– Não se preocupe. Eu sei que você não me deduraria, não é, Sam? – Ela deslizou a mão suavemente sobre o peito dele. – Hum. Você está em forma. – Ela apontou para o cigarro. – Vá em frente, experimente.

Sam tragou, agradecendo a Deus por já ter experimentado maconha antes; dessa forma, não iria parecer um completo babaca, como alguns caras na escola. Jenna olhou para ele mais de perto, como se procurasse algo mais para rir. Então deu um meio sorriso.

– Temos que ir embora – disse a garota espanhola, levantando-se e olhando o enorme relógio masculino que usava. Sam levantou os olhos desanimado.

– Por quê? – perguntou. – Fique um pouco mais!

– Desculpe. – A garota deu de ombros. – Até mais, Jenna.

– Até mais – disse o rapaz.

– A gente se vê depois – disse Jenna.

Sam ficou olhando os dois se afastarem e atravessarem o portão, em direção à estrada.

– Quem são eles? – perguntou Sam após uma pausa.

– Ana e José – respondeu Jenna. – Eles moram no final da estrada. A mãe deles cuida da limpeza desta casa.

– Ah, sim – disse Sam. – Por que eles ...

– Tínhamos uns... pequenos detalhes para resolver – explicou Jenna, e deu um sorriso preguiçoso.

– Ah. – Sam tragou o cigarro com raiva, fitando o chão. Por que ele não chegara mais cedo? Não era justo.

– Eles me contaram um monte de coisas – disse Jenna, examinando as unhas pintadas do pé. – Coisas *muito* interessantes.

– É mesmo? – perguntou Sam, levantando os olhos. – Sobre a vida noturna por aqui?

– Não – disse Jenna, olhando-o como se ele fosse louco. – Sobre nosso anfitrião, Gerard não-sei-de-quê. E essa confusão toda a respeito da casa. – Ela pegou o cigarro das mãos dele e deu uma tragada, enquanto o olhava com uma expressão de prazer. – Você acha que foi um engano, não é, o fato de as duas famílias virem para cá ao mesmo tempo?

Sam a olhou com desconfiança.

– Bem... acho – disse ele. – *Foi* um engano.

Jenna deu uma baforada e balançou a cabeça.

– Nada disso. Não houve engano algum. Gerard planejou tudo.

– Como assim, *planejou*?

– Quero dizer – disse Jenna como se explicasse algo a alguém muito estúpido – que ele armou tudo. Ele deliberadamente convidou as duas famílias para a mesma semana, depois fingiu que foi um engano.

Sam olhou para ela. Será que aquela seria outra estúpida mancada que o levaria à sua total humilhação?

– Como você sabe disso? – perguntou ele desconfiado.

– Gerard disse à mãe do José e da Ana que chegariam oito pessoas esta semana. E pediu para ela comprar muita comida.

– E daí? Isso não quer dizer nada.

– Qual é, Sam, raciocine. Oito pessoas? Não é uma família, são duas. Ele obviamente fez tudo isso de propósito. – Jenna sorriu. – Foi um truque. E bastante bom, se você quer saber. – Sam olhou para ela, irritado.

– Claro que não! – exclamou. – Estragar as férias de alguém, só por diversão... Isso é doentio! Não posso acreditar que ele faria algo assim. – Ele olhou em direção à estrada, mas Ana e Jose já tinham desaparecido. – Eles só estão querendo arrumar confusão. Com certeza não gostam do Gerard.

– Eles odeiam o cara – concordou Jenna. – Ao que parece, havia uma trilha para pedestres nestas terras que Gerard fechou quando comprou a casa. Todo mundo aqui o odeia.

– Viu? É isso.

– Mas isso não muda os fatos. – Os olhos de Jenna brilharam. – Gerard estava ciente de que todos viriam ao mesmo tempo e fingiu que não sabia de nada. Então, há algo estranho. – Ela deu outra baforada. – Ah, e parece que ele vai aparecer também.

– Ele está vindo *para cá*? – Sam olhou para Jenna, e ela deu de ombros.

– Pelo menos foi o que a Ana disse.

Sam franziu a testa.

– Isso é tudo besteira, se você quer saber. Por que ele faria isso?

– Sei lá! – disse Jenna. – Ele deve achar que alguma coisa vai acontecer. – Ela deu um sorriso maquiavélico. – Talvez ele esteja achando que vai haver briga. – Sam balançou a cabeça.

– Não faz sentido. Afinal, as duas famílias nem sequer se *conhecem*.

O QUARTO FICAVA NO SÓTÃO. A mobília era simples, de madeira, com uma cama alta e antiquada. Não havia banheiro anexado, conforme explicara o proprietário do restaurante, ao entregar as chaves a Hugh, motivo pelo qual não era bem aceito pelos turistas. Mas talvez para o *señor*...

– Está ótimo – dissera Hugh, interrompendo o homem. – Obrigado.

Eles subiram a escada estreita e rangedora em silêncio, longe do barulho do restaurante; longe do resto do mundo. Quando a porta se fechou atrás deles, Chloe sentiu um tremor profundo, como o estrondo de um trovão ao longe. Como se a terra se abrisse em algum lugar distante, desconhecido.

O som do violão, no pátio mais abaixo, vibrava através do assoalho, atravessava seus pés e alcançava suas veias. As pessoas lá embaixo, no mundo real, continuavam rindo, comendo e conversando. Enquanto ela e Hugh, ali em cima, permaneciam na tênue imobilidade, ligeiramente longe um do outro, sem se olharem. Aguardando.

Lentamente, Hugh estendeu a mão e a pousou no ombro de Chloe, o que a fez sentir uma emoção quase insuportável. Ela fechou os olhos e mordeu o lábio inferior para não gritar, mas permaneceu imóvel. Enquanto pôde suportar aquela sensação, ela não se moveu.

Finalmente, ela ficou de frente para ele. Hugh deslizou a outra mão na sua cintura e, aos poucos, eles começaram a mover o corpo, de um lado para o outro, no ritmo da música, cada vez mais próximos, até seus corpos quase se tocarem. Hugh inclinou a cabeça, roçou os lábios ligeiramente contra os dela, e uma onda de excitação a invadiu. Ela se afastou, deliberadamente torturando-se, prolongando a expectativa, saboreando a sensação do que estava por vir.

No pátio abaixo, os violões pararam e houve silêncio. Por um momento, nenhum dos dois se moveu; a inércia parecia ecoar na cabeça de Chloe. Então, Hugh beijou seus lábios novamente, com mais firmeza, mais apaixonadamente. E dessa vez ela foi incapaz de fazer qualquer coisa a não ser corresponder. Quando a música recomeçou, ela já não era mais dona de suas reações. Sentia-se tomada pelo desejo, pelas lembranças, pelo toque de Hugh. Por fim, estava gritando o nome dele, soluçando e se entregando, como uma pena caindo suavemente até pousar em uma superfície.

CAPÍTULO NOVE

Parecia que estavam deitados, em silêncio, por uma eternidade. Meio conscientes, meio adormecidos. Entrelaçados por um calor compartilhado, enquanto o ar gradualmente esfriava em volta deles. Quando Chloe pestanejou, virou e olhou ao redor, viu que o quarto, junto com todo o resto, havia mudado. A luz branca e brilhante havia se tornado mais suave, e sombras douradas se esticavam pelo chão. Do lado de fora, a música tinha parado; algumas espanholas estavam arrumando as mesas para o jantar, enquanto conversavam.

Por um momento, Chloe sentiu o corpo pesado demais para se mover. Sentia-se lenta, entorpecida e relutante. Brilhando no horizonte de sua mente, estava a consciência de que havia um mundo do lado de fora daquele quarto; uma existência que ela não queria compreender ou reconhecer. Durante alguns minutos ela permaneceu imóvel, fitando o teto, flutuando no mundo irreal.

Então, com a força da vontade que a transportara pela vida, ela sentou na cama. Sem olhar para Hugh, levantou-se e andou lentamente até onde o seu vestido tinha sido descartado, no chão. Seu vestido novo, preto e justo. Quando o apanhou, percebeu que não queria vesti-lo; que seu estilo chamativo, de gosto duvidoso, a irritaria agora. Mas ela não tinha escolha, afinal, não havia mais nada para vestir.

– Chloe. – A voz de Hugh a fez estremecer. – Chloe, o que está fazendo?

Ainda segurando o vestido, ela se virou e olhou para ele em silêncio, por um momento.

– Estou me vestindo.

– Não faça isso – pediu Hugh, fitando-a. – Ainda não.

Chloe fechou brevemente os olhos.

– Temos que ir. Eu tenho que ir. – Ela apanhou sua lingerie, observou-a por um momento e sentou na beira da cama. Hugh esticou-se e pôs a mão no seu ombro.

– Não vá – insistiu ele. – Não execute o ato de desaparecimento. Não desta vez.

– O que você quer dizer? – perguntou Chloe, irritada. – Que ato de desaparecimento?

– Você sempre desaparecia. – Hugh inclinou-se para a frente e beijou seu pescoço. – Você costumava se vestir no escuro e desaparecer no meio da noite. Eu nem sabia aonde você ia. – Ele desceu a mão até seu peito e acariciou o mamilo suavemente. – A coisa que eu mais queria era passar a noite toda ao seu lado. Mas você sempre me deixava. Sempre fugia.

Chloe virou-se lentamente até ficar de frente para ele.

– *Eu* sempre fugia – ela repetiu, e deu uma risada sarcástica. – Essa é boa, Hugh. – Ela se afastou dele e se levantou. – *Eu* fugia.

Suas palavras perfuraram o ar quente como um desafio, como uma primeira incisão. De repente, a atmosfera entre eles pareceu mais tensa, como se alguém tivesse puxado uma corda e fechado uma janela. Evitando o olhar fixo de Hugh, Chloe achou seus sapatos e os colocou no chão, lado a lado, prontos para serem calçados e levarem-na dali. Permaneceu olhando para os sapatos e sentiu que a emoção começava a brotar em seus olhos. Quinze anos de emoção reprimida pressionavam seu rosto como mãos quentes, ameaçando destroçá-la.

– Eu queria um cigarro – disse ela abruptamente. – Você não deve ter, ou tem? – Ela se virou e viu que Hugh a olhava fixamente, desconcertado.

– Não há um dia em que eu não lamente o que fiz, Chloe – disse ele em voz baixa. – Nem um dia.

– Ou uma bebida – disse Chloe. E engoliu em seco, tentando manter o controle. – Uma bebida serve.

– Eu era jovem – justificou Hugh. – Não era a pessoa que sou agora. Eu não sabia nada a respeito de crianças, família, ou qualquer coisa. Não sabia nada a respeito de nada. – Ele parou, como se tentasse pensar. – Quando vi Sam, sentadinho naquele tapete; quando percebi o que você vinha tentando me dizer, eu me apavorei. – Ele olhou para ela com o olhar pleno de sinceridade consistente. – Eu tinha 20 anos, Chloe. *Vinte.* Só quatro anos a mais do que o Sam tem agora. Pensei que um bebê na minha vida iria... Não sei. Estragar tudo. Atrapalhar... – Ele foi parando de falar gradualmente.

– Seu rumo ao sucesso – completou Chloe. – Sua carreira fabulosa. Bem, talvez você estivesse certo. Ele provavelmente teria atrapalhado. – Ela lhe deu um sorriso amarelo. – Você fez o que era certo, Hugh. Para você.

– Não – disse Hugh. – Não fiz o certo. – Ele olhou para ela sem demonstrar emoção. – Não fiz o certo.

Houve um silêncio tenso, e Chloe sentiu um medo repentino: uma chamada interior, puxando-a em uma direção para a qual ela não podia se permitir nem ao menos olhar, arrastando-a em direção a um túnel escorregadio, que descia suavemente para um lugar distante.

– Tenho que ir – disse ela, virando-se de costas e calçando os sapatos.

O couro beliscou seu pé quando ela o forçou para dentro do calçado, mas ela não reagiu. Precisava daquela sensação de dor; precisava ser beliscada para voltar à realidade.

– E se você não fosse? – perguntou Hugh. – E se ficássemos aqui a noite toda? – Ele se levantou e se aproximou de Chloe, sem tirar os olhos dela. – E se dormíssemos juntos esta noite, pela primeira vez em nossas vidas, Chloe? O que aconteceria? A terra se partiria ao meio?

Chloe sentiu uma flechada no peito; um desejo que ameaçou dominá-la.

– Não – respondeu ela. – Não podemos... – Ela esfregou o rosto. – Temos que ir. Temos que voltar...

– Eu te amo – disse Hugh.

Por um momento, ela permaneceu imóvel.

– Você não me ama – disse ela, olhando em outra direção. Sua voz estava grossa e pesada, e seu rosto, em chamas.

– Eu te amo, Chloe. – Ele chegou mais perto e afastou o cabelo de sua testa. – Eu te amo. E quero passar a noite toda com você ao meu lado. Quero acordar de manhã com você nos meus braços.

– Não podemos – disse Chloe em voz baixa, rouca. – Não temos escolha.

– Nós temos escolha. – Suavemente, Hugh levantou seu queixo, até que ela olhasse nos seus olhos. – Chloe, nós podemos recomeçar.

Chloe fitou-o por algum tempo, incapaz de falar. Então, sem responder, ela virou de costas e, com as mãos trêmulas, começou a se vestir.

PHILIP ESTAVA EM UMA ESPREGUIÇADEIRA, à beira da piscina, saboreando uma cerveja, olhando a água e perguntando-se para onde havia ido todo mundo. A casa inteira parecia abandonada: Chloe não estava em lugar algum e não havia sinal de Sam. Nat, ele presumiu, estava grudado na frente da TV, em algum lugar. Quanto à outra família, todos haviam desaparecido completamente.

Ele bebeu um gole de cerveja e se recostou confortavelmente. Era a hora do dia de que ele mais gostava nas férias: o final, quando o sol escaldante dá lugar a uma sensação tépida e a água cintila tons de azul e dourado; quando as pessoas acordam, após passar o dia todo prostradas ao sol, em estado de torpor; quando os níveis de energia aumentam, as bebidas são servidas e os pensamentos voltam-se, agradavelmente, para a noite que está por vir.

Aquele tinha sido um dia bastante aprazível, ele pensou. Lembrara-se do quanto gostava de estar na companhia dos meninos; do quanto isso era divertido. E tinha sido bom para ele passar algum tempo longe de Chloe. Sentira-se como se suas preocupações e seus aborrecimentos triviais tivessem sido varridos pela brisa do mar. A distância dera-lhe a perspectiva de que ele precisava. Naquela noite, eles se dariam uma nova chance. Talvez até saíssem para jantar.

Um som interrompeu seus pensamentos e, ao levantar a cabeça, ele viu Amanda andando em direção à piscina. Ela trazia nas mãos um punhado de papéis e um celular, e parecia atormentada.

– Oi – disse ela rapidamente, antes de sentar.

– Oi – disse Philip. Durante algum tempo, os dois permaneceram em silêncio. Finalmente, ele levantou os olhos. – Como foi o seu dia?

– Para falar a verdade, não foi nada bom – respondeu Amanda. – Foi um pesadelo. Beatrice estava indisposta e Jenna desapareceu completamente esta tarde, quando eu mais precisava dela... E eu tive um ataque com a mulher encarregada da pintura decorativa.

– Mulher do quê? – perguntou Philip, sorrindo ligeiramente.

– A mulher encarregada da pintura decorativa – repetiu Amanda, olhando para ele, de mau humor. – Na nossa casa. Estamos fazendo uma obra enquanto estamos aqui.

– Ah – disse Philip, tomando um gole da cerveja. – Entendi.

– Telefonei para ela esta manhã, para ver como as coisas estavam indo. Por acaso mencionei o quarto de hóspedes e ela começou a falar sobre turquesa. Turquesa! – Amanda fechou os olhos, como se aquilo fosse algo impossível de se cogitar. – O que eu especifiquei foi um tom bem claro de água-marinha. – Ela abriu os olhos e fitou Philip. – Bem, naturalmente, agora não posso saber *o que* ela está colocando nas paredes. Pode ser qualquer cor. Fiquei a tarde toda passando fax, mas ela não se preocupou em responder.

– Vai dar tudo certo – disse Philip. Ele pensou por um momento. – Ela deve estar usando a cor certa, só um nome diferente.

Amanda lançou-lhe um olhar desconfiado.

– Você acha que azul-esverdeado e água-marinha são a mesma coisa?

– Bem – disse Philip. – São *bastante* semelhantes, não são? Aos olhos de... alguém sem muito conhecimento.

– Talvez. – Amanda suspirou. – Talvez você tenha razão. Mas não responder ao fax... Quero dizer, isto é no mínimo, deselegante. Afinal, estou pagando, sou a cliente...

– Eu nem sabia que havia fax aqui – disse Philip, tentando mudar de assunto. – Esta casa tem de tudo, não é?

– Fica na sala de estudos, no final do corredor – disse Amanda. – Há um pequeno escritório montado lá. – Ela revirou os olhos. – Aliás, estou surpresa com o fato de Hugh ainda não ter se apoderado dele. – Ela se reclinou na cadeira e ficou em silêncio por um tempo. Então, deu um suspiro ruidoso. – Nossa! Estou esgotada. Beatrice ficou acordada metade da noite. Só por que não queria ficar sozinha. E eu fiquei no telefone a tarde inteira...

– Ela está melhor? – Philip sentou-se. – Quero dizer, você quer que eu chame um médico ou algo assim?

– Ah, não precisa – respondeu Amanda, e deu um leve sorriso. – Obrigada. Ela só tomou sol demais ontem. E hoje estava ainda mais quente...

– Trinta e quatro graus, ao que parece – disse Philip. – Dizem que é uma onda de calor. Embora devesse estar mais fresco aqui nas montanhas... – Ele ergueu um braço no ar quente e pesado.

– Estava muito abafado hoje – disse Amanda. – Tive que mandar as crianças para dentro. – Ela passou a mão pelo cabelo. – Graças a Deus existe ar-condicionado, senão eu jamais conseguiria fazer a Beatrice dormir novamente.

– Nat costumava dar trabalho nas férias – disse Philip em tom compreensivo. – Ele tinha dificuldade para dormir em um lugar diferente.

Ele deu uma olhada e viu que Amanda havia fechado os olhos.

– Hugh poderia tomar conta dela esta noite – disse ele. – Para você descansar um pouco.

– O Hugh? – Amanda abriu um olho. – Ah, por favor. Hugh sequer chega *perto* das crianças.

– É mesmo? – Philip levantou as sobrancelhas. – Nunca?

– Ele é um completo workaholic. Nunca chega em casa antes das 8. É como se eu fosse mãe solteira. – No chão, ao lado dela, seu celular começou a tocar. – Ah, que droga! – reclamou, sentando-se. – O que eles querem agora?

– Por que não ignora? – sugeriu Philip, mas Amanda já havia atendido.

– Oi – disse ela. – Aham, aham. – Houve uma pausa. – Bem, tudo bem, mas o que ela *quer dizer* com terracota? Sim, eu gostaria de falar com ela, se isso não for muito incômodo.

Houve silêncio e ela revirou os olhos para Philip.

– Problemas com as cores? – perguntou ele.

– Vou falar uma coisa, se eu soubesse que teria tanto aborrecimento, teria optado pelo papel de parede. Pelo menos você pode *ver* o que... alô, Penny? Bem, eu não quero saber se ela está indo para casa. Quero falar com ela! – Ela pôs a mão no fone. – Mas que bando de incompetentes! Agora me responda, que férias são essas que eu estou tendo agora? – Ela voltou sua atenção ao telefone. – Alô, Penny? Sim, posso aguardar. – E olhou para Philip. – Ah, a propósito, alguém telefonou para você mais cedo. Enquanto você estava fora.

Foi preciso alguns segundos até Philip assimilar o que ela havia dito.

– Alguém telefonou para mim? – repetiu ele, surpreso.

– Eu atendi no escritório. Era um tal de Chris alguma coisa. – Amanda fez uma careta. – Não consigo lembrar o sobrenome. Ele disse que tinha novidades. Deixou um número... Oi! Marguerite! É Amanda Stratton. Queria falar com você sobre as cores.

Com o coração disparado, Philip olhou para o vazio. Seu comportamento descontraído desapareceu completamente. De repente, toda a perspectiva que ganhara no decorrer do dia reduzira-se a pó. Estava exposto, desamparado, dominado por um nervosismo intenso.

Ele respirou profundamente e levantou os olhos para Amanda, que falava distraidamente ao telefone.

– Tudo bem – disse ele, tentando usar um tom descontraído, olhando para a piscina vazia. – Obrigado por me avisar. Eu... vou telefonar para ele, agora mesmo.

QUANDO PHILIP ENTROU, o brilho dourado da parte externa desapareceu totalmente, dando lugar a uma escuridão fria. Ele abriu a porta do pequeno escritório – um cômodo onde ainda não havia estado – e foi recepcionado pela desconcertante visão do rosto de Gerard reproduzindo-se positivamente por toda a sala, em fotos emolduradas em todas as paredes. O rosto dele estava em um enorme retrato acima da escrivaninha, em fotografias dispostas em uma mesinha lateral, em um cartaz anunciando um festival de vinhos e em vários artigos sobre vinicultura. Philip parou diante de uma foto de Gerard erguendo uma taça para a câmera, ao lado de uma pessoa, provavelmente um chef famoso.

– Babaca presunçoso – disse ele em voz alta.

Olhou a foto por alguns segundos e foi até o telefone. Passou pela máquina de fax e viu várias folhas de papel escritas com a caligrafia que ele presumiu ser de Amanda.

Desculpe, dizia uma delas. Alguém desligou o telefone na minha cara? gostaria de lembrar que você está na minha casa, pintando as minhas paredes.

Apesar do nervosismo, Philip se viu sorrindo. Sentou-se diante da escrivaninha, respirou profundamente e pegou o telefone. Discou de cor o número da casa de Chris e, após alguns toques, ele atendeu.

– Oi, Chris? – disse ele, esforçando-se para parecer tranquilo. – É o Philip.

– Oi, Philip, que bom que você ligou! – disse Chris. Philip imaginou seu subgerente na cozinha, com uma cerveja na mão. – Escute, eu não queria alarmá-lo. Mas como você pediu para ficar a par das notícias, eu achei que iria gostar de saber das novidades.

– Com certeza – disse Philip, sentindo um pequeno alívio. – Então, quais são as novidades?

– Ao que parece, as recomendações da Mackenzie chegaram.

– Certo – disse Philip, tentando suprimir o medo que tomava conta do seu corpo.

Havia tanto tempo que todos falavam sobre aquelas malditas recomendações, que elas já tinham atingido a aura de uma besta mítica. Medusa, Minotauro, as recomendações da Mackenzie. Após três prazos perdidos, ele havia praticamente deixado de acreditar que elas apareceriam.

– Então... sabemos o que elas dizem?

– Não sabemos – respondeu Chris. – Não temos nem ideia. E o cara que lida com isso está de férias até a semana que vem.

– Ótimo – disse Philip. Ele olhou para uma foto de Gerard beijando a mão de algum membro menor da família real e olhou em outra direção. – Então, continuamos aguardando.

– É o que parece. Mas suponho que estamos um passo mais perto de tomarmos conhecimento.

– Assim espero – disse Philip. Sua mão, ele percebeu de repente, estava suando. – Bem, obrigado por me manter informado, Chris. Os outros já estão sabendo?

– Ah, todo mundo já sabe – disse Chris. – O clima por aqui está bom. Angela conseguiu quinhentas assinaturas no requerimento.

Philip sorriu. A PBL poderia tentar livrar-se deles, mas não seria fácil. Chris estava mais indignado com tudo aquilo do que ele. Fora dele a ideia do requerimento, ele havia estimulado clientes a escrever para a PBL, demonstrando apoio à filial.

– Excelente! – disse Philip. – Bem, continue assim.

– Ah, com certeza – disse Chris. – E espero que você aproveite o restante das férias. Pelo menos agora sabe que nada vai acontecer enquanto estiver aí.

– Bem pensado – disse Philip. – Até logo, Chris.

– Até logo, Philip. Divirta-se.

Philip desligou o telefone e fitou em silêncio a madeira nobre da escrivaninha de Gerard. A proximidade de uma decisão que não significava nada para aqueles imbecis da PBL, mas significava tudo para ele, era uma verdadeira tortura para seus funcionários e suas respectivas famílias.

O som de um automóvel chamou sua atenção e ele levantou os olhos. Pela janela, viu a minivan de Hugh parar em frente à porta. Houve uma pausa, então a porta de passageiros se abriu e, para sua surpresa, Chloe saltou. Um momento depois, Hugh saiu pela outra porta e falou com ela. Ela murmurou algo, e os dois se dirigiram à entrada da casa.

Rapidamente, Philip levantou-se e foi em direção à porta do escritório. Não queria nem pensar na reação de Chloe se ela o pegasse telefonando para a Inglaterra novamente.

– Oi! – disse ele em tom animado, quando chegou ao corredor. – O que andou fazendo?

Chloe, que acabara de entrar, levou um susto. Ela parecia entusiasmada, pensou Philip. Um dia sozinha, longe das pressões familiares, obviamente lhe fizera bem.

– Philip! – disse ela. – Você... você me assustou. – Ela afastou o cabelo do rosto com a mão trêmula. – Quando voltou?

– Já faz um tempinho – respondeu Philip. – Nós fomos a Puerto Banus. Ver os iates. E você?

– San Luis – disse Chloe após uma pausa. – É um lugar muito bonito.

– Encontrei com a Chloe em um café – disse Hugh com naturalidade. – Ela foi andando até lá. Loucura!

– Eu queria esticar as pernas – disse Chloe, e pigarreou. – Na verdade, eu não planejei andar até San Luis. Mas acabei indo parar lá. E... e o Hugh insistiu em me dar uma carona na volta.

– Ainda bem! – disse Philip. – Você ia descansar hoje, lembra?

– Eu sei – disse Chloe. – Mas eu... Queria dar uma caminhada, está bem?

Ela pareceu repentinamente defensiva e mal-humorada, e Philip deu de ombros.

– Está certo – ele assentiu. – Alguém quer uma bebida?

QUANDO PHILIP foi em direção à cozinha, Chloe e Hugh se olharam.

– Não consigo acreditar que ele não tenha percebido nada – disse Chloe, com a voz tão baixa que mal podia ser ouvida. – Não consigo acreditar que... – Ela parou de falar e completou lentamente. – Estamos juntos há 13 anos. Era de se esperar que ele notasse algo...

– Você parece *querer* que ele descubra – disse Hugh.

– Não seja bobo – disse Chloe bruscamente. – Eu só... Estou surpresa. Só isso.

– Bem, não pense nisso – disse Hugh. – Não pense em nada. A não ser em nós dois. – Ele estendeu a mão em direção a ela e Chloe se afastou abruptamente.

– Pare com isso! – advertiu Chloe olhando para as escadas. – Você está louco? – Ela se afastou. – A gente... a gente se vê mais tarde.

– Quando? – perguntou Hugh imediatamente. – Esta noite?

Chloe se virou e reparou na maneira como ele a olhava, como ele parecia sério. E sentiu um frio na barriga.

– Não sei – respondeu ela. – Não sei, Hugh.

Ela se afastou rapidamente, indo em direção à escadaria de mármore, sem olhar para trás.

CAPÍTULO DEZ

Jenna havia preparado uma degustação de vinhos à beira da piscina, para antes do jantar. Ela arrastou uma mesa de ferro batido até a borda da piscina e, sobre ela, colocou cinco garrafas de vinho, com as etiquetas cobertas por um pedaço de papel, na qual escreveu, em cada um, as letras de A a E. Havia uma fileira de taças impecavelmente dispostas, papel, lápis e uma cesta de pães.

Chloe aproximou-se da piscina, onde os outros já estavam reunidos, ouvindo as instruções de Jenna. Seus passos sobre a grama não fizeram ruído, mas Hugh olhou para cima, como se pressentisse sua aproximação. Philip acompanhou seu olhar e Amanda fez o mesmo. Logo todos a fitavam como um comitê de boas-vindas, como um júri prestes a dar seu veredicto. Involuntariamente, Chloe vacilou. Ela teve vontade de voltar correndo para dentro de casa, de fugir. Entrar em um avião, ir para outro lugar.

– Oi, Chloe – disse Jenna, com um sorriso. – Quer provar um pouco de vinho? Já que estamos na casa de um sommelier...

– Oi, amor – disse Philip antes de apontar para a mesa. – A arrumação não está incrível?

– Maravilhosa – concordou Chloe, esforçando-se para manter a voz firme. – Desculpem o atraso.

– Você está aqui – disse Hugh. – Isso é o que importa.

– É – disse Chloe após uma pausa. – Acho que sim. – Ela se virou para Hugh e, ao dar de cara com seus olhos escuros, sentiu um espasmo no estômago. Três horas antes, ela pensou. Apenas três horas antes ela estava em seus braços.

Uma onda de desejo a atingiu, tão forte que quase a fez gritar. Rapidamente, ela desviou o olhar, respirou fundo, esforçou-se para reprimir tal pensamento. Ela se manteria calma e equilibrada, disse a si mesma com firmeza. Iria se comportar normalmente, apesar do nervosismo. Com autocontrole suficiente, ela conseguiria afastar a lembrança do que havia acontecido naquela tarde; expulsar aquilo da mente.

– Bem... então o que vamos fazer? – perguntou ela, se esforçando ao máximo para manter a voz calma.

– Pensei que poderíamos dar a cada vinho uma nota de um a dez e escrever um comentário – disse Jenna. – Depois, podemos somar os pontos e declarar um vencedor final. O pão é para limpar o paladar e garantir que não ficaremos bêbados. – Ela sorriu. – Devo acrescentar que é opcional.

– Certo – disse Chloe. – Parece bastante claro. – Ela olhou para Philip, que levantou as sobrancelhas de forma engraçada.

– Todos conhecem os termos usados por quem entende de vinho? – perguntou ele. – Não pode ter menos de seis adjetivos por garrafa.

– Os vinhos são de uma determinada região? – perguntou Amanda, franzindo a testa ligeiramente. – Ou uma determinada uva?

– Quem sabe? – disse Jenna. – Peguei os cinco primeiros que encontrei. – Ela tomou um gole e cambaleou ligeiramente. – Caramba – disse ao engolir a bebida. – Não consigo nem descrever este aqui. – Ela balançou a cabeça. – Vamos tentar novamente. – Todos permaneceram atônitos, em silêncio, quando ela entornou a taça de uma só vez, ergueu os olhos e limpou a boca. – Sabe de uma coisa? É difícil, mesmo sabendo por onde começar.

– Vamos experimentar – sugeriu Amanda, em tom experiente. – Pode ser bastante difícil destacar os sabores se você for novato. – Ela virou uma pequena quantidade do vinho em uma taça, girou a bebida levemente e apreciou seu aroma. – Hum. Acre. Um vinho maduro, eu diria. – Ela tomou um gole e fechou os olhos, enquanto os outros olhavam, em silêncio. – Um vinho desafiador – disse ela finalmente. – Profundo e doce, notas cassis... com leves indícios de couro... Era essa a espécie de descrição que você esperava, Jenna?

Jenna deu de ombros.

– Para falar a verdade, Sra. Stratton, a definição que eu esperava era "uma merda". Tipo, realmente muito ruim. Mas a senhora conhece vinhos melhor que eu.

Uma faísca de raiva atingiu Amanda e ela pousou a taça.

– Acho que você deveria dar uma olhada nas meninas, Jenna – disse ela em tom frio. – Elas podem estar chorando, e nós não vamos ouvi-las aqui fora.

– Com certeza – disse Jenna. – Alguém gostaria de alguns salgadinhos?

– Depende da cor – murmurou Amanda.

– É... claro – disse Hugh. – Ótima ideia.

Assim que Jenna desapareceu, Amanda cruzou os braços e olhou para cada um dos presentes.

– Vocês ouviram isso? – perguntou ela. – Isso lá é modo apropriado para uma babá falar com a patroa?

– Bem – disse Philip diplomaticamente. – Acho que depende... – Ele apanhou a garrafa de vinho, encheu três taças e entregou duas delas a Hugh e Chloe. – Saúde.

– Eu perguntei o que ela havia feito esta tarde – relatou Amanda. – Sabe como é, só para ser amigável. Ela respondeu que tinha passado a tarde "relaxando e fumando maconha". E completou dizendo: "Brincadeirinha." –

Philip riu e Amanda lançou-lhe um olhar furioso. – Bem, para falar a verdade estou ficando um pouco cansada de todas essas brincadeiras. Talvez tenha sido engraçado na primeira vez... – Ela passou as mãos pelo cabelo para refrescar o pescoço. – Nossa, como está quente.

– Ela é bem-intencionada – disse Philip, sem muita convicção.

– Todos nós somos – replicou Amanda, soltando o cabelo. – Qualquer um tem boa intenção. Isso não é o mesmo que fazer o certo. – Ela olhou a fileira de garrafas com desagrado. – Cansei da brincadeira. Vou pegar uma bebida gelada. Alguém quer alguma coisa da cozinha?

Sem esperar por uma resposta, ela atravessou o pátio, passando por Sam, que estava indo em direção à piscina, com Nat a reboque. Ambos andando com o mesmo modo arrogante.

– Ei, mãe, pai – chamou ele. – Adivinhem!

– O que foi dessa vez? – perguntou Philip, revirando os olhos para Chloe. Ele bebeu um gole do vinho e fez uma careta. – Sabe de uma coisa, tenho que admitir. Acho que a Jenna está certa. Isto é horrível.

Chloe olhou para ele inexpressivamente, e sorriu distraída, tentando esconder a tensão que crescia dentro de si. Aquele cenário de "bebidas à beira da piscina" estava ridículo. Ninguém queria de fato degustar vinho. Ninguém estava a fim de conversa amigável. Ela certamente não estava. Sentia-se mais nervosa a cada minuto. Não conseguia tirar Hugh da cabeça: toda vez que olhava para ele, dava de cara com seu olhar fixo. Não podia evitá-lo; não podia desviá-lo. Sabia que estava ruborizada de forma atípica, que suas mãos tremiam em volta da haste da taça. Philip deve saber de alguma coisa. Ele *deve* saber. Ela bebeu um gole do vinho, sem se dar conta do seu sabor.

– Oba, degustação de vinho – disse Sam ao se aproximar. – Legal! – Com um sorriso de aprovação, ele pegou uma taça.

– Degustação de vinho. Legal! – repetiu Nat. Ele aproximou a mão de uma taça, olhou para Chloe, ficou ruborizado e imediatamente afastou a mão.

– Eu tenho algo importante a dizer – explicou Sam. – A todos vocês. – Ele olhou ao redor, com o rosto corado pela expectativa e ficou surpreso com a falta de reação. – Ei, a Jenna não disse nada, não é? Ela prometeu.

– Disse o quê? – perguntou Philip.

– Ótimo. Então ela não contou. – Sam balançou a cabeça. – Vocês não vão acreditar no que descobrimos. Nem em um milhão de anos.

– Nem em 10 milhões de anos – completou Nat.

– Bem – disse Philip. – O que é?

– Me deixe provar o vinho antes – disse Sam. E tomou um gole, olhando cada um dos presentes. – *Zut, alors!*

– disse ele, em um sotaque francês exagerado. – *Quel vin merveilleux!* Château Coca-Cola nunca desaponta ninguém, não acha? – Nat deu uma risadinha, e Sam tomou outro gole, maior que o primeiro. – Ideal para acompanhar *le burger, les fries*...

– Sam...

– Tudo bem, vou contar – concordou Sam, acalmando-se. Ele tomou um terceiro gole e olhou ao redor. – Isso tudo é uma armação. Gerard premeditou toda essa situação!

Ele gesticulava apontando para Chloe e Hugh, e Chloe ficou um pouco assustada.

– Como é que é? – perguntou ela, mais bruscamente do que pretendera. – O que você quer dizer com isso?

– Não foi um engano todos nós chegarmos aqui ao mesmo tempo. – Sam olhou em torno com satisfação, como se sua atitude fosse, de alguma forma, justificável. – Foi tudo planejado. Gerard *sabia* que haveria muita gente aqui esta semana. Ao que parece, ele deu ordens à faxineira para comprar comida suficiente para oito pessoas.

Houve silêncio. Chloe fitou Sam, com o coração disparado.

– E daí? – perguntou Philip com ar cético.

– E daí que ele sabia! Sabia desde o início que todos nós chegaríamos na mesma semana. – Sam esvaziou o conteúdo de sua taça e estalou os lábios. – Provavelmente está em Londres agora rindo de todos nós.

– Só uma pergunta – disse Philip com delicadeza. – Por que ele faria isso?

– Sei lá. – Sam deu de ombros. – De brincadeira. Para se divertir. Ao que parece, ele também está vindo.

– Vindo para cá? – perguntou Hugh, incrédulo.

– Sam, estamos falando de um adulto – disse Philip. – O conceito dele a respeito de diversão pode ser ligeiramente diferente do seu. – Sam o olhou indignado.

– Você não acredita em mim? Mãe, *você* acredita em mim.

Chloe abriu a boca para falar e viu que não conseguia. Sua mente estava trabalhando rápido demais, buscando pistas, lembrando conversas, observações eventuais aqui e acolá. Os olhos brilhantes de Gerard observando-a através da sala de jantar. Suas discretas zombarias dirigidas a Philip, perguntando, casualmente, se ela havia considerado a possibilidade de trair alguma vez. Seu olhar, enquanto servia um copo de xerez gelado, numa noite de verão, dizendo que ela precisava de um amante. Ela tinha rido. Todos tinham rido.

– Os filhos da faxineira estavam aqui! Eles sabem de tudo isso!

– Sam, por acaso lhe ocorreu que eles podem estar entediados? – argumentou Philip. – Que eles podem estar inventando coisas?

– Mas tudo faz sentido! – Sam aumentou a voz, sentindo-se frustrado. – Afinal, por que estamos todos aqui?

– Estamos aqui por causa de um engano! – disse Philip. – Meu Deus, vocês jovens são paranoicos! – Ele se virou para Chloe, sorrindo. – Dá para acreditar nisso?

– Claro que não – disse Chloe, com uma voz que não parecia a dela. – É ridículo.

– Bem, vamos telefonar para ele, então – disse Sam agressivamente. – Perguntar se é verdade. Colocá-lo contra a parede.

– Sam – disse Philip bruscamente. – Gerard foi extremamente gentil nos emprestando a casa. Se você realmente acha que vamos telefonar para ele e começar a acusá-lo de ter armado alguma coisa...

– Mas foi exatamente isso o que ele fez! Eles disseram que ele *sabia* que haveria oito pessoas aqui ...

– Eles falaram isso para você?

– Não – disse Sam após uma pausa. – Mas a Jenna disse...

– Ah, a *Jenna* disse. Entendi. – Philip suspirou. – Sam, você não acha que isso poderia ser mais uma das brincadeiras da Jenna? – Sam fitou Philip em silêncio, por um momento. Então, obstinadamente, balançou a cabeça.

– Não. Acho que é verdade.

– A verdade está Lá Fora – disse Nat em tom solene. Todos se viraram e ele corou.

– É isso aí! – disse Sam. – O Nat está certo. Tem alguma coisa muito estranha acontecendo.

– Vocês estão totalmente enganados – disse Philip assertivamente. – E eu estou começando a ficar cansado dessa teoria da conspiração. Não *existe* nenhuma trama, não *existem* alienígenas e, na minha opinião, aqueles círculos de colheita, que muitos atribuem a extraterrestres, são feitos por pessoas que não têm nada melhor a fazer. Vamos, Nat. – Ele pousou a taça na mesa. – Se pedir à Jenna com jeitinho, ela pode arranjar algo para você comer. E Sam, ou você fica com os adultos e *se comporta* como tal, ou entra com Nat para assistir a um vídeo.

Houve uma pausa. Então, de mau humor, Sam pousou a taça e seguiu Philip e Nat para o interior da casa.

Quando eles se afastaram, todos permaneceram em silêncio. Chloe não tirava os olhos de Hugh. Sentia-se fincada ao chão, paralisada por aquela descoberta que, agora, parecia tão óbvia. Mal conseguia acreditar que não havia percebido nada antes. Hugh sorria para ela como se não tivesse ideia do que estava acontecendo e ela teve vontade de dar-lhe um soco, por ele ser tão devagar para compreender.

– Você entendeu agora? – perguntou ela finalmente.

– Entendeu o quê? – perguntou Hugh.

– Você não vê o que aconteceu?

– Não. – Hugh deu de ombros. – O que aconteceu? – Chloe fechou os olhos, decepcionada.

– Ele planejou tudo – explicou ela, abrindo os olhos novamente. – Gerard tentou nos juntar. Isso explica tudo. As férias foram apenas um artifício para nos levar a... a... – Ela hesitou e Hugh deu uma risada.

– Chloe, acalme-se. Você está agindo exatamente como o Sam.

– E há outra explicação para estarmos aqui? Nós deveríamos ter percebido que não se tratava de uma simples coincidência. – Chloe balançou a cabeça. – Esse tipo de coisa não acontece por acaso. Há sempre uma razão.

– As coisas podem acontecer por acaso! – replicou Hugh com tranquilidade. – Claro que sim. E digo mais, há muito mais coincidências nesse mundo do que conspirações. Philip está certo. *Não há* uma conspiração lá fora. A maioria das coisas acontece por um misto de probabilidade e erro humano. – Ele se aproximou dela, com ar descontraído. – Chloe, Gerard provavelmente nem sequer sabe que nós já nos conhecíamos.

– Ele sabe! – Chloe respirou profundamente, tentando manter-se calma. – Ele estava presente quando nós nos conhecemos, pelo amor de Deus!

– E você acha mesmo que ele organizaria essa viagem de férias apenas para nos jogar nos braços um do outro?

– Ah, não sei. – Chloe ficou em silêncio durante um momento. – Acho. – Ela levantou os olhos. – Eu acho que sim. É o tipo de coisa que ele faria. – Ela se afastou de Hugh, tentando clarear as ideias. – Eu sei como a mente de Gerard funciona – disse ela lentamente. – Ele adora uma agitação. Adora situações embaraçosas. Eu já o vi agindo assim com outras pessoas. Eu ri de outras pessoas com ele. Eu apenas... nunca imaginei que seria uma de suas vítimas. – Ela olhou para Hugh. – Provavelmente, quando encontrou você novamente lembrou-se do que houve entre nós e pensou que seria divertido tentar nos reunir. Ele nunca gostou de Philip, isso não é nenhum segredo... – Chloe interrompeu a frase e fechou os olhos. – Sam tem razão, ele deve estar pulando de alegria...

– Ouça, Chloe, você não tem certeza de nada disso. – Hugh se aproximou e pôs a mão em seu ombro, e ela se esquivou dele.

– Pare. – Ela estremeceu levemente e enfiou as mãos nos bolsos da jaqueta de linho, fitando a piscina. – Eu me sinto tão... sórdida – disse ela em voz baixa. – Tão terrivelmente previsível.

– Pelo amor de Deus! – exclamou Hugh. – Também não é nada assim tão chocante! Mesmo que o Gerard tenha realmente arquitetado esse plano para nós...

– É claro que é chocante! – replicou Chloe, furiosa. – Ele aprontou uma bela armadilha... e nós caímos direitinho. Como um par de... – Ela parou abruptamente. À distância, ouviram-se vozes em espanhol; um momento depois, o ruído da ignição de uma motocicleta, que saiu em alta velocidade, desaparecendo na montanha. – E não demorou muito para acontecer, não é? – acrescentou Chloe de costas para ele. – A gente nem deu tempo ao tempo.

– Talvez não tenha sido uma armadilha – disse Hugh após uma pausa. – Talvez o Gerard não seja tão diabólico quanto você imagina. Suponhamos que ele realmente tenha, até certo ponto, arquitetado toda esta situação. Talvez tenha feito isso para nos dar uma oportunidade. – Ele acariciou sua nuca e ela estremeceu levemente. – Pode ser que quisesse que tivéssemos um ao outro novamente.

Houve um longo silêncio.

– Não podemos – murmurou Chloe, fitando o profundo azul da piscina. – Hugh, não podemos.

– Claro que podemos.

Ele se curvou para beijar sua nuca e, por alguns segundos, ela fechou os olhos, incapaz de resistir às sensações despertadas no seu corpo. Por fim, ela se afastou.

– Chloe – disse Hugh quando ela começou a se afastar. – Aonde você vai? – Ela olhou para ele, corada de emoção. Depois, se virou e começou a andar em direção à casa, sem responder.

O ESCRITÓRIO ESTAVA VAZIO. Chloe entrou direto, fechou a porta e sentou diante da escrivaninha. Para qualquer lugar que olhasse, lá estava o rosto hipócrita e presunçoso de Gerard, refugiado no seu mundinho seguro, onde um bom vinho é mais importante que uma pessoa, onde as relações são combustíveis para fofoca e nada mais. Ela achava que ele se preocupava com ela. Chegara a pensar que sua amizade ia além do mero entretenimento. Como pudera se enganar tanto a respeito dele?

– Como você pôde? – ela perguntou em voz alta. – Como pôde fazer isso comigo? Eu pensei que fôssemos amigos. – Sentiu que a emoção começava a tomar conta do seu corpo, manifestando-se em seus olhos. – Como pôde trazê-lo de volta à minha vida dessa forma? – Ela olhou para uma fotografia de Gerard, estranhamente montado em um enorme cavalo preto. – Não é justo, Gerard. Eu fiz o meu melhor. Segui com a minha vida, tenho sido feliz, fiz tudo dar certo. Mas isso… – Ela engoliu em seco. – Isso é demais. Não é justo. Não sou forte o bastante. – Ela bateu com o punho na testa e desviou o olhar para a escrivaninha. – Não sou forte o bastante – sussurrou novamente.

Ela fechou os olhos e massageou a têmpora, tentando vislumbrar uma perspectiva, tentando recuperar a força interior e a convicção, nas quais sempre confiara. Mas a força de vontade havia desaparecido, assim como a energia. Sentia-se frágil como uma folha.

O telefone tocou, assustando-a.

–… *Hola?* – disse ela, meio insegura. – Alô?

– Ah, alô – disse uma animada voz feminina. – Eu gostaria de deixar um recado para Amanda Stratton.

– Ah – disse Chloe. – Claro. Eu posso chamá-la…

– Não – respondeu a voz apressadamente. – Não é preciso. É só para dizer que a Penny ligou para informar que o granito foi fixado no M4, e para saber se podemos começar a estufa.

– Pode deixar – disse Chloe, olhando as palavras que tinha escrito, embora não fizessem o menor sentido para ela. – Granito, estufa.

– Ela vai entender. Muito obrigada.

A voz desapareceu e Chloe foi deixada sozinha novamente. Ela fitou o elegante telefone verde-escuro. Em um súbito impulso, discou o número de Gerard.

– Alô. Gerard infelizmente está muito ocupado para atender no momento...

Ao ouvir a voz macia e presunçosa, a centenas de quilômetros, em Londres, Chloe sentiu náuseas. Era óbvio que Gerard arquitetara tudo aquilo para ela; para todos. Eles deveriam ter percebido que havia algo estranho. Que outra motivação existiria para ele, de repente, oferecer aquela casa, após possuí-la por tantos anos e nunca nem sequer ter mencionado nada a respeito? Por que o convite surgira do nada? Com a mão levemente trêmula, ela pousou o receptor, antes que a mensagem de Gerard chegasse ao fim.

– Philip tinha razão sobre você desde o início – disse ela para o rosto brilhante de Gerard, emoldurado na parede. – Você é um vaidoso, egoísta, um... filho da puta. E eu... – Ela engoliu em seco. – Não sei o que vou fazer.

A frase ecoou em sua mente de forma tão clara que ela não sabia se estava falando em voz alta. *Eu não sei o que vou fazer.*

Durante um momento, permaneceu completamente imóvel, enquanto as palavras desapareciam e a sua mente, aos poucos, se estabilizava. Então, ouviu o som de passos. Depois percebeu, tardiamente, que os passos vinham em direção ao escritório. Em pânico, ela olhou em vão por toda a sala, à procura de um lugar para se esconder. Mas era tarde demais. Quem quer que fosse, a encontraria ali, como uma criatura indefesa em sua concha. Ela permaneceu paralisada de medo, com o coração disparado, as mãos suadas sobre as pernas.

Quando a porta se abriu e Philip entrou, ela o fitou assustada e em silêncio. O que ele sabia? O que tinha descoberto? Sentiu-se desprotegida, incapaz de dissimular. Se ele perguntasse diretamente se ela havia transado com Hugh, ela seria incapaz de responder qualquer outra coisa a não ser que sim.

– Estava procurando você – disse ele tranquilamente. Então, foi até a janela e sentou-se no parapeito. – Pensei que ainda estaria bebendo vinho!

– Eu... eu estava com um pouco de dor de cabeça – disse Chloe após uma pausa. – Achei melhor entrar e ficar sozinha.

– Percebi que você não estava muito bem – disse Philip com ar preocupado. – Quer que eu pegue alguma coisa?

– Não – respondeu Chloe. – Não, obrigada. Vou ficar bem.

Houve uma pausa. Chloe olhou para o chão e viu um pequeno besouro vermelho fazer seu caminho sobre o piso. *Aonde ele achava que iria?*, ela perguntou a si mesma, em parte querendo rir, em parte querendo chorar. *Será que ele tinha um plano? Será que sabia o quão longe estava do seu mundo?*

– Isto é para você – disse Philip. Ele pôs a mão no bolso e tirou uma pequena sacola de papel. – É só uma lembrança.

Ele lhe entregou o presente e, com as mãos trêmulas, ela abriu a embalagem. Ao retirar a fina corrente dourada, percebeu, constrangida, que lágrimas brotavam dos seus olhos. Então, enrolou a joia lentamente entre os dedos, sem conseguir colocá-la no pescoço nem olhar para Philip.

– Comprei esta tarde – disse ele. – Eu só queria... não sei. Fazer as pazes. Sei que tenho sido um maldito miserável nestas últimas semanas. E estas férias também não saíram exatamente conforme o planejado. Sei que você queria um tempo só para nós.

– É verdade – disse Chloe. – Eu queria que nós... – Ela interrompeu a frase, incapaz de prosseguir.

– Chloe... – Philip franziu a testa. – Você não está preocupada com o que o Sam falou, não é? Não acha realmente que o Gerard planejou essa situação?

– Não sei – respondeu Chloe, tensa. – Você não acha que ele fez isso? Pensei que odiasse o Gerard.

Philip a fitou durante alguns segundos, como se tentasse organizar os pensamentos.

– Gerard não é a minha pessoa favorita no mundo – disse ele finalmente. – Mas pensar que ele tramou deliberadamente algo assim... Chloe, você deve admitir que é uma ideia ridícula! Sam apenas deu asas à imaginação.

Lentamente, Chloe virou a cabeça.

– Você realmente pensa dessa forma?

– Claro que sim! Gerard é seu amigo, não é? Você não confia nele?

– Não sei – disse Chloe, enrolando a corrente dourada, com mais força, em volta dos dedos. – Não sei se confio nele. Simplesmente não sei mais.

Philip a olhou com ar ansioso.

– Amor, por que não deita um pouco? – sugeriu ele. – Você parece estar precisando de descanso. Talvez tenha tomado muito sol hoje.

– Tem razão – disse Chloe, fechando os olhos por um breve momento. – Deve ser isso. Muito sol. – Ela levantou, foi até a porta, e se virou. – Obrigada pelo presente – disse ela, olhando a corrente entrelaçada nos dedos.

– Espero que tenha gostado – disse Philip, dando de ombros. – Foi só uma ideia.

Chloe acenou com a cabeça em silêncio. Ela podia sentir que os olhos de Philip a examinavam, podia sentir sua tímida preocupação. Será que ele não conseguia *adivinhar* o que havia com ela? Será que não conseguia ver?

– Vestido novo? – perguntou Philip de repente. – É bonito. Diferente.

O queixo de Chloe fez um movimento espasmódico, como se ela tivesse sido esbofeteada.

– É sim – sussurrou ela. – É... é novo. – De forma abrupta, ela se virou e foi em direção às escadas.

PHILIP A SEGUIU com o olhar durante um momento, sem saber se deveria acompanhá-la ou não. Mas algo na maneira que ela andava o advertiu que seria melhor deixá-la sozinha. Ela tomaria um longo banho, leria um pouco e logo adormeceria, ele pensou. Provavelmente precisava descansar.

Quando Chloe chegou na escada, ele se virou e saiu do escritório. O ar estava quente quando chegou do lado de fora; e o céu, um azul-escuro profundo. Pequenas andorinhas giravam no ar, formando silhuetas contra o azul do céu e o branco da casa. De algum lugar, ele ouvia o fraco miado de um gato.

Ele foi em direção à piscina, inalando o ar quente e perfumado. No caminho, imaginou que o lugar estaria vazio; que o grupo da degustação de vinho tivesse se dispersado.

Porém, para sua surpresa, ele viu Hugh sentado, sozinho, na sombra, diante da mesa de ferro batido, com uma taça de vinho na mão.

Hugh levantou os olhos e, ao avistar Philip, pareceu assumir uma postura mais tensa, um ar prudente, deixando Philip um tanto confuso. Então, como se percebesse algo, Hugh relaxou.

– Beba alguma coisa – disse ele de forma ligeiramente ininteligível, antes de apontar para a cadeira, próximo a ele. – Sente, tome uma bebida. Os outros se foram e restaram cinco garrafas.

UMA HORA DEPOIS, as garrafas B e C estavam vazias, e eles já estavam na garrafa D. Hugh serviu a ambos, depois sentiu o aroma do vinho na sua taça, de olhos fechados.

– Hum. Um buquê delicado, aroma de... graxa velha e xixi de gato. – Ele sorveu um gole da bebida. – Isso vai servir.

– Saúde – disse Philip, erguendo sua taça e bebendo.

Ele ficara bêbado muito rapidamente, pensou sem muito interesse. Provavelmente porque o vinho espanhol era mais forte. Ou porque ele não havia comido nada além de meio pacote de batatas fritas em Puerto Banus. Então, bebeu outro gole e ficou olhando as cores reluzentes da piscina. Havia uma estranha atmosfera no ar, ele pensou; uma tensão que não conseguia identificar exatamente. Talvez fosse simplesmente a imposição das circunstâncias: desconhecidos vivendo uma situação inesperada. Ou seria o calor, que não mostrara nenhum sinal de arrefecer, embora a noite começasse a cair. Ou talvez, tal qual Sam, ele estivesse imaginando coisas.

– Essa brincadeira de classificar vinhos – disse Hugh subitamente, levantando os olhos. – É um trabalho ridiculamente fácil, não é? – Ele gesticulou com a taça de vinho. – Tudo o que se precisa é de uma caixa de vinho e de um maldito... como é mesmo o nome? Dicionário de sinônimos.

– E papilas gustativas – disse Philip, após uma pausa. Hugh balançou a cabeça.

– Nem isso. Gerard certamente não tem nenhuma. Este vinho, por exemplo, é horrível.

Houve silêncio e os dois homens esvaziaram suas respectivas taças. Hugh tornou a enchê-las, de modo impreciso. Depois, bebeu um gole, reclinou-se na cadeira e olhou para Philip, com os olhos ligeiramente injetados.

– O que acha de tudo isso? – perguntou. – Você acha que o Gerard armou tudo?

Philip fitou sua taça durante um momento, então respondeu:

– Não sei. Mas acho que é possível. Gerard tem um senso de humor deturpado. – Ele levantou os olhos e encontrou o olhar fixo de Hugh. – Provavelmente achou que seria uma situação muito engraçada. Nós pensamos que teríamos a casa só para a nossa família. E acabamos tendo que compartilhá-la. E não podemos nos queixar porque foi um favor.

– Você acha que é só isso? – perguntou Hugh. – Uma brincadeira?

– Eu acho que sim... – disse Philip. – Quer dizer, o que mais poderia ser?

– Nada – disse Hugh após uma pausa, antes de olhar para o outro lado. – Não sei.

Os dois permaneceram em silêncio. Um pássaro se aproximou e os observou por um segundo, voando em seguida.

– Mas, como se pode ver... não é uma situação tão ruim assim, não é? – disse Philip. – Quer dizer, a casa é grande o bastante e parece que estamos todos nos dando bem...

– É – disse Hugh, sem mover a cabeça. – É verdade.

– Aliás, se Gerard pudesse nos ver, provavelmente ficaria desapontado – disse Philip, rindo. – Ele devia achar que pularíamos no pescoço uns dos outros. Que haveria um derramamento de sangue.

Hugh ficou em silêncio por um momento, como se estivesse lutando contra algum problema interno. Então, levantou os olhos.

– Mas e quanto a você? Não esperava escapar para ter um pouco de privacidade?

– Bem... sim – assentiu Philip. – Mas não se pode ter sempre o que se quer, não é? É a vida. – Ele bebeu um gole do vinho, levantou os olhos e viu que Hugh o observava. – O que foi?

– Nada – respondeu Hugh. – É que a sua... a Chloe me disse algo muito semelhante. Algo sobre não se ter o que se quer.

– Bem... acho que pensamos da mesma forma – disse Philip com um sorriso. – Esse tipo de coisa acontece, quando se está junto há muito tempo. – Hugh levantou os olhos, atento.

– E você... – Ele hesitou.

– Você o quê?

– Acha realmente que estão juntos há muito tempo?

Ele fitou Philip atentamente, como se tivesse verdadeiro interesse na resposta, e Philip se lembrou de Amanda, recostada à beira da piscina, falando tristemente de como ela e Hugh viviam distantes um do outro.

– Não – disse ele com um sorriso. – Claro que não. Temos problemas... mas conseguimos resolvê-los. Isso é tudo o que se pode fazer, eu acho. – Ele esticou as pernas e olhou para o céu escuro.

– O que você faz? – perguntou Hugh, enchendo de vinho a taça quase vazia de Philip. – Quer dizer, seu trabalho. – Philip riu.

– Isso é contra as regras. Não posso falar sobre trabalho nestas férias – disse ele. Hugh estalou a língua, aborrecido.

– Está certo. Desculpe, eu tinha esquecido.

– Não tem problema – disse Philip. – Eu vou falar. – Ele fitou sua taça de vinho por um longo tempo, depois ergueu os olhos, como se passasse uma informação confidencial. – Na verdade, sou piloto de uma companhia aérea.

– É mesmo? – Hugh franziu o rosto, surpreso. – Que companhia aérea você... – A expressão de Philip o fez parar de falar e sorrir. – Piloto de companhia aérea – repetiu ele, e tomou um gole do vinho. – Muito bom. E eu sou... cientista espacial.

– Cientista espacial – disse Philip. – Parece bom. Dá dinheiro?

– O bastante – disse Hugh. Ele levantou um dedo como se fizesse uma advertência. – O que é importante lembrar é: o mundo sempre precisará de foguetes.

– E de aviões.

– E de aviões – admitiu Hugh. Ele ergueu sua taça a Philip. – Então, um brinde aos aviões.

– E um brinde a... – Philip fez uma pausa. – O que os cientistas fazem durante o dia, afinal?

– Segredo de Estado – disse Hugh, batendo levemente no nariz, como se fizesse um esforço considerável. – Eu poderia contar... mas depois teria que matá-lo.

– Bastante justo – disse Philip, acenando com a cabeça.

Ele tomou um gole do vinho e sua cabeça pendeu para um lado. Sentia-se como se tivesse subido uma montanha lentamente e, de repente, despencasse do topo de uma cachoeira, direto nas corredeiras. Se não comesse algo imediatamente... Sua linha de pensamento oscilou e ele tomou mais um gole para focar a mente.

Apanhou a garrafa D e esvaziou o que restava na taça de Hugh.

– Podemos abrir a outra... – disse ele com voz gutural. – Ou podemos parar, enquanto estamos bem.

Houve silêncio. Hugh parecia considerar as duas opções. Então, com o olhar injetado e a expressão tensa, declarou:

– Eu amo a sua esposa.

Houve silêncio. Confuso, Philip fitou Hugh por alguns segundos, como se tentasse lembrar-se de algo muito importante. Depois, deu um sorriso tranquilo.

– Todo mundo ama a Chloe – disse ele. – Ela é um anjo.

– É mesmo – disse Hugh, retraindo-se ligeiramente. – Tem razão. Um anjo.

– Um brinde ao anjo – disse Philip, erguendo a taça de modo instável.

– Ao anjo – repetiu Hugh, após ficar em silêncio por um momento. Ele levantou a taça e ambos beberam.

– Ela não é, de fato, minha esposa, naturalmente – acrescentou Philip numa reflexão tardia, reclinando-se e fechando os olhos.

Houve uma longa pausa.

– Eu sei – disse Hugh lentamente.

Ele se reclinou na cadeira e os dois mergulharam em um silêncio absoluto, quebrado apenas pelo marulhar da água.

[illegible] Philip [illegible] cabeça [illegible]

[illegible]

— Ou podemos parar enquanto estamos bem.

[illegible]

Houve silêncio. Contudo, Philip ficou [illegible] por alguns segundos, como se [illegible] algo muito [illegible]

[illegible]

Houve uma longa pausa.

— Certo — disse Philip lentamente.

[illegible] num silêncio absoluto, [illegible]

CAPÍTULO ONZE

Na manhã seguinte, Chloe acordou abruptamente, com o coração disparado. Pulou da cama agitada, como se estivesse atrasada para uma reunião. Sentia-se tomada pelo pânico e tinha desculpas prontas para dar a qualquer momento.

– Perdão... – ela chegou a dizer, antes de se dar conta de que o quarto estava vazio. Não havia ninguém para ouvi-la.

Ela olhou para o outro lado da cama por alguns segundos. Então, lentamente, voltou a deitar a cabeça no travesseiro. Philip não viera para a cama com ela, o que significava... o quê?

Ele sabia de tudo. Estava em um avião indo para a Inglaterra. Tudo estava acabado.

Ou não sabia de nada. Tinha simplesmente bebido demais e adormecido em frente à televisão.

Ambas as hipóteses pareciam igualmente prováveis. Ambas pareciam igualmente fora do seu controle. Sozinha, naquele quarto claro, silencioso, ainda em parte submersa na confusão de sonhos, sentiu-se ligeiramente entorpecida, desconectada do mundo real. O dia de ontem tinha realmente acontecido? Sua mente era um redemoinho de imagens e lembranças. A música vibrante. O sol. O vinho tinto suave. Seus olhos encontrando os de Hugh. Seu gesto de cabeça, respondendo afirmativamente ao convite silencioso.

Durante algumas horas, ela fora uma pessoa diferente, completamente diferente.

Num ímpeto, empurrou as cobertas e saiu da cama. Havia um enorme espelho na parede oposta. Então, lentamente, andou em direção ao seu reflexo. Seu rosto estava bronzeado, com um leve tom dourado; seu cabelo, mais claro devido ao banho de sol; a certa distância, ela parecia novamente a loira desconhecida. A loira de 25 anos que andara ontem pela rua, usando um vestido justo preto; que sentara, sozinha, em um café e aceitara o convite de um estranho; que não pensara em nada, além de si mesma e seus desejos imediatos.

Porém, ao chegar mais perto do espelho, a ambiguidade desapareceu, e suas características próprias se ajustaram. A fascinação do mistério se dissipou. Ela não era uma loira desconhecida. Não era a misteriosa de 25 anos. Era ela mesma, Chloe Harding. Fora Chloe Harding que usara o vestido preto. Fora Chloe Harding que tinha sido infiel.

Ela pensava que fosse incapaz de fazer aquilo, que fosse acima desse tipo de coisa. Pensava que estivesse mais forte. Mas havia sucumbido, como qualquer outra pessoa. A armadilha tinha sido armada e ela correra diretamente para ela, frágil e tola, como uma adolescente. Ao se olhar no espelho, sentiu um lampejo de raiva e um rasgo de ódio por

Gerard, por ele ter tramado tudo aquilo, por ter descoberto seu calcanhar de aquiles e tentado atingi-lo. Ela se perguntou havia quanto tempo ele planejara aquele encontro? Havia quanto tempo vinha saboreando a expectativa? Agora, ao lembrar certos detalhes, parecia que cada conversa que tivera com ele nos últimos meses tivera um significado duplo, uma insinuação significativa. Gerard sabia que ela não resistiria. Ele a conhecia melhor do que ela conhecia a si mesma. Sentiu-se tomada por uma sensação de humilhação e deu as costas ao espelho.

Depois, foi até onde estava sua roupa, sem saber ao certo o que fazia, tentando esvaziar a mente. Mas ao chegar perto do vestido preto para pegar a escova de cabelo, sentiu um leve resíduo do exótico aroma almiscarado que a mulher da loja de roupas borrifara em seu corpo, quando ela estava saindo da loja. O aroma do dia anterior; o aroma dela e de Hugh.

O cheiro a atingiu como nenhuma outra sensação já havia feito. Uma onda de desejo atravessou seu corpo, deixando-a trêmula e descontrolada. Então, foi até a cômoda para se apoiar e fechou os olhos, tentando achar seu eixo, recobrar a razão. Mas o desejo, a vontade, era muito forte. Sua mente estava tomada por uma imagem sua naquele quarto em San Luis. Sentada perto da janela, com uma taça na mão. Hugh nos lençóis enrugados atrás dela, atraindo-a de volta para a cama com o olhar. Os dois em um mundo secreto, longe de tudo.

Ele pedira que ela passasse a noite com ele, para acordar em seus braços. Ela recusara. E acabara passando a noite sozinha. Sentiu-se entorpecida ao pensar no que havia recusado.

Durante alguns segundos permaneceu imóvel, mas logo esforçou-se para respirar profundamente, empurrando, com a mão trêmula, o cabelo para trás. Afastando-se do vestido e do aroma nele impregnado, vestiu um biquíni e um vestido de verão. Depois, penteou o cabelo e saiu do quarto.

Ao se aproximar da porta do quarto dos meninos, deu uma olhada no seu interior. Ambos ainda dormiam profundamente; Nat estava com um Gameboy nas mãos. Ela os fitou em silêncio por um momento. Adormecido, Sam parecia uma criança. Seu rosto era inocente e pueril; seus braços estavam jogados no travesseiro. Havia um indício superficial de pelo loiro no seu queixo, realçado pelo sol da manhã. Mas isso não a fazia ver o filho como homem. Isso a fazia lembrar os pelos que cobriam seu corpo quando ele era bebê, que brilhavam sob o sol quando ele ficava deitado do lado de fora, em um tapetinho. Ao lado dele, Nat havia chutado as cobertas para longe. Seu pijama de Pokémon desbotado estava cheio de bolinhas de tanto ser lavado; em sua mão havia uma mensagem escrita com caneta esferográfica. *Sam me deve três jogadas.*

Seus dois filhos. Fitando-os em silêncio, Chloe se viu de repente pensando na história da Pequena Sereia, que deixou o mar por seu amor, que renunciou a sua vida anterior e seguiu seu coração apaixonado. E que caminhou o resto da vida sob dores dilacerantes.

Chloe fechou os olhos, segurando no batente da porta para se apoiar. Ao abri-los, tinha um novo objetivo. Sentiu que havia tomado uma decisão, uma decisão corajosa, mais uma vez. Determinada, atravessou o corredor, com passos cada vez mais acelerados e a mente firme.

Do lado de fora, o sol já estava escaldante no céu azul; o dia, sem vento, com um nível de calor ainda maior, que parecia ameaçador de tão forte. Por um momento, Chloe sentiu-se fisicamente ameaçada por essa atmosfera. O que eles tinham em mente, ela se perguntou em vão, quando tiveram a ideia de virem para esta montanha estrangeira, árida, expondo-se a tais forças poderosas e prejudiciais? Por que não se limitaram a permanecer no seguro ambiente doméstico?

Por um momento, ela teve vontade de se virar e correr; refugiar-se na temperatura amena da casa. Mas sabia que não poderia se esconder. Pelo menos não do sol. Nem dele. Ela estava ali agora e teria simplesmente de lidar com o que viesse a acontecer.

Com atitude renovada, continuou andando no calor, em direção à piscina. Ela tiraria o vestido e mergulharia, disse a si mesma. E quando a água fria entrasse em seus ouvidos e cobrisse sua cabeça, a loucura do dia anterior desapareceria. Voltaria a ser ela mesma.

Andou com passos firmes até a piscina, concentrada demais em sua própria determinação para notar o que acontecia ao redor. Ao chegar mais perto, com o coração disparado, parou incrédula diante do que viu: Hugh e Philip estavam literalmente caídos nas cadeiras, sob um guarda-sol. Ao lado deles, havia várias garrafas de vinho vazias jogadas, e ambos dormiam profundamente.

Ao vê-los, seu propósito de decisão começou a oscilar e a desintegrar-se. Tentou engolir e viu que não conseguia. Em sua mente, ela havia separado os dois homens. Philip habitava um mundo, o seu mundo. Hugh existia no mundo da outra Chloe, a desconhecida. Mas ali estavam eles, juntos, em carne e osso, respirando quase em uníssono. Dormindo lado a lado.

Enquanto os observava, Hugh abriu os olhos e deu de cara com ela. Chloe sentiu uma pontada de pânico, como se tivesse sido pega em flagrante.

– Chloe – disse ele com voz gutural, e ela sentiu um novo espasmo de medo.

– Eu... – Ela hesitou, confusa. – Nada. – E se afastou rapidamente, com o coração acelerado.

Depois, desceu os degraus de madeira que levavam ao jardim, andando com passos ágeis pela grama quente. No final do jardim ficava o pomar de limão. Ela correu por entre as árvores como uma fugitiva, sem saber ao certo aonde ia nem o que pretendia. Por fim, parou. Apoiou-se contra um limoeiro e inspirou o leve aroma cítrico e refrescante.

– Chloe.

Ela levantou os olhos, assustada. Hugh a seguira. Estava com os olhos injetados, a barba por fazer e a camisa amarrotada. Quando ela se virou, ele deu um sorriso radiante.

– Bom dia, amor – murmurou ele, inclinando-se para beijá-la.

– Não! Hugh, pare – ela disse, afastando-se, tentando desesperadamente organizar os pensamentos.

– Eu te amo.

Ao ouvir essas palavras, ela sentiu o corpo reagir. Seu coração começou a bater mais forte; seu rosto corou traiçoeiramente.

– Não – repetiu ela, virando-se de costas. – Não ama. Ouça, Hugh. – Ela fez uma pausa, num esforço para ficar de frente e olhar nos olhos dele. – Nós... nós cometemos um erro. Um erro enorme.

– Não diga isso – disse Hugh.

– Mas é verdade. Aceite os fatos. Estamos de férias, está um clima quente, ambos tínhamos bebido...

– Aceite este fato, Chloe. Eu te amo. Sempre te amei.

Um formigamento começou nos pés de Chloe e lentamente subiu por suas pernas, sob seu vestido.

– É tarde demais – disse ela, fechando as mãos com força, ao lado do corpo. – É tarde demais para se dizer isso.

– Não é tarde demais – insistiu Hugh, antes de se aproximar e segurar seu ombro; ela podia sentir a respiração quente dele. – Chloe, nós somos como... amantes pródigos. Perdemos um ao outro e agora nos reencontramos. Deveríamos estar celebrando. Deveríamos estar... soltando fogos.

– Bem, talvez tenhamos nos reencontrado – replicou Chloe com súbita emoção. – E o que encontramos? Você está casado, eu também estou casada...

– Você não está casada – retrucou Hugh.

– É como se estivesse.

– Não é assim – disse Hugh. – Você não está casada.

Chloe olhou para ele, nervosa.

– Hugh, por favor, pare.

– Eu devia ter casado com você – disse Hugh, com os olhos brilhando. – Quando tínhamos 20 anos. Devíamos ter ficado juntos. Devíamos ter formado uma família. Você, eu, Sam... Era para ser assim, Chloe. Só que fui burro demais para enxergar as coisas.

– Hugh, pare.

– Chloe... – Ele parou de falar e a fitou, como se tentasse memorizar seu rosto. – Chloe, quer casar comigo?

Chloe olhou para ele em silêncio. Então, ao mesmo tempo rindo e soluçando, disse:

– Você está sendo ridículo.

– Não estou sendo ridículo. Estou falando sério, Chloe. Case comigo. Que idade nós temos? Pouco mais de 30, pelo amor de Deus! Temos uma vida inteira pela frente.

– Hugh...

– As pessoas fazem isso o tempo todo. Por que nós não podemos? Só por causa de um erro cometido há algum tempo devemos desistir de algo que pode resultar em muitos anos de felicidade?

– Não seriam anos de felicidade – argumentou Chloe. – Não seria felicidade.

– Como você sabe?

Os olhos de Hugh encontraram os dela e ela levou um choque. Por um instante, pareceu que uma possível vida futura pairava entre eles, como um rastro de luz. Uma torturante série de imagens, como um filme, passava diante dela. Era criança novamente, perguntando-se o que seria quando crescesse; durante um momento, viu-se espantada com as possibilidades. Então, concentrando toda a sua determinação, forçou-se a desviar o olhar para a raiz de um limoeiro, para imprimir aquela imagem na mente. Raízes e terra de verdade.

– Foi um erro – disse ela, levantando os olhos. – O que aconteceu ontem não passou de um momento de fraqueza. Desculpe, Hugh, mas é isso.

Houve silêncio. Hugh soltou os ombros de Chloe e deu alguns passos para trás, com o rosto imóvel. Chloe olhou para ele, levemente apreensiva.

– Um momento de fraqueza – repetiu Hugh finalmente, dando as costas para ela. – Isso significa que você precisa se esforçar para ficar com Philip.

– Não foi o que eu quis dizer. – Ela sentiu um lampejo de genuína indignação. – Eu amo o Philip.

– Você pode amá-lo – disse Hugh. Ele olhou diretamente para ela. – Mas isso não significa que é feliz com ele.

– Eu sou – afirmou Chloe. – Tenho sido feliz com ele há 13 anos.

– Eu vi vocês juntos nessas férias – disse Hugh, e balançou a cabeça com desdém. – Vocês não formam um casal feliz.

– Bem, talvez porque estamos atravessando um momento de muita tensão – disse Chloe, ofendida. – Se você realmente quer saber, Philip corre um sério risco de perder o emprego. Entendeu? Isso explica as coisas para você? Temos passado os três últimos meses na expectativa, se ele continuará no emprego ou não. E sim, isso está acabando conosco. Mas não quer dizer que não somos um casal feliz, uma família feliz. – Ela parou de falar, ruborizada, fitando-o com ar furioso.

– Desculpe – disse Hugh, desconcertado. – Não sabia qual era a situação...

– Exatamente, Hugh – disse Chloe. – Você não conhece a minha situação. Como poderia? Já se passaram 15 anos! Você não me conhece, não conhece a minha família. Você tem apenas uma vaga ideia de quem eu sou... só isso. – Sua voz se abrandou ao ver a expressão de Hugh. – E eu não conheço você. Não sei nada sobre seu relacionamento com a Amanda. Eu nem ousaria comentar se você é feliz ou não. É a sua vida em família.

Suas palavras atravessaram o ar seco e sem vento, até as fileiras de limoeiros. Durante um momento, eles permaneceram em silêncio.

– Minha vida em família – repetiu Hugh finalmente, antes de dar um sorriso esquisito. – Você quer saber sobre a minha vida em família? Quer saber como é meu relacionamento com a Amanda?

– Não – respondeu Chloe. – Não, não quero.

– Imagine duas pessoas que raramente trocam algumas palavras o dia inteiro – disse Hugh, ignorando a resposta de Chloe. – Imagine um pai que não conhece as próprias filhas; que passa mais tempo no escritório do que realmente precisa. – Hugh exalou rapidamente. – O que eu tenho com a Amanda... não é uma vida em família. Ou pelo menos se é, eu não sou parte dessa família. Sou o talão de cheques. – Ele esfregou o rosto com força e ergueu os olhos. – Não é o que eu queria, Chloe. Eu nunca quis ser um... estranho para as minhas filhas. – Ele se aproximou dela, olhando-a intensamente. – E quando vejo Philip com o Sam, quando penso que *eu* tive a oportunidade, que *eu* poderia ter sido o pai daquele menino...

– Pare! – interrompeu Chloe, furiosa. – Pare agora mesmo! O *Philip* é o pai do Sam, entendeu? Philip é o pai. Você não sabe o que teria acontecido se tivéssemos ficado juntos. E não tem absolutamente nenhum direito de presumir... – Ela interrompeu o que começara a dizer, tentando acalmar as ideias. – Hugh, eu sinto muito que você não seja feliz com a Amanda. Sinto realmente. Mas... não é problema meu.

Hugh a fitou.

– Você está querendo dizer "foda-se e me deixe em paz"?

– Não exatamente – respondeu Chloe após uma pausa. – Mas... quase isso.

Houve silêncio. Hugh enfiou a mão no bolso e se afastou, olhando para o chão arenoso, como se o examinasse atentamente.

– Você me usou – disse ele finalmente.

– Nós nos usamos – corrigiu Chloe.

– É vingança, não é? – perguntou Hugh, levantando os olhos repentinamente. – Você quis me punir pelo que eu fiz.

– Não – retrucou Chloe. – Não estou punindo você.

– Mas deve ter tido vontade. Você deve ter me odiado.

– Não – respondeu Chloe automaticamente.

Mas uma lembrança começava a surgir em sua cabeça. Uma imagem dela aos 20 anos, sentada à mesa da cozinha de sua tia, dando mingau a Sam. Desolada e abatida, consumida pelo sofrimento, com a insuportável certeza de que poderia ter dado certo. Que *teria* dado certo, se ele não tivesse agido como um maldito *covarde*... Durante aqueles dias tristes, ela naturalmente o desprezara. Chegara a desejar confrontação, vingança, justificativa. Imaginara cenas de acusações passionais, quase violentas, e se alimentara delas, infinitamente, no meio da noite.

Ela não podia negar que aquelas cenas ainda rondavam sua mente, mas com o passar do tempo, elas se tornaram silenciosas e pálidas, como velhos esboços esquecidos, sem cor, sem ímpeto, sem a energia emocional que os havia criado.

– Na época, talvez sim – disse ela, levantando os olhos. – Talvez eu tenha realmente odiado você. Mas agora... – Ela afastou o cabelo da testa úmida. – Hugh, aquele tempo se foi. Não somos mais um casal de estudantes. Ambos temos família, você tem duas meninas lindas...

– Que mal me conhecem – disse Hugh em tom amargo. – Que não me amam. Se eu fosse embora amanhã, elas nem notariam.

Chloe olhou para ele. Sua raiva desapareceu, dando lugar a uma súbita compaixão por aquele homem rico, ambicioso e infeliz, que perdera as coisas que ela mais valorizava na vida.

– O amor precisa ser conquistado, Hugh – disse ela. – Tem que se *conquistar* o amor. Com tempo, esforço...

– Eu quero conquistar o seu amor – disse Hugh, sem tirar os olhos dela, fazendo-a corar.

– Não. – Ela balançou a cabeça. – Não diga isso. Eu já falei, o que fizemos não passou de um... um erro.

Hugh se aproximou de uma árvore, com uma expressão séria. Arrancou um limão verde e o observou por um momento. Então, com a voz calma e firme, ele disse:

– Não acredito em você. O que está querendo é evitar riscos.

– Não é verdade! – replicou Chloe. – Não estou evitando riscos! Eu amo Philip, quero ficar com ele...

– Só se vive uma vez, Chloe. – Hugh levantou os olhos e ela se sentiu levemente vulnerável diante da intensidade da expressão dele. – Só dispomos de poucas possibilidades para mudar nossa vida.

– Esta não é uma possibilidade.

– Ah, é sim.

– Hugh... – Ela balançou a cabeça. – O que você está dizendo é absurdo. Passaram-se 15 anos, nós dois temos outros relacionamentos...

– E daí?

Mais uma vez, ela sentiu a emoção despertar e lutou para contê-la. *O que estava acontecendo?* ela pensou freneticamente. *Por que ela se dava ao trabalho de* dar ouvidos *a ele*?

– Podemos deixar as coisas como estão para nos mantermos seguros – disse Hugh. – Ou correr o maior risco das nossas vidas e, no final, usufruir... da mais perfeita e maravilhosa felicidade.

– Não sou jogadora – disse Chloe, apertando, com força, as mãos ao lado do corpo, tentando recuperar o controle. Mas seu peito estava quente e sua garganta, apertada.

– Todo mundo é jogador – disse Hugh de forma inabalável. – Até que ponto você tem certeza de que ainda estará com Philip daqui a dez anos? Noventa por cento? Oitenta por cento? Menos?

– Cem por cento! – disse Chloe, com raiva. – Mas eu não apostaria isso em relação a você e Amanda. – Ela o olhou durante alguns segundos, em silêncio; então se afastou rapidamente, tropeçando um pouco no caminho. A voz de Hugh a alcançou.

– Nada é cem por cento, Chloe.

De onde estava, na varanda do seu quartinho nos fundos da casa, Jenna observava a reação de Hugh, depois que Chloe fora embora. Ele parecia bastante magoado, pensou. Não era de se estranhar. Embora ela não tivesse conseguido ouvir a conversa, ficara óbvio o modo como havia terminado.

Jenna deu um trago no baseado e olhou novamente para Hugh. Ele estava parado no pomar de limão, com uma expressão séria. *Ah, fala sério*, pensou Jenna. *Cai na real, seu covarde.*

Alguém bateu na porta, e do lado de dentro do quarto, sem virar a cabeça, ela gritou:

– Sim?

– Jenna? – disse Amanda com a voz entrecortada e calma, como ela sempre começava o dia. – As meninas já tomaram café da manhã. Você está pronta para começar?

– Claro – respondeu Jenna, apagando calmamente o cigarro sob a sandália.

Então, pelo reflexo do vidro da porta da varanda, viu Amanda meticulosamente posicionada na soleira da porta, nenhum milímetro fora da marca. Assim era Amanda, sempre formal. Jogava de acordo com as regras, a esperta Amanda, pensou Jenna. Jogava de acordo com as regras e exigia o mesmo das outras pessoas.

Ao olhar para ela, que permanecia alheia ao que estava acontecendo, Jenna sentiu uma inesperada compaixão. A mulher podia ser um saco, mas não era pessoa má. Nem falsa. Apenas ansiosa. E não fazia ideia do que aquele safado do marido estava aprontando.

Jenna olhou novamente para Hugh e seu rosto assumiu uma expressão depreciativa. Seria bem feito se ele fosse pego em flagrante e tivesse que se justificar.

– Entre! – chamou ela, fazendo um sinal para Amanda. – Eu estava admirando a vista. Você deveria dar uma olhada!

Após a hesitação de um momento, Amanda entrou no quartinho, evitando, de forma educada, olhar para os pertences de Jenna.

– É realmente muito bonito lá fora – disse Jenna em tom animado.

– É mesmo – assentiu Amanda, contemplando, da porta da varanda, as montanhas distantes. – Muito bonito, não?

– Se chegar mais perto da beirada, consegue uma visão melhor do pomar de limão – disse Jenna com ar inocente, antes de olhar novamente para o pomar, onde dava para ver Hugh, em primeiro plano.

Porém, ele já começara a se afastar. Quando Amanda chegou ao lado de Jenna, Hugh já havia desaparecido completamente.

– É sempre assim – disse Jenna, revirando os olhos. – Eles nunca permanecem em local arriscado.

– O que isso quer dizer? – perguntou Amanda, franzindo a testa. E lançou um olhar inexpressivo para o bosque.

– Nada importante. – Jenna sorriu para Amanda e, ao avistar o pacote marrom em suas mãos, perguntou: – Vai ao correio?

– Não, na verdade este pacote chegou da Inglaterra hoje de manhã – disse Amanda.

– É mesmo? – perguntou Jenna, surpresa. – É material de trabalho do Hugh?

– Não – respondeu Amanda. – É um conjunto completo de amostras de material para a obra na minha casa. Pedi para enviarem via FedEx, antes que o trabalho fosse adiante. Assim, pelo menos posso *saber* o que está sendo feito. Já descobri três discrepâncias em relação às cores, acredita?

– Que horror! – disse Jenna, solidária.

– E ainda nem cheguei aos cômodos do andar de cima – disse Amanda. – Portanto, vou precisar de um pouco de paz e tranquilidade esta manhã para revisá-los na piscina.

– Sem problema – disse Jenna. – Vou levar as meninas para um passeio ou algo assim.

– Bem, não faça nada que as agite demais – lembrou Amanda. – Hoje está ainda mais quente. Quase insuportável! – Esfregando a testa, ela deu alguns passos em direção ao parapeito e olhou para fora. – Você tem mesmo uma bela vista daqui, não é? Talvez por ser bem alto.

– Perfeito para espiar todos vocês – disse Jenna com um sorriso. – Brincadeirinha!

Quando Hugh fazia lentamente o caminho de volta para a casa, sentiu uma energia pulsante, um otimismo determinado, cada vez maior. Talvez Chloe o tivesse rejeitado da boca para fora, mas no fundo – pelo rubor da sua face, pelo brilho do seu olhar e pela oscilação na sua voz –, ela havia demonstrado que o desejava. Naturalmente. Eles sempre desejaram um ao outro.

Acordar naquela manhã e ver o rosto de Chloe diante dele era como um sinal. Sentira um ímpeto de alegria quase assustador. Lá estava o seu anjo, sua redentora. A solução para tudo. Ele vislumbrou os dois juntos compartilhando cada manhã. Passando o resto de suas vidas juntos, com Sam e Nat, e talvez um bebê seu... A verdadeira felicidade familiar, pela primeira vez na sua vida. Hugh não era um homem religioso, tampouco adepto de conceitos New Age ou das baboseiras de cristais e astrologia que a irmã de Amanda tanto apregoava em cada visita. Mas aquilo estava escrito. Ele sentia isso com mais intensidade do que jamais sentira qualquer outra coisa. Ele e Chloe haviam sido feitos um para o outro.

Ele percebera a emoção explícita no rosto dela ontem. Sentira seu tremor, ouvira seu pranto... E sabia o que aconteceria. Ela não admitia aquelas sensações hoje; preferindo manter-se na segurança de seu casamento. Mas não poderia negar seus sentimentos para sempre. Certamente não poderia resistir para sempre.

Hugh subiu os degraus até o jardim, apertando os olhos contra o sol e viu Nat, sentado na grama, colorindo uma gravura. Nat levantou os olhos, deu-lhe um sorriso inocente, típico de um menino de 8 anos, e debruçou-se sobre o desenho mais uma vez. Hugh ficou observando o menino, seus olhos escuros e seu cabelo sedoso caindo sobre a testa, e sentiu uma curiosidade súbita, uma vontade de falar com aquela criança.

Ao se aproximar de Nat, ele se conscientizou que também estava, de modo obscuro, testando a si mesmo. Se conseguisse conversar com Nat, se pudesse estabelecer algum tipo de laço com ele, já era um indício; alguma coisa fazia sentido. Tinha que fazer.

– Oi – disse ele, e agachou-se na grama, ao lado de Nat. – Tudo bem?

– Tudo – respondeu Nat. Ele pousou um lápis azul e pegou um amarelo. – Estou desenhando aquele limoeiro.

Hugh olhou para a folha de papel, depois, sem muito interesse, acompanhou o olhar de Nat. Para sua surpresa, viu uma versão quase idêntica da árvore verdadeira no papel no qual Nat desenhava.

– Incrível! – exclamou ele. – Nossa! – Ele olhou para a página novamente, e em seguida para a árvore. – Você sabe mesmo desenhar, hein?

– Acho que sim – reconheceu Nat, dando de ombros ligeiramente.

Ele continuou colorindo e Hugh o observou em silêncio, sentindo uma emoção estranha, uma lembrança forçando seus pensamentos.

– Sua mãe também sabe desenhar, não é? – perguntou ele inesperadamente.

– Ah, sim. Mamãe desenha muito bem – respondeu Nat. – Ela fez uma exposição na igreja e três pessoas compraram gravuras dela. E elas não eram amigas nem nada disso.

– Ela me desenhou uma vez – disse Hugh. Ao olhar nos olhos escuros de Nat, sentiu uma leve satisfação com o risco que corria, compartilhando uma lembrança tão secreta com aquela criança. – Foi um esboço, a lápis. Ela fez em apenas alguns segundos... mas era eu. Meus olhos, meus ombros... – Ele fez uma pausa, perdido em lembranças: seu quarto, sombreado pela luz da tarde. O frisson, enquanto os olhos de Chloe percorriam o seu corpo; o ruído do lápis riscando o papel. – Sabe, eu tinha esquecido completamente disso, até este momento – disse ele, tentando um riso discreto. – Nem sei onde está esse desenho.

– A mamãe desenha todos nós em vez de tirar fotos. – disse Nat, com voz educada e desinteressada. – Ela fez um *monte* de desenhos quando eu era bebê.

Houve um silêncio, quebrado apenas pelo ruído do lápis de Nat no papel.

– Ela desenha seu pai? – Hugh se viu perguntando. Imediatamente ele se odiou, se desprezou por perguntar tal coisa. Mesmo assim, esperou pela resposta, sem conseguir respirar.

– Às vezes – respondeu Nat de forma despreocupada, antes de pegar o lápis preto. – No último Natal, ela desenhou nós três. – Ele fez uma pausa no desenho e levantou os olhos com um sorriso. – O papai estava tão engraçado! Ele esperou até que ela não estivesse olhando e colocou um bigode postiço. Aí a mamãe olhou, desconfiada de que havia alguma coisa estranha, mas não sabia o quê. – Nat começou a rir, e Hugh forçou um sorriso. – A mamãe *percebeu* o bigode, mas não disse nada, só continuou desenhando. Então, quando ela acabou, a gente foi dar uma olhada e viu que ela havia tinha feito o papai com um bigode enorme e as orelhas bem grandes...

Nat caiu na gargalhada e Hugh suspirou profundamente, sentindo-se um tolo. O que ele esperava, pelo amor de Deus? O que ele queria ouvir? Histórias de desarmonia familiar? Insinuações de que algo não ia bem? Então, ele teve o que merecia, não é? O que ouviu foram histórias de uma família feliz, de brincadeiras e risadas e *jingle bells*.

Observando Nat, que continuava rindo, ele se sentiu pior que um tolo: um molestador de crianças, conversando com aquele menino inocente, sob falsos pretextos, fazendo perguntas claras com mensagens obscuras.

– E esse desenho tem um objetivo específico? – perguntou ele, apontando para o desenho e sorrindo para Nat. – Ou é apenas para o seu portfólio?

– Na verdade, é para o meu álbum de recortes das férias – respondeu Nat. – Temos que fazer um diário das nossas férias para a escola. Meu pai disse que se eu fizesse um pouquinho a cada dia, não ficaria cansativo. Vinte minutos por dia. – Ele olhou para o relógio. – Aliás, já estou quase terminando.

– Bem sensato – disse Hugh. – Um pouco a cada vez.

– Tenho reunido coisas para colar – disse Nat. Ele ergueu o desenho, revelando a pasta de couro verde-escura, sobre a qual apoiara a folha de papel. – Como o meu cartão de embarque e um cartão-postal de Puerto Banus. Também fiz um desenho da casa...

– Muito bom – disse Hugh, como um professor. – Vamos dar uma olhada, então.

Ele pegou a pasta verde de Nat, olhou a capa e ficou paralisado ao ver o familiar logotipo da PBL. Durante um momento, ele fitou o símbolo, completamente desorientado. O logotipo da sua empresa. Onde o garoto tinha encontrado aquilo? Parecia uma de suas pastas de apresentação.

Será que Amanda dera a pasta para ele?, ele se perguntou. *Mas, nesse caso, como Amanda a conseguira?*

– Nat... – disse Hugh. – Onde você arranjou esta pasta?

– Meu pai me deu – respondeu o garoto, levantando os olhos.

– Seu pai? – Hugh fitou o rosto confiante de Nat. – Como assim, seu pai? Como ele a conseguiu?

– No trabalho. Ele trabalha para o National Southern Bank – respondeu Nat.

Algo pareceu desabar na mente de Hugh. Por alguns segundos ele não conseguiu articular uma palavra sequer. O sol parecia ficar cada vez mais quente sobre sua cabeça.

– Seu... seu pai trabalha para o National Southern – repetiu ele.

– Isso. – Nat pegou um lápis vermelho. – Houve uma adição, então o papai arranjou muito material com o símbolo da PBL. Canetas e outras coisas.

– Houve uma aquisição.

– É, isso – admitiu Nat, ruborizado. – Foi o que eu quis dizer. Aquisição. A PBL é uma empresa de internet – acrescentou, começando a colorir com o lápis vermelho. – Mas a gente usa a Fast-Serve. Eles têm lojas de computadores, também. E vendem telefones...

– Eu sei – disse Hugh, tentando esconder o nervosismo. Eu... sei, Nat...

– Sabe o quê? – Nat levantou os olhos escuros e meigos e Hugh o olhou em silêncio.

– Nada – ele disse finalmente, e tentou dar um sorriso. – Nos vemos mais tarde, está bem?

Ao se afastar, Hugh sentia-se fora da realidade. Entorpecido. Passou pela piscina e entrou na casa, tentando ajustar os pensamentos que giravam na sua cabeça. Philip Murray era funcionário do National Southern. Ele estava de *férias* com um funcionário do National Southern. Era inacreditável. Terrível. Por que ele não *sabia*? Por que ninguém dissera nada?

Hugh ouviu um barulho na escada e imediatamente entrou no escritório de Gerard, fechando a porta atrás de si, suspirando aliviado. Ele não queria ver ninguém por enquanto; havia algumas coisas que precisava descobrir. Sentia-se como uma raposa um pouco à frente do caçador: a qualquer momento, seria descoberto. Não fazia sentido, ele pensou, indo até a escrivaninha, ofegante. Simplesmente não fazia...

Ele gelou. Uma fotografia emoldurada de Gerard chamara sua atenção. Ele estava usando um smoking, erguendo uma taça de vinho para a câmera, com ar satisfeito.

Gerard, pensou Hugh, sentindo-se mal. *Maldito Gerard.*

Um novo detalhe veio à sua mente. Ele se lembrou de Gerard naquele bar, no centro de Londres, fazendo perguntas a respeito da aquisição; as consequências para os funcionários do National Southern; inquirindo sobre a participação de Hugh em tudo aquilo. Os olhos de Gerard brilhavam de curiosidade. Ele não dera muita importância na hora. Afinal, todo mundo estava interessado, curioso. As perguntas de Gerard pareciam inteiramente inocentes.

Ah, meu Deus. Ah, meu *Deus*.

Sentando-se diante da escrivaninha, ele percebeu que seu coração pulava no peito. Pegou o telefone e discou o número de Della.

– Della, é Hugh.

– Oi, Hugh! – disse Della. – Como vai? Aproveitando as férias, espero!

– Está tudo ótimo, obrigado – disse Hugh, esfregando o rosto, tenso. Praticamente esquecera que estava de férias. – Della, preciso que você me faça um favor. Quero que descubra em qual filial do National Southern trabalha um funcionário chamado Philip Murray.

– Phil-ip Mur-ray – repetiu Della devagar.

– Exatamente. Philip Murray. – Hugh pronunciou lentamente. – E quando descobrir, quero que você procure o que a equipe de John Gregan recomendou para essa filial. Me ligue de volta neste número.

– Certo – disse Della. – Pode deixar. Mais alguma coisa?

– Não – respondeu Hugh. – Não, isso é tudo. Obrigado, Della.

Ele pousou o aparelho, olhou inexpressivamente o vazio por um momento e apoiou a cabeça nas mãos, sentindo-se sem forças.

CAPÍTULO DOZE

Jenna e Sam permaneciam deitados, em silêncio, sob uma árvore, no terreno seco e coberto de mato, olhando para o céu azul. Jenna estava calada, pois tragava profundamente um cigarro; Sam, porque não conseguia pensar em nada para dizer que não parecesse totalmente estúpido.

Depois do almoço, Amanda decidira que estava quente demais para ficar na piscina e resolvera levar Octavia, Beatrice e Nat a um abrigo para burros, sobre o qual tinha lido. Quando o carro desapareceu na estrada, Jenna se virou para Sam e perguntou:

– Quer uma cerveja?

Sam deu de ombros, da forma mais indiferente possível, e respondeu:

– Claro. Por que não?

Enquanto caminhava ao lado dela, segurando as latas geladas de cerveja, as frases continuavam a se formar em sua mente: observações discretas, casuais, até engenhosas.

Mas toda vez que abria a boca para dizer uma delas, ficava paralisado pela insegurança. E se o seu comentário não produzisse efeito? E se ela lhe lançasse aquele olhar sarcástico e inexpressivo que lhe era costumeiro; ou pior, se ela risse dele? Então, preferiu não dizer nada, e o silêncio foi ficando cada vez maior.

Jenna não parecia se importar com isso. Ela havia bebido uma lata inteira de cerveja – a dele ainda estava pela metade – e acendeu um cigarro, e isso parecia bastar. Para falar a verdade, estava tão quente que não havia necessidade de conversar. Nesse ponto, o sol ajudava. Era mais ou menos como a televisão, ou seja, sempre que o assunto acaba, pode-se fechar os olhos e levantar o rosto, até pensar em outra coisa para se dizer.

– Então – disse Jenna, e Sam virou a cabeça. Ela estava sentada, com seus dreadlocks caídos nos ombros, como cadarços de sapato. – Estamos todos nos divertindo nessas férias? – Ela soltou uma nuvem de fumaça e seus olhos brilharam. – O que você acha, Sam? Polegar para cima ou para baixo?

– Bem – disse Sam, com cautela. – Polegar para cima, acho. Quero dizer, o tempo está ótimo...

– O tempo está ótimo – repetiu Jenna com um sorriso. – Vocês ingleses, sempre falando sobre o tempo...

– Eu estou curtindo – acrescentou Sam, ligeiramente irritado pela expressão de Jenna. – E o Nat também. Acho que meus pais também estão.

– Você acha?

– Acho. E você?

Jenna deu de ombros e tragou o cigarro. Depois, inclinou-se para coçar o pé, e Sam aproveitou para dar uma olhada em seus seios dourados, redondos como maçãs, protegidos por dois triângulos pretos esticados. Com as mãos, ele apertou a terra áspera e seca; queria dizer algo, mas sua garganta estava apertada. Após examinar as unhas do pé pintadas em um tom claro, Jenna levantou os olhos e deu-lhe um pequeno sorriso impenetrável.

– Bem, fico contente por você estar se divertindo – ela disse. Sam sentiu que ruborizara. Então, imediatamente, olhou para longe. O que ela quisera dizer com aquilo?

– Por que, você não está? – perguntou ele, em tom agressivo.

– Não estou aqui para me divertir.

– Tudo bem, mas isso não é contra as regras, é?

– Não sei – respondeu Jenna. – Não perguntei. – Ela revirou os olhos de forma engraçada e Sam riu, em parte, de alívio.

– Você não gosta da Amanda, não é? – perguntou ele, pegando a lata e tomando um gole de cerveja.

– Como patroa? – Jenna abriu outra lata de cerveja. – Não especificamente.

– E como... pessoa?

– Como pessoa... – Ela pensou por alguns segundos, com a lata equilibrada nos lábios. – Para falar a verdade, tenho pena dela.

– Pena? – Sam a olhou surpreso. – Por que...

– Ela não me parece uma mulher muito feliz.

– Bem, talvez ela devesse ser menos mandona! – Sam balançou a cabeça. – Não posso acreditar que tenha pena dela. Caramba, ela tem sido tão horrível com você.

– Não é porque eu detesto trabalhar para ela que eu não possa sentir pena dela. – Jenna apagou o cigarro no chão. – Quer saber de uma coisa a respeito da Amanda? Pelo menos ela se preocupa realmente com as filhas. Quando a Beatrice ficou doente, ela passou a noite toda com a menina. *Além disso,* limpou toda a sujeira. Hugh não fez absolutamente nada, claro...

– Você não gosta do Hugh, então? – perguntou Sam surpreso.

– O cara é um inútil – disse Jenna. – Típico inglês: sem emoção, sem humor, nada. A Amanda é um saco, mas você vê que ela realmente ama as filhas.

– Toda mãe ama os filhos.

– Você acha? Já vi muitas mães e posso afirmar que algumas têm uma forma esquisita de demonstrar esse amor. – Jenna deitou de bruços e pousou o queixo nas mãos. – Existem mães terríveis por aí, que têm filhos só por ter. Então, largam as crianças nas nossas mãos e viajam para Barbados por um mês. Têm também as cheias de culpa, que odeiam a babá por passar mais tempo com as crianças que elas próprias.

Sam lançou-lhe um olhar curioso.

– Você não gosta de nenhuma patroa?

– Ah, uma ou outra. – Jenna sorriu. – O fato é que o sentimento básico no âmago da relação babá-mãe é de ódio.

– Ódio? – Sam riu, sem saber ao certo se ela estava falando sério.

– Talvez não seja ódio – admitiu Jenna –, mas ressentimento. Inveja. Eu as invejo porque elas têm mansões e rios de dinheiro... e elas têm inveja de mim porque eu não tenho estrias e a minha vida sexual é ótima.

– A Amanda não tem estrias – argumentou Sam sem pensar.

– É mesmo? – Jenna levantou as sobrancelhas. – Quer dizer que você andou prestando atenção, é?

– Não – disse Sam, corando de vergonha. – Claro que não. Eu só... – Ele tomou um gole de cerveja para disfarçar o constrangimento. – Então... você acha que a Amanda tem inveja de você? – perguntou ele, tentando prosseguir a conversa normalmente.

– Na verdade, não sei se Amanda tem imaginação para invejar alguém – disse Jenna, fechando os olhos e inclinando-se apoiada nos cotovelos.

Involuntariamente, Sam percorreu o corpo dela com os olhos e depois desviou o olhar. A cada segundo, ele sentia mais calor. Então, bebeu outro gole de cerveja e passou a mão sobre a testa úmida.

– Você parece muito com a sua mãe – disse Jenna, abrindo os olhos de repente. – Os olhos, tudo.

– É – assentiu Sam.

– E o Nat é a cara do seu pai. Estranho, não é?

Sam ficou em silêncio. Com a cara fechada, pegou seu sapato e, sem necessidade, tornou a amarrar o cadarço. Sempre hesitava antes de falar sobre seus pais com uma nova pessoa. Às vezes não estava a fim de satisfazer a curiosidade das pessoas. As garotas, em particular, sempre reagiam de modo estranho quando ele lhes contava. Davam um longo suspiro, o abraçavam e diziam que estavam dispostas a conversar a respeito, se ele quisesse. Como se fosse algo dramático, o que realmente *não era.*

Por outro lado, Jenna não parecia do tipo que agiria de modo estranho sobre assunto nenhum.

– O Philip não é meu verdadeiro pai – declarou Sam finalmente, levantando os olhos. – Que dizer, não o pai biológico.

– É mesmo? – Jenna se sentou, demonstrando curiosidade. – Você é adotado?

– Não exatamente – respondeu Sam. – Minha mãe é minha mãe biológica. Ela me teve quando era muito jovem. Mais ou menos da sua idade.

Jenna o fitou com os olhos apertados, como se estivesse fazendo cálculos.

– Então, quem é seu pai? – perguntou ela.

– Um cara da África do Sul. Um professor da Universidade da Cidade do Cabo.

– Ah – disse Jenna, reclinando-se na cadeira. – Ele é legal? Vocês se dão bem?

– Nunca o vi. Um dia, talvez, eu vá visitá-lo. Tanto a minha mãe quanto o meu pai disseram que eu posso fazer isso, se quiser.

Sam desviou o olhar de Jenna e tocou a grama. Embora fosse bem resolvido em relação ao seu verdadeiro pai e toda aquela situação, sempre acabava sentindo-se um pouco desconfortável quando falava sobre esse assunto.

– No seu lugar, eu não me incomodaria – disse Jenna. – Meu pai nos abandonou quando eu tinha 5 anos. Nunca tive o menor interesse em vê-lo novamente. – Ela tomou outro gole de cerveja, olhando para Sam com curiosidade. – E o Philip parece um cara bacana.

– Ele é o máximo – disse Sam. – Quer dizer, às vezes ele é meio chato, mas... – Ele deu de ombros. – Sabe como é.

– Dá para ver que ele é um cara decente – disse Jenna. – No outro dia, a Octavia estava me enchendo o saco e ele começou a contar uma história para ela. Sem espalhafato, de forma bem natural. Era uma história muito interessante. No final, estávamos todos prestando atenção.

– Ele sempre inventa histórias incríveis – disse Sam. – Ele costumava contá-las em capítulos; cada noite, uma parte. Ainda faz isso para o Nat.

– Ele faz isso profissionalmente? Quer dizer, escreve histórias?

Sam balançou a cabeça negativamente.

– Ele trabalha num banco.

– Ah, sim. – Jenna levantou as sobrancelhas e soltou uma nuvem de fumaça. – Então ele ganha muito bem, não é?

– De jeito nenhum. – Sam ficou em silêncio durante um momento, decidindo se deveria falar mais. – Aliás, ele talvez perca o emprego – disse ele finalmente.

Jenna fitou Sam, com os olhos arregalados.

– Sério?

– Pois é. Houve uma fusão de empresas. Eles não me contaram, mas a consequência disso é bastante óbvia. – Sam levantou os olhos e encontrou o olhar fixo de Jenna. – Não conte nada para o Nat. Ele não sabe.

– Não vou dizer nada. Meu Deus! Eu não tinha nem ideia. Eu sinto muito. – Ela balançou a cabeça, fazendo tilintar as contas dos seus dreadlocks. – Coitado do seu pai.

– Mas talvez isso não aconteça.

– Espero que não. – Jenna franziu a testa. – Ele não merece mais sofrimento.

– Como assim, mais? – perguntou Sam, confuso.

Jenna olhou para ele em silêncio por um momento, como se tentasse ler algo de seu rosto.

– Além das férias arruinadas – explicou ela, antes de dar um trago no cigarro. Sam a olhou com desconforto. Aparentemente, eles estavam tendo uma conversa perfeitamente normal. Mas em se tratando de Jenna, parecia sempre haver algo mais. Algo que ela não dizia.

– As pessoas têm vidas mais interessantes do que se imagina – disse Jenna bruscamente. – Não existe família perfeita. Tem sempre algum segredo, uma discórdia, ou um problema sério... Nossa, como está quente. – Ela se sentou, levou as mãos às costas, até a parte superior do biquíni, e, conscientemente, o abriu. – Você não se incomoda, não é?

Sam sentiu o corpo inteiro se contrair em choque quando o tecido preto escorregou dos seios perfeitos e bronzeados de Jenna. *Merda*, ele pensou, tentando manter-se indiferente, tentando desesperadamente não fitar os mamilos da garota. *Tente não estragar as coisas.* Não *estragar isto.* Quando Jenna olhou para cima, Sam rapidamente desviou o olhar. Ele pegou outra lata de cerveja e a abriu, com as mãos ligeiramente trêmulas.

– Não beba demais – advertiu Jenna.

Sam a olhou. Ele não se atrevia a se mover. Pelo canto do olho, observou dois pássaros voando juntos. Então, sem avisar, Jenna inclinou-se e o beijou, com a boca gelada.

Ele fechou os olhos, tentando manter-se calmo, mas o desejo o atingia como um trem. Incapaz de se controlar, ele apalpou com força um dos seios dela. Jenna não protestou. Ele afastou a boca da dela e trilhou um caminho até seu mamilo, e, ao beijá-lo, Jenna jogou a cabeça para trás e deu um pequeno gemido. A reação da garota o deixou ainda mais excitado, e ele tateou outro seio, esperando obter o mesmo resultado. Então, ela murmurou algo ininteligível.

– O quê? – perguntou ele ofegante, erguendo a cabeça.

– Mais para baixo – sussurrou Jenna.

Com o coração disparado, Sam ajoelhou-se na terra seca e deslizou a boca lentamente pela barriga dourada e lisa da garota, em direção à parte de baixo do biquíni; a Frente Ocidental, como era conhecida entre os garotos na escola. Aquela torturante faixa de Lycra, de renda, ou de qualquer outro material, que as garotas protegiam com todas as forças. Ele alcançou o triângulo do biquíni preto de Jenna e parou, com o rosto em chamas. Tinha uma vaga consciência de que suas coxas tremiam por transportar o peso do seu corpo, que seus joelhos estavam cortados pelas pedras pontiagudas, que a parte de trás do seu pescoço estava encharcada de suor. *E agora?*, ele se perguntou freneticamente. *Pelo amor de Deus, e agora o que eu faço?*

Jenna fez um movimento, conseguindo, de alguma forma, abrir um pouco as pernas, sem olhar, como se tivesse planejado. Isso quase o levou à loucura. Ela ali. Ali para ele.

Ele tinha um preservativo no bolso, que pegara do pacote escondido na sua mala. Quando Jenna o chamara para beber cerveja, ele correra até o quarto, rasgara a embalagem e enfiara o pequeno pacote de folha metálica no bolso, sem ousar acreditar que iria, de fato, usá-lo. Ele, bem como todos os seus amigos, sempre carregava preservativos. Até onde ele sabia, nenhum deles tinha de fato utilizado, mas agora... Sam olhou para Jenna novamente e sentiu uma excitação ainda maior. Será que ele deveria pegá-lo? Deveria perguntá-la primeiro? O que ele deveria...

– Mmm-nnaa – murmurou Jenna, jogando a cabeça para trás. O que ela estava dizendo afinal?

– O que você disse? – perguntou ele com a voz rouca. Sem olhar para ele, Jenna fez outro movimento com o corpo. Então, subitamente, a parte de baixo do biquíni começou a descer, bem diante de seus olhos. Ele não conseguia acreditar... *Ah... ahhh... cacete...*

– Mais para baixo – murmurou Jenna, com um sorriso. – Um pouco mais para baixo.

PHILIP ESTAVA SOZINHO, em frente à enorme bancada de mármore na cozinha, bebendo água mineral, lentamente. Tinha a sensação de que levara horas para sair da cama; ainda estava meio confuso e ligeiramente distante da realidade. Suas mãos pareciam desconectadas do restante do corpo; toda vez que ele pousava o copo na superfície de mármore, o ruído o fazia estremecer.

Não fazia ideia do quanto havia bebido na noite anterior, mas se as garrafas vazias e o estado da sua cabeça ao acordar indicavam alguma coisa, provavelmente fora muito. Acordara tarde e se vira sozinho à beira da piscina, com os olhos inchados e a boca seca. Ao olhar ao redor, prostrado, reunindo lembranças da noite anterior, sentiu-se magoado por ter sido deixado sozinho; ressentido com Hugh, por ele não tê-lo acordado; traído por ele ter saído de fininho, logo cedo, para tomar banho e trocar de roupa. Afinal, os dois estavam juntos na farra. Philip sentira-se disposto a se entregar a um estado de melancolia pós-festa: uma lembrança imatura dos excessos da noite anterior e uma comparação de ressacas.

Ele pegou a garrafa de água mineral e encheu novamente o copo, olhando as bolhas subirem até a superfície. Hugh se transformava quando bebia, ele pensou. O cara meio formal e distante que ele conhecera logo que chegara mostrara-se uma pessoa com senso de humor e presença de espírito; alguém que Philip não se importaria em conhecer melhor. *Hugh, o eminente cientista espacial*, ele pensou, com um sorriso torto. *Que comportamento imaturo*. Ele quase lamentou que Chloe não estivesse presente, para testemunhá-lo obedecendo, à risca, suas instruções. Ela dissera dito para ele relaxar e desobstruir a mente? Não dissera para ele se descontrair e se divertir? Bem, com certeza ele tinha feito tudo isso.

Bebeu mais um pouco de água e fechou os olhos, sentindo a cabeça protestar contra a ingestão de líquido. Seu corpo rejeitava o que lhe faria bem. Alka Seltzer seria melhor que água, mas ele não conseguira encontrar nenhum no luxuoso armário da cozinha e não estava disposto a pedir a ninguém. Além do mais, de algum modo, estava gostando da sensação de ficar ali, com a cabeça latejante e as mãos trêmulas, sentindo-se tão mal quanto merecia.

A casa parecia um lugar estranho e tranquilo naquela tarde. O silêncio era, naturalmente, em parte, devido à ausência das três crianças e de Amanda, ele reconheceu. De alguma maneira, a presença dela completava todo o processo.

Chloe tinha ido para o quarto, com dor de cabeça. Ela parecia pálida, meio adoentada, e se afastara quando ele tentara abraçá-la; provavelmente ainda estava chateada com Gerard. Philip continuou a beber, pensativo. Não sabia o que fazer a respeito da teoria de Sam e, de qualquer maneira, ela não fazia diferença. Estavam todos ali agora, curtindo suas férias e seguramente isso era o que bastava. A casa era tão grande que provavelmente acomodaria uma terceira família sem causar muito incômodo a ninguém.

Philip tomou outro gole de água e pegou um pontinho de pistaches, deixado no balcão. Ao abri-los, notou em si uma discreta sensação de prazer, apesar do latejamento na cabeça. Finalmente, ele começava a relaxar. Se Chris estivesse certo, nada aconteceria até a semana seguinte, e ele viu que havia conseguido alguns dias de trégua.

Ou o álcool havia danificado suas terminações nervosas, ou a inatividade forçada estava desacelerando seu sistema; de uma forma ou de outra, ele estava calmo e relaxado. Pela primeira vez naquelas férias *sentia-se* realmente de férias. Seu estômago não se contraía a cada cinco minutos; seus pensamentos não se voltavam à Inglaterra, ao banco, nem ao seu destino.

Quando procurava por analgésicos na cozinha, encontrara uma pilha de panfletos, nos quais havia todo o tipo de fotos exibindo passeios e excursões que ele poderia levar os garotos. Pegou um folheto de um parque aquático e imaginou-se descendo um escorregador gigantesco em um anel de borracha, enquanto os meninos assistiam, perplexos, àquela situação constrangedora. Só de pensar nisso, ele riu. Era exatamente o que eles deveriam fazer: sair, fazer coisas diferentes, se divertir.

O telefone tocou alto na cozinha de mármore, assustando-o. Não estava disposto a atender, pelo menos não naquele momento em que se sentia tão satisfeito. Por outro lado, logo ficou óbvio que ninguém mais iria fazê-lo. Depois de mais alguns toques, ele atendeu, receoso:

– Alô?

– Alô. – Ouviu-se uma voz de mulher. – Posso falar com Hugh Stratton, por favor?

– Claro – disse Philip. – Só preciso encontrá-lo...

– Ou talvez eu possa deixar um recado?

– Bem... sim – disse Philip. – Vou apenas pegar uma caneta. – Ele olhou ao redor e avistou um pote cheio de lápis pintados à mão, em uma prateleira de madeira. – Pronto – disse ele, voltando ao telefone. – Pode falar.

– É para avisar que Della telefonou...

– Tudo bem – disse Philip, anotando o nome.

– ... para dizer que Philip Murray está na filial de East Roywich.

Philip parou de escrever. Confuso, ele fitou as palavras que acabara de anotar. "Della – Philip Murr."

Será que ainda estava bêbado?

– Desculpe – disse finalmente. – Acho que não ouvi direito.

– Philip Murray, M-u-r-r-a-y, trabalha na filial da East Roywich do National Southern. Como gerente.

– Sim – disse Philip. – Entendi. – Ele esfregou o rosto, tentando compreender o que estava acontecendo. – Você poderia... Quem está falando?

– Della James. Sou a secretária do Sr. Stratton – informou a mulher. – Desculpe incomodá-lo nas férias. Se puder transmitir o recado e dizer que estou enviando por fax as páginas relevantes do relatório, eu ficaria muito agradecida.

– Espere! – disse Philip. – Onde... de onde você está ligando?

– Do escritório do Sr. Stratton. Desculpe incomodá-lo. Até logo!

– Não, espere! – exclamou Philip. – Onde exatamente...

Mas a ligação já havia sido interrompida. Ele olhou para o fone em sua mão, e então, lentamente, o pousou no gancho.

Seria uma pegadinha? Seria um trote de Sam? Ele olhou em torno da cozinha silenciosa, em parte esperando que alguém surgisse às gargalhadas. Mas tudo permaneceu imóvel; o mármore brilhava em silêncio. Tudo estava parado.

Então um barulho discreto chamou sua atenção. Vinha de outra parte da casa e parecia...

Num ímpeto de adrenalina, Philip levantou-se e correu até porta da cozinha. Ao entrar no hall, ele parou e prestou atenção ao barulho, que tornou a ecoar pela sala de mármore, estranhamente prosaica em meio a todo o esplendor do restante da casa. Uma máquina de fax, cortando papel.

Com o coração disparado, Philip seguiu o som até o escritório. A máquina de fax estava na escrivaninha e junto dela havia vários rolos de papel. Ele apanhou o primeiro, abriu e fitou, incrédulo, o cabeçalho.

Do escritório de Hugh Stratton, Chefe de Estratégia Corporativa.

No topo da folha viam-se três letras entrelaçadas: P. B. L.

CHLOE ESTAVA SOZINHA no quarto escuro, fitando o vazio. Estava confusa, mal-humorada e emocionalmente arrasada. Sua dor de cabeça havia melhorado. Não tinha sido tão forte afinal, apenas uma desculpa para ficar sozinha, longe de todos. Longe de Hugh, e seu olhar persistente e intenso; de Philip, e sua atenção amorosa e espontânea. Ela queria solidão e tempo para pensar.

Porém, quanto mais ficava sozinha, tentando pensar racionalmente, mais insegura se sentia. A voz de Hugh permanecia em sua mente, puxando seus pensamentos como um balão de hélio. Ainda sentia o efeito daquele prazer mágico, ilícito. Uma parte dela estava desesperada para trazer de volta aquela excitação, aquela magia; para sentir os olhos dele no seu rosto e as mãos no seu corpo. Hugh Stratton, seu primeiro amor de verdade, o amor que ela havia perdido.

E, coberto com o manto da emoção, o romance – um item a mais, bem mais difícil de superar. A dor ao perceber o que havia perdido, todos estes anos. A percepção de que ainda gostava daquele homem e o respeitava; de que era capaz de ver suas falhas, mas as compreendia, provavelmente melhor que sua própria esposa. Hugh não estava muito diferente do rapaz que era aos 20 anos, que pousava a cabeça em seus seios nus, em conversas noites a fio. Na época, ela o conhecia tanto quanto uma pessoa pode esperar conhecer outro ser humano. E, embora os anos tivessem adicionado algumas mudanças e sofisticação à personalidade dele, ela ainda conhecia sua essência, ainda podia falar e entender a sua língua, que não havia sido esquecida. E quanto mais ficava com ele, mais fluente ela se tornava.

Hugh tinha razão, os 15 anos de afastamento não significavam nada. Pelo contrário, agiam de maneira positiva, colaborando, como sempre. Tê-lo novamente era como um milagre; um conto de fadas.

Mas mesmo assim... mas mesmo assim.

A vida real não era nenhum conto de fadas. Realidade era o reconhecimento de que uma paixão secreta, isoladamente, era uma coisa. Mas acompanhada do sofrimento de famílias destruídas era outra, completamente diferente. A realidade era o reconhecimento de que fragmentos de plenitude simplesmente não compensavam seu preço. Seu desejo por Hugh era fruto de nostalgia, mais do que qualquer outra coisa. O que havia acontecido era como uma viagem no tempo, que a transportara da sua tensão e preocupação atuais, de volta ao confortável passado dourado. Ao fechar os olhos e sentir a emoção do corpo dele contra o seu, ela voltara aos seus 20 anos, livre de responsabilidades e cheia de sonhos; começando a vida. Durante aquelas poucas horas mágicas, tudo parecera possível. Entregara-se completamente. Mas agora...

Chloe esticou a mão à sua frente e observou, com imparcialidade, a textura da pele. Aquela não era a mão de uma mulher de 20 anos. Ela não estava começando a vida, já tinha escolhido seu caminho. E era um caminho no qual estava satisfeita. Mais do que isso, feliz. Ela amava Philip. Amava os filhos. Destruir a vida de todos eles por uma paixão egoísta era algo que não podia fazer.

Hugh e eu tivemos a nossa chance, pensou. Tivemos o nosso momento, mas agora tudo passou e já é tarde demais. Outras pessoas ocuparam o palco e agora temos que dançar ao lado delas.

Ela sentou e colocou a cabeça entre as mãos. Estava vulnerável e prestes a chorar. Sua resolução era forte, mas não invencível e, de repente, sentiu necessidade de carinho, aconchego familiar e apoio. Acima de tudo, apoio. Ficou ansiosa por reunir a família em volta dela, como um lastro; como sacos de areia. Precisava reassegurar-se do suporte ao qual se agarrava, e por que.

Num ímpeto, ela se levantou. Olhou seu pálido reflexo por um momento, saiu do quarto e foi para o lado de fora. O lugar estava excepcionalmente tranquilo, e ela se lembrou de que Amanda tinha levado as crianças para um passeio. A cozinha estava vazia; a piscina, idem. Ela hesitou, fitando a água azul, então se virou e foi em direção ao jardim. Levantou a cabeça, deixando os raios de sol penetrarem no seu rosto gelado. Queria dar cor à face e aquecer o sangue. Queria que seu hesitante frio interno se descongelasse, transformando-se em uma ardente felicidade de férias.

Ao chegar ao jardim, ouviu um barulho. Logo depois, do outro lado do gramado, viu a cabeça de Sam, com o cabelo desgrenhado e o rosto corado. Em seguida, avistou Jenna, que estava com as bochechas rosadas e uma expressão distraída. Chloe os observou em silêncio, tentando esconder seu espanto. Mas era óbvio que isso aconteceria. Sam tinha 16 anos. Era só uma questão de tempo... se é que já não se tratava de um fato consumado. O pensamento quase a fez desfalecer.

– Oi... oi, mãe – disse Sam, olhando para o chão.

– Oi, Chloe – disse Jenna, com um sorriso angelical.

Chloe olhou para os dois, separadamente, perguntando-se o que eles haviam aprontado ou, mais precisamente, até que ponto tinham ido. O cabelo de Sam estava todo despenteado e havia grama por toda a sua camiseta. Quando ela olhou bem no rosto dele, Sam desviou o olhar embaraçadamente, de cara feia. Jenna usava apenas um pequeníssimo biquíni preto, cuja parte de cima, Chloe notou, estava desamarrada. Aquilo era traje apropriado para uma babá?, Chloe se viu pensando, não sem preocupação, consciente de que estava começando a agir como Amanda. Mas talvez Amanda tivesse razão.

Ela notou a mão de Jenna casualmente sobre a perna de Sam, e sentiu uma raiva tão grande que se assustou. *Tire a mão de cima do meu filho*, teve vontade de gritar. Mas em vez disso, limitou-se a falar, forçando um tom enérgico:

– Sam, eu vou lavar roupa. Você poderia separar as suas e as de Nat, por favor?

– Já vou – disse Sam.

– Nada de já vou – disse Chloe. – Agora.

– Mas mãe...

– Ele não pode ir depois? – perguntou Jenna, lançando um sorriso para Chloe. – Estávamos só pegando um solzinho...

– Não quero saber o que vocês estavam fazendo – disse Chloe, retribuindo o sorriso, de forma maliciosa. – Quero que o Sam venha e separe as roupas, agora. E depois, arrume aquele quarto. Está uma bagunça.

Ela permaneceu em silêncio, recusando-se a perder terreno, enquanto Sam, com relutância, ficava de pé e sacudia a areia da roupa. Estava ciente de que ele lançava olhares desconsolados a Jenna; que os dois tentavam claramente comunicar-se através de códigos; que provavelmente interrompera o caminho de um adolescente ao paraíso. Porém, não se importava. Sam teria que esperar.

Não vou renunciar ao homem que eu amo *e* ao meu filho em favor de outras mulheres no mesmo dia, ela pensou, com um sorriso tenso. Simplesmente não vou fazer isso. Sam terá suas oportunidades, terá seus momentos no futuro. Mas este é *o meu* momento. Preciso da minha família em volta de mim, e isso é o que vou ter.

– Vamos – disse ela a Sam, ignorando seu olhar mortal.

Começaram a atravessar o jardim: Sam de cabeça baixa e mal-humorado, chutando a terra e pedaços de arbustos. Quando entraram em casa e começaram a subir as escadas, Chloe sorriu para Sam, tentando amenizar a situação.

– Depois de separarmos a roupa – disse ela –, podemos jogar um daqueles jogos de tabuleiro, na sala.

– Não, obrigado – disse Sam, zangado.

– Ou... podemos preparar uma pizza. Assistir a um filme...

– Não estou com fome – cortou Sam. Ao chegar no topo da escada, ele se virou de frente para ela. – E não quero jogar droga nenhuma de jogo. Você já estragou a minha tarde, não quero que a torne ainda pior. Está bem?

Ele virou de costas, andou com passos largos ao longo do corredor e entrou no quarto que compartilhava com Nat, batendo a porta com tanta força que o barulho ecoou por toda a casa.

Chloe permaneceu imóvel, trêmula, prestes a chorar. Foi até uma cadeira e sentou, tentando manter o controle. Mas sentia uma dor crescente, que ameaçava explodir em um pranto ou em um soluço.

Você tem ideia do que eu estou abrindo mão por você?, teve vontade de gritar. *Consegue imaginar o que estou abandonando?* Enterrou a cabeça entre as mãos, olhando para o chão de mármore, com a respiração ofegante, o rosto retesado e inexpressivo, esperando a dor passar.

HUGH ENCONTRARA uma pequena plataforma sombreada, distante da casa, bem longe de todo mundo. Ficara esperando o telefonema de Della por aproximadamente uma hora até acabar desistindo. Ela provavelmente se havia atrasado, ou saído para suas duas horas de comprinhas no shopping, que ela chamava de almoço. Ele vestira a sunga e fora para a piscina, achando que se nadasse um pouco, iria clarear a mente. Mas desistira, ao ver Chloe à distância. Agora, ele estava diante de uma pequena mesa de ferro batido, bebendo vinho de uma garrafa que encontrara na geladeira, tentando acalmar as ideias.

Encontrava-se em uma situação bem desagradável; não havia outra palavra para definir o que estava acontecendo. Philip Murray era um funcionário do National Southern. Ele estava de férias com um funcionário do National Southern, que não fazia ideia de quem ele, Hugh, era. Parecia uma piada de mau gosto; uma pergunta constrangedora, do tipo "O que você faria se...", que os funcionários, ocasionalmente, mandavam por e-mail na empresa. Ali, em carne e osso, estava um dos gerentes anônimos que Hugh mencionara, por diversas vezes, em reuniões da PBL. Um dos funcionários de médio escalão, representado por ele, em um diagrama de estruturas, por um ícone de um bonequinho com um chapéu de boliche. Philip era um daqueles malditos ícones. Era tudo surreal. Dava a impressão de que uma das suas peças de xadrez ganhara vida e começava a falar com ele.

Por que ele não *sabia* de nada? Por que ninguém lhe dissera? Mas, desde que chegaram, todos evitavam, deliberadamente, falar sobre trabalho. A voz de Chloe atravessou novamente seus pensamentos, como sal em carne viva. *Nós não vamos falar sobre trabalho... Temos andado sob muita pressão ultimamente... Philip está correndo sério risco de demissão...*

Hugh estremeceu e tomou um gole de vinho. *Demissão.* Essa era uma palavra que ele e seus colegas evitavam usar, até na correspondência interna, por sua conotação negativa relacionada à crise econômica e ao fracasso. Ele costumava usar o termo "reestruturação" e, sempre que possível, referir-se a grupos, não a pessoas. Além disso, não tinha ideia dos termos usados ao darem as más notícias ao funcionário. Tratar diretamente com pessoas não era sua área.

Naturalmente, de um jeito ou de outro, ele conhecia diversos membros do National Southern. Participara de reuniões com colaboradores-chaves do banco; estivera presente na importante e tensa reunião, ocorrida logo após o anúncio da fusão; tinha até feito parte de uma equipe, com o objetivo de elevar a moral dos funcionários, por meio de questionários a respeito do que a fusão significava para eles pessoalmente, cujas respostas eram inseridas em um programa de computador.

Mas isso tudo fazia parte da teoria. Eram pessoas reais, porém anônimas e desconhecidas, portanto era teórico. Ao passo que aquilo era vida real. Aquela fazia parte da a vida de Philip, de Chloe. E a sua, também.

Hugh tomou outro gole de vinho e ficou observando a taça, como se tentasse memorizar seu formato. O problema, ele pensou com serenidade, era que, se Philip perdesse o emprego, Chloe jamais abandonaria o marido. Disso ele tinha certeza. Essa reflexão dominou seus pensamentos, como uma montanha de vidro: um obstáculo intransponível. Se Philip fosse despedido, estaria tudo acabado. Ele não teria chance.

Sentiu-se tenso. Provavelmente, não tinha mesmo chance alguma. Chloe havia dito isso a ele naquela manhã, afinal. Ela olhara nos olhos dele e dissera que estava tudo acabado, que o encontro dos dois tinha sido um erro estúpido. Talvez ele devesse acreditar nela.

Mas não conseguia, simplesmente não conseguia. Tinha visto o brilho no olhar de Chloe, o tremor em seus lábios. Todos os sinais demonstravam que ela estava tão apaixonada quanto ele. Sem dúvida, ela o rejeitara naquela manhã. Sem dúvida, sentira-se culpada ao acordar. Mas sua recusa tinha sido uma reação precipitada, impensada – um sinal de culpa. Portanto, não significava que, no fundo, ela ainda sentia a mesma coisa. Havia a chance de ela voltar atrás. Isso era totalmente possível.

Mas não seria possível se Philip perdesse o emprego. Se isso acontecesse, nada seria possível. Hugh esvaziou a taça e se serviu de mais vinho. Tomou um gole, olhou para cima e se espantou. Philip estava vindo em sua direção.

Com firmeza, Hugh se preparou para não entrar em pânico. Agiria normalmente e não entregaria nada. Pelo menos, não antes de obter todos os fatos.

Forçou-se a dar um sorriso culpado para Philip, e apontou para a garrafa.

– Saboreando remédio para ressaca – disse ele. – Quer também?

– Para falar a verdade – disse Philip, como se fizesse um enorme esforço. – Para falar a verdade, Hugh, tenho um fax para você.

– Ah – disse Hugh, confuso. – Obrigado...

Ele estendeu a mão quando Philip lhe entregou as folhas, e ficou paralisado ao ver o logotipo da PBL no topo da página. *Puta que pariu*, ele pensou, com a garganta apertada. Aquela maldita estúpida *idiota* da Della... Ele ergueu a cabeça e, ao olhar nos olhos de Philip, sentiu o coração afundar.

– Então, Hugh – disse Philip, com a mesma voz estranha, e deu um sorriso tenso. – Quando exatamente você pensava em me dar a notícia?

CAPÍTULO TREZE

— Eu não sabia – disse Hugh, olhando para o rosto zangado de Philip, e engoliu em seco. – Você tem que acreditar em mim, eu não sabia. – Ele voltou a passar os olhos pelo fax na sua mão e leu a mensagem de Della:

> Caro Hugh, espero que tenha recebido meu recado. Seguem, em anexo, as páginas relevantes do relatório Mackenzie. Abraços, Della.

E, na parte de baixo, uma sutil declaração de que o conteúdo do fax era confidencial e direcionado exclusivamente ao uso da pessoa ou entidade a quem ele estava sendo enviado.

Ele ainda não tinha lido nenhuma das páginas subsequentes. Mas eram óbvias as notícias que continham em relação a Philip. *Deus do céu,* lamentou Hugh mais uma vez, sentindo-se mal. O que deu na *cabeça* de Della? O acesso em primeira mão àquele relatório por parte de qualquer funcionário do National Southern, por si só, já era um desastre de comunicação corporativa. Ainda mais quando o funcionário era este cara, de bermuda e descalço. Aquele homem que ele conhecera, mas que não conhecia; cuja vida já desejara destruir, mas de um modo totalmente diferente...

– Philip, eu não fazia ideia que você trabalhava para o National Southern – disse ele, com a voz fortalecida pelo fato de que, pelo menos em relação a isso, ele estava sendo honesto. – Não no início.

– E quanto a isso? – Philip apontou para o fax.

Ele parecia completamente diferente do cara amável que conversara com ele na noite anterior, tomando vinho até ficar bêbado, pensou Hugh. Aquele homem estava tenso, zangado e desconfiado, encarando Hugh sem o menor sinal de amizade no rosto. Era como se fosse a primeira vez que se encontravam.

De certo modo, pensou Hugh, realmente era. Toda aquela bobagem de não falar sobre trabalho, de usar camiseta, de descontrair e esquecer a vida lá fora provou ser uma grande besteira. Não se pode evitar a vida real, nem estando de férias. A vida real permanece presente o tempo todo, à espreita, aguardando o momento para pegar você; chegando até você via fax, telefone, televisão. E se você está desprevenido, tanto pior.

– Só soube hoje – argumentou ele. – Não tinha ideia de quem era você. Então, encontrei o Nat. Ele tinha uma pasta com o logotipo da PBL e eu perguntei onde ele a conseguira, e quando ele me disse... – Hugh balançou a cabeça. – Não pude acreditar. Impossível. Ambos trabalhamos para o mesmo grupo...

– O National Southern e a PBL não são o mesmo grupo – disse Philip com a voz tensa. – Sua empresa é a dona. Não é a mesma coisa. – Hugh olhou para ele, espantado por sua hostilidade.

– A aquisição foi completamente amigável.

– Em termos de conselho, talvez.

Hugh balançou a cabeça.

– Não somente em termos de conselho. Nossa equipe de transição executiva tem controlado os níveis de satisfação de pessoal em toda a companhia, e ela descobriu que...

– Você quer saber como os meus funcionários se referem ao seu pessoal? – perguntou Philip, ignorando-o. – Filhos da puta.

Hugh permaneceu em silêncio durante um momento.

– Philip, estou do seu lado – disse ele finalmente. – Tudo que eu quero fazer é...

– O que você quer fazer é descobrir tudo o que puder a meu respeito. – Philip sacudiu o fax. – Você tinha intenção de me *dizer* alguma coisa a respeito disso?

– Claro! – exclamou Hugh. – Nossa! Eu queria descobrir quais eram as recomendações, para o *seu* bem. Queria.. avisá-lo se algo...

– Bem, continue então. – Philip apontou para as páginas. – Vá em frente, Sr. Estratégia Corporativa. Por que não lê e descobre logo se o final é feliz ou não?

Ele olhou para Hugh de modo desafiador. Após uma pausa, Hugh virou a página do fax. Leu as primeiras palavras e olhou para Philip.

– East Roywich – disse ele. – É a sua filial?

Philip parecia incrédulo.

– Sim – respondeu ele. – Exatamente. Suponho que não passa de mais um nome para você, não é?

Hugh não disse nada, mas sentiu a boca se contrair. Por que ele deveria saber que Philip trabalhava na East Roywich? Ele nem sequer sabia onde ficava. Ele leu a página rapidamente e passou para a seguinte. À medida que lia as frases objetivas, franzia mais o cenho. A East Roywich não era nem um caso incerto ou questionável. Ia ser dispensada. E rapidamente, pelo andar da carruagem.

– Eu não confundi o jargão, não é? – perguntou Philip, sem tirar os olhos dele. – Vocês vão fechar a filial.

Hugh passou para a última página do fax e leu o último parágrafo, sem absorver uma única palavra. O que ele ia dizer àquele homem? Ele não era o diretor de comunicações.

– O objetivo dessa fusão – disse ele, sem levantar os olhos – é criar oportunidades. Oportunidades para a PBL e oportunidades para o National Southern. Para maximizar essas oportunidades...

– Vocês vão fechar a filial. – A voz de Philip soou áspera. – Vão "enxugar". É assim que vocês chamam?

– "Ajustar" – corrigiu Hugh automaticamente, erguendo a cabeça, e vendo Philip fitá-lo com uma expressão que beirava o desprezo. – Ah, meu Deus – disse ele, esfregando o rosto. – Ouça, Philip. Eu sinto muito. De verdade. Isso não foi decisão minha. Não é nem a minha área...

– Mas vai acontecer – disse Philip, tenso e pálido. – Ou é apenas uma sugestão?

Hugh suspirou.

– A menos que, por alguma razão, o conselho decida ignorar estas recomendações, o que é...

– Impossível?

– Improvável – corrigiu Hugh. – Muito improvável.

– Entendo. – Philip afundou lentamente em uma cadeira. Abriu a mão e a olhou durante um momento, em silêncio. Então, olhou para Hugh, com um leve ar de esperança. – E nem o Chefe da Estratégia Corporativa poderia persuadi-los?

Seu tom era descontraído, quase de brincadeira. Mas havia um fio de otimismo, mesmo assim; uma fagulha de súplica. Hugh sentiu-se abatido. Ele voltou ao fax e leu a análise, mais detalhadamente, procurando características compensatórias, pontos de vantagem.

Mas não havia nenhum. East Roywich, por si só, era um lugar em decadência. A filial fora bem-sucedida em meados dos anos 1990; chegara inclusive a ganhar um ou dois prêmios internos. No entanto, desde a construção de um shopping, a menos de 5 quilômetros, East Roywich perdera a importância como rua principal e o desempenho do National Southern caíra. A base de clientes havia encolhido; as receitas, diminuído; várias iniciativas de marketing tinham falhado. De qualquer ângulo que se olhasse, tratava-se de um peso morto.

– Sinto muito – disse, levantando os olhos. – Não há nada que eu possa fazer. Baseado apenas em desempenho...

– Desempenho? – repetiu Philip, nervoso.

– Não me refiro ao *seu* desempenho – corrigiu Hugh rapidamente. – Lógico. Refiro-me à filial, no todo... – Quando encontrou o olhar tenso de Philip, ele sentiu o rubor no pescoço e as mãos apertarem o fax. Deus do céu, como era difícil explicar a realidade comercial completa a alguém, cara a cara. E a alguém que ele de fato *conhecia*... – Segundo esta análise – prosseguiu –, a filial não tem produzido exatamente como o esperado...

– E isso é alguma surpresa para você? – replicou Philip com veemência. – Deus do céu, vocês com seus números, seus projetos e seus... – Ele fez uma pausa e passou os dedos pelo cabelo desgrenhado. – Você faz ideia de como têm sido os últimos meses? A comunicação por parte de vocês tem sido absolutamente nula. Os funcionários estavam preocupados, os clientes têm perguntado diariamente se vamos fechar... Tínhamos um projeto de marketing local que precisou ser cancelado até sabermos o que aconteceria. Estamos empacados há três meses. E agora você diz que vamos fechar porque deixamos a desejar em relação a desempenho!

– O período pós-fusão é sempre difícil para todo mundo – explicou Hugh, valendo-se de um ponto que ele sabia responder. – Isso todo mundo sabe. – Ele apontou para o fax. – O que estes números mostram, no entanto, é desempenho abaixo do ideal...

– Então, isso tem sido difícil para você? – interrompeu Philip. Seu rosto estava pálido; seus lábios tremiam de raiva. – Você tem passado a noite em claro, preocupado, confuso, ansioso por pelo menos uma informação tangível? Seus clientes vêm fazendo perguntas todos os dias? Por acaso você teve que presenciar a confiança e o ânimo dos funcionários se desintegrarem quase totalmente? Por acaso viu seu casamento quase ir por água abaixo, por não conseguir parar de pensar sobre o que os idiotas da PBL poderiam decidir? Você passou por isso, Hugh?

Sua voz aguda e sarcástica ecoou pelo ar, e Hugh não conseguia tirar os olhos dele, desapontado, sem conseguir pensar em frases de consolo. Ele não tinha nada para dizer àquele homem. Não sabia nada da vida dele, das dificuldades cotidianas que ele tivera que enfrentar. De repente, se deu conta de que não sabia nada a respeito de nada.

O som de passos se aproximando quebrou o silêncio. Logo depois, na lateral da casa, surgiu Jenna. Ela hesitou e olhou para os dois homens com ar de curiosidade.

– Eu estava procurando o Sam – disse ela. – Sabem onde ele está?

– Não – respondeu Hugh. Philip balançou a cabeça negativamente.

– Tudo bem – disse Jenna, e, depois de outra olhada curiosa, foi embora.

Quando o som dos seus passos se extinguiu lentamente, os dois homens se olharam em silêncio. A atmosfera tinha sido interrompida; era como se estivessem começando do zero.

Ele deveria odiar aquele cara, pensou Hugh. Racionalmente, deveria odiá-lo. Aquele era o homem que Chloe amava, o seu rival. Mas ao captar o rosto ansioso de Philip, com seu cabelo desgrenhado e, acima de tudo, seu jeito simpático, viu que não poderia. Ele não poderia odiar Philip. E ao pegar a taça e tomar um gole do vinho, percebeu que também não poderia assistir, impassível, à sua demissão.

Não era apenas egoísmo. Não era apenas pela intenção de aumentar suas chances em relação a Chloe que ele desejava ajudar aquele homem. As palavras de Philip haviam sido impactantes. Lá estava um homem trabalhador, decente, com anos de experiência, pensou Hugh. Um homem, obviamente, dedicado, preocupado com seu emprego, com seus clientes, com o futuro da empresa. Aquele era o tipo de funcionário que a PBL deveria apoiar e promover, não despedir. Essa seria uma oportunidade para fazer isso.

– Vou dar um telefonema – disse num ímpeto. Bebeu o restante do vinho e olhou para Philip. – Eu conheço muito bem o diretor de recursos humanos. Verei o que posso fazer.

O ESCRITÓRIO PARECIA ESCURO e sombrio, em comparação com a luz do sol do lado de fora. Hugh foi direto para a escrivaninha, apanhou o telefone e discou um número.

– Vou deixar você sozinho, tudo bem? – disse Philip, esgueirando-se, envergonhado, na porta. Hugh balançou a cabeça negativamente.

– Ele pode querer falar com você. É melhor ficar. – Sua expressão se modificou. – Oi, Christine, é Hugh Stratton! Isso mesmo. Como vai? Bem. Eu gostaria de dar uma palavrinha com o Tony. Ele está? Ah, ótimo.

Ele olhou para Philip, sentado em uma cadeira no canto da sala.

– Eu conheço o Tony há algum tempo – explicou Hugh, de maneira animadora. – Ele é um sujeito excelente. Muito capaz. Se alguém puder ajudar, ele é a pessoa certa.

Houve outra pausa. Philip permanecia completamente imóvel, entrelaçando as mãos, até os nós dos dedos ficarem brancos. Então se levantou.

– Ouça Hugh, esqueça – disse abruptamente. – Isso é... bem, está tudo errado. Não quero que você use sua influência para me ajudar. Se a filial realmente vai fechar e eu não posso manter o meu emprego por meus próprios méritos, então que assim seja. Prefiro isso a... nepotismo.

– Não é uma questão de nepotismo – redarguiu Hugh. – Acredite em mim, Philip, se fosse, eu não estaria fazendo isso. Acredite.

Philip ficou em silêncio durante um momento, olhou para cima e forçou um sorriso.

– Então – disse ele rapidamente. – Como se sente, tendo a vida de outro homem nas mãos?

Hugh olhou para Philip com a garganta apertada, a mente repleta de imagens de Chloe deitada nua, lânguida, a pele clara, nos lençóis brancos e amarrotados. A mulher daquele homem, a vida daquele homem... Meu Deus. Hugh percebeu que sua mão estava encharcada de suor. Ele queria, acima de qualquer coisa, fazer pelo menos algo de bom para aquele homem. Ele *tinha* que fazer isso dar certo.

– Alô? – A voz suave de Tony o assustou, e ele se voltou, agradecido, ao telefone.

– Oi, Tony? É o Hugh.

– Hugh! O que posso fazer por você?

– Eu queria falar sobre... sobre um assunto pessoal – disse Hugh, e pigarreou. – Eu estive lendo o relatório da Mackenzie...

– Como todos nós – completou Tony. – Eu sei que você falou com a Alistair sobre a implementação. Todos concordamos que rapidez é a palavra-chave, e posso garantir que iremos promover a mudança o mais rápido possível. Tudo correndo bem, a reestruturação deve estar completa em... deixe-me dar uma olhada... – Tony fez uma pausa, e Hugh o interrompeu:

– Para falar a verdade, Tony – disse ele –, não era sobre isso que eu queria falar. Eu gostaria de perguntar-lhe sobre uma filial específica do National Southern.

– É mesmo? – perguntou Tony, surpreso. – Que filial seria?

– A East Roywich – respondeu Hugh. – Acho que está destinada a fechar, não?

– Deixe-me olhar o relatório completo – pediu Tony. – Christine... – Sua voz sumiu e Hugh levantou as sobrancelhas para Philip, que tentou retribuir com um sorriso.

– Deixe-me ver... – ouviu-se a voz de Tony. – Ah, sim. East Roywich. O que tem ela?

– Bem – disse Hugh, e hesitou, surpreso por perceber que estava ligeiramente nervoso. Ele pegou um lápis e começou a desenhar cubinhos precisos no imaculado mata-borrão verde de Gerard. – Eu conheço o gerente dessa filial. Ele é muito talentoso e dedicado, o tipo de funcionário que devemos manter. Eu queria saber se você estava planejando remanejá-lo.

– Entendi – disse Tony após alguns segundos. – Bem, vamos dar uma olhada... – Seu tom de voz mudou. – Ahh... tem razão. *Há* realmente um cara *brilhante* na East Roywich, e nós acabamos de colocá-lo na direção da filial que passou pelo processo de fusão, em South Drayton. Chris Harris. Aliás, ele veio para a entrevista na semana passada. Eu o conheci pessoalmente. Ele é muito inteligente, interessado, está disposto a crescer conosco e possui amplo conhecimento em informática.

– Não... eu não me referia a essa pessoa – disse Hugh, cravando o lápis no mata-borrão. – E Philip Murray? O gerente.

– Ah. – Tony pareceu desconcertado por ser interrompido. Hugh ouviu o som de uma página sendo virada e, ao fundo, outro toque telefônico. – Ah, sim. Philip Murray. Bem, obviamente não o conheci pessoalmente, mas de acordo com as anotações, a sensação geral é a de que ele é um pouco velho, um pouco fechado a mudanças para o perfil da PBL. E o nível salarial dele é, naturalmente, mais alto... Economicamente, não faz sentido mantê-lo.

– Talvez não faça sentido teoricamente – argumentou Hugh. – Mas certamente é preciso valorizar sua experiência, seu conhecimento. Nós iremos precisar de pessoas na diretoria que conheçam o modo como o National Southern funciona...

– Nós temos um grande número pessoas na diretoria que sabem como o National Southern opera – explicou Tony de forma decisiva. – Inclusive, esse número é até grande demais, se você quer saber. Hugh, eu realmente aprecio sua preocupação, mas neste caso, realmente...

– Vamos lá, Tony – insistiu Hugh, sentindo um leve pânico. Ele vai não poderia falhar. Simplesmente não poderia. – Tem que ter algo para ele, em algum lugar. Você não pode deixá-lo sem recursos!

– Ninguém está sendo deixado sem recursos – retrucou Tony. – Ele vai receber uma boa indenização. Muito boa. Ou, se ele quiser, pode fazer como vários funcionários do National Southern estão fazendo, que é juntar-se ao programa de treinamento de telecomunicações da PBL.

– E o que é isso, exatamente?

– Vendas e marketing de equipamentos de telecomunicações – explicou Tony. – Três semanas de treinamento, um bom pacote de benefícios...

Hugh sentiu um ímpeto de pura raiva.

– Qual é, Tony! – ele cortou. – Isso é um insulto e você sabe disso. Não estamos falando de nenhum caixa. Esse cara tem curso superior, conhecimento na área de finanças... a filial dele conquistou prêmios em meados dos anos 1990, caramba. Ele trabalha para o National Southern há 16 anos. Não tem nada que possamos fazer além de lhe oferecer um monte de telefones para vender? Deus do céu!

Ele fez uma pausa, arfando ligeiramente. Um silêncio assustador se fez do outro lado da linha.

– Hugh – disse Tony finalmente –, de onde você está ligando?

Hugh olhou em volta do estúdio escuro, meio desorientado.

– Eu... Eu estou de férias – respondeu ele. – Na Espanha.

– Entendi – disse Tony, e houve outro momento de silêncio. – Bem, vou falar uma coisa para você. Dá para se ver que isso é realmente importante para você. Então, quando voltar, vamos nos encontrar e discutir algumas questões, está bem?

– Não. Quero resolver isso agora. Quero uma resposta.

– Vou pedir à Christine para telefonar para sua assistente e ver o que é possível – assegurou Tony. – É a Della, não é?

– Sim, mas...

– Aproveite as férias, Hugh. Descanse bastante. Nos falamos quando você voltar. Prometo.

O telefone ficou mudo e Hugh permaneceu parado, olhando o aparelho, chocado, humilhado. Por alguns segundos, não conseguiu se mover. Então, muito lentamente, ergueu a cabeça e olhou para Philip.

– Philip... – Ele fez uma pausa, incapaz de achar as palavras certas. Incapaz de acreditar que seu pedido fora ignorado daquela maneira.

– Não se preocupe. Por favor, Hugh. Não se sinta mal. Você tentou. Isso é mais do que a maioria teria feito. Eu estou verdadeiramente agradecido.

– Vou falar com ele – disse Hugh. – Assim que voltar. Vou falar com ele, explicar a situação...

– Hugh... não precisa. – Philip ergueu a mão, e Hugh olhou para ele, sentindo-se um tolo. – Acho que ambos sabemos que não adiantaria nada. Meu emprego já era. Ponto final. E sabe de uma coisa?

Em silêncio, Philip esticou os braços na sua frente e se levantou.

– Eu me sinto ótimo – disse ele, olhando para Hugh. – Aliás, fazia tempo que não me sentia tão bem. O choque inicial foi ruim, mas agora me sinto aliviado, mais do que qualquer coisa. Pelo menos, agora eu tenho certeza. *Certeza*. – Ele foi até a janela e olhou para fora. – Isso era o que estava me matando. A incerteza. Mas agora acabou, e como não há nada que eu possa fazer a respeito, sinto-me mais otimista. – Ele apanhou um elefante de madeira em uma mesa lateral, examinou-o durante um momento e pousou-o novamente. – Nós vamos superar. Chloe e eu – disse ele, virando-se. – Encontraremos uma saída.

A simples menção ao nome de Chloe fez Hugh dar um sobressalto. Ele fitou Philip e sentiu um frio súbito, uma tensão, ao pensar nas consequências do que acabara de ocorrer: o emprego de Philip estava perdido, Chloe o apoiaria incondicionalmente, ficaria com ele. Estava tudo acabado.

– Você falou sobre outra pessoa do National Southern, não é? – perguntou Philip. – Alguém da minha filial?

– Chris... Chris Harris – disse Hugh, num esforço para voltar sua atenção ao momento. – Ofereceram a ele a gerência de uma das filiais.

– Chris? – repetiu Philip, e deu uma risada. – Ele não concordaria com isso!

– Ao que parece, já concordou – respondeu Hugh. – Ele foi entrevistado na semana passada.

Philip olhou para ele, perplexo.

– Na *semana* passada? Mas eu estava com ele na semana passada, e ele não disse nenhuma palavra a respeito disso. – Ele balançou a cabeça, incrédulo. – Isso é um jogo, não é? Um maldito jogo. Para falar a verdade, ainda bem que me livrei disso.

– Creio que sim – respondeu Hugh. Ele observou Philip ir até à porta do escritório. – Você vai contar à Chloe?

– Ah, sim. Vou falar com ela agora mesmo.

– Será que... será que ela vai reagir bem? – perguntou Hugh, incapaz de se conter.

Philip virou e sorriu, com o rosto iluminado pelo afeto. *Ele a ama*, Hugh pensou com um ciúme feroz. *Ele realmente a ama.*

– Ela vai ficar bem – afirmou Philip. – Chloe não... ela não é como outras mulheres.

– Tem razão – assentiu Hugh, quando Philip fechou a porta atrás dele. – Com certeza não é.

CHLOE ESTAVA SENTADA NA GRAMA, ao lado da casa, olhando para o chão, desanimada. Desde o ataque de fúria de Sam, mantivera-se isolada. No estado de incerteza no qual se encontrava, sentia-se insegura demais para fazer contato humano. Como alguém à beira da insanidade: com medo de se trair por alguma reação extrema, ou cair em prantos, sem motivo. Acima de tudo, sentia-se enfraquecida. Enfraquecida demais para assumir o controle, para tomar qualquer decisão.

Ela levantou a cabeça e viu Philip aproximar-se e sentiu um tremor profundo. Philip sentou-se ao lado dela e, durante um tempo, os dois permaneceram em silêncio.

– Bem, eu descobri – disse Philip finalmente, e o pânico tomou conta de Chloe, surpreendendo-a com sua força. Ela levantou os olhos, assustada. *O que ele havia descoberto? Como ele tinha...* – Vão fechar a filial. Perdi o emprego.

Chloe lançou-lhe um olhar apático. Então, à medida que as palavras, pouco a pouco, invadiam sua mente e começavam a fazer sentido, ela sentiu uma emoção, forte e incontrolável. As lágrimas começaram a rolar em seu rosto e ela deu um soluço.

– Chloe! – disse Philip, assustado. – Chloe...

Ela abriu a boca para falar, mas não conseguia dizer nada. Tudo o que conseguiu fazer foi ficar parada e deixar a emoção atravessá-la, brotando em lágrimas e soluços.

Ela sabia que Philip não estava acostumado a vê-la daquele jeito. Era em situações assim que ela normalmente se superava. Quantas vezes havia entrado em ação, assumindo o controle, dando ânimo, cuidando da família durante os momentos de crise? Quando o pai de Philip tinha morrido. Quando Nat teve problemas renais. Ela fora a fortaleza; o suporte. Porém, dessa vez, ela não podia apoiar ninguém. Sua força havia desaparecido, estava em frangalhos.

– Chloe... – Philip pegou sua mão. – Não se preocupe. Não vai ser tão ruim.

– Sei disso – assentiu Chloe com a voz trêmula, e enxugou as lágrimas. – Desculpe. Claro que não vai. Ficaremos bem. Tudo vai se resolver. – Ela respirou profundamente e sorriu para Philip, um sorriso animador. Mas as lágrimas insistiam em voltar aos seus olhos. Seu sorriso desapareceu. – Desculpe – disse ela entre soluços. – Não sei o que está acontecendo comigo. Eu me sinto tão... assustada.

Philip a abraçou.

– Não fique assim, Chloe. Não fique assim. – Ele acariciou as costas dela, como se acalmasse um bebê. – Não é o fim do mundo. Encontrarei outra coisa. Nós vamos superar.

Chloe levantou o rosto encharcado de lágrimas e olhou para ele, como se buscasse uma pista perdida.

– Você acha? – perguntou ela, finalmente. – Você realmente pensa assim?

– Claro – afirmou Philip, confiante. – Somos uma equipe. Sempre superaremos as dificuldades juntos.

Chloe fitou o rosto gentil, familiar e esperançoso do companheiro e voltou a chorar. Philip a tomou nos braços novamente e, durante algum tempo, eles ficaram em silêncio, as lágrimas de Chloe molhando a camisa dele.

– Isso é ridículo! – disse ela finalmente, esfregando o rosto ruborizado. – Eu nunca choro. Nunca!

– Talvez seja por isso – disse Philip, fitando-a. – Talvez, todo mundo precise chorar de vez em quando. – Ele estendeu a mão e, suavemente, afastou uma mecha do seu cabelo. – Não tem sido fácil para você. Mas agora... – Ele respirou profundamente. – Não sei quanto a você, Chloe, mas eu sinto uma sensação de alívio. Me sinto... feliz!

– Feliz?

– Esse não é o fim do mundo, é uma oportunidade. Uma chance de recomeçar – Philip pegou as mãos dela e a fitou com uma expressão séria. – Uma chance de pensar sobre o que queremos... e lutar por isso. Talvez eu finalmente faça um curso de informática ou escreva aquele livro... ou qualquer outra coisa. Talvez possamos nos mudar para outro país.

– Outro país? – Chloe fitou-o, espantada. – Você está falando sério?

– Por que não? Podemos fazer o que quisermos. Ir a qualquer lugar que a gente queira. – O rosto de Philip iluminou-se com o entusiasmo. – Sabe, de um modo estranho, estou bastante empolgado. Quantas pessoas têm a oportunidade de mudar sua vida completamente? Quantas pessoas têm uma segunda chance?

Chloe fitou o marido, em silêncio. *Se você soubesse*, ela pensou. *Se você soubesse a segunda chance que eu tive.* Mesmo articulando o pensamento, ela sentiu a angústia da paixão por Hugh e fechou os olhos, num esforço para suportá-la. Mas a sensação já se tornara mais silenciosa, menos aguda. Como o enfraquecimento de um vírus.

– Poucas pessoas – disse ela finalmente. – Poucas pessoas têm uma segunda chance.

E agora, as lágrimas rolavam no seu rosto novamente, como chuva de verão. Ela olhou para Philip com ar impotente, em parte rindo de si mesma.

– Sou um caso perdido – admitiu ela. – Não me leve a sério. – Philip estendeu a mão e acariciou seu rosto.

– Podemos nos casar – disse ele carinhosamente, e Chloe gelou. Seu rosto começou a formigar; de repente, ela não conseguia respirar direito.

– Casar? – perguntou ela, tentando parecer tranquila. – Por que... por que você está dizendo isso?

– Sei que você sempre quis, mas eu não achava que fosse importante. Mas como a nossa vida está mudando...

Philip tocou os lábios dela suavemente. – Fiz você passar por maus momentos recentemente. Talvez eu queira recompensá-la.

– Você não tem que me recompensar – disse Chloe com a voz trêmula. – Você não tem obrigação de fazer nada. Vamos somente... manter as coisas como estão. Exatamente como estão.

Ela enterrou a cabeça nas mãos e Philip a fitou, preocupado.

– Chloe... Você está bem? Não há mais nada de errado?

– Não – respondeu Chloe imediatamente. – Não, eu estou bem. – Ela ergueu a cabeça. – Sam foi grosseiro comigo mais cedo, só isso. Eu fiquei sem ação. – Philip franziu a testa.

– Vou falar com ele.

– Não, não precisa.

Ela se aconchegou nos braços dele, sentindo-se como uma criança; queria atenção, carinho e proteção. Philip acariciou suas costas, de maneira tranquilizadora, ritmada, até sua respiração se acalmar e ela relaxar.

– Uma coisa é certa – disse ele baixinho. – Não precisamos nos preocupar com dinheiro. Pelo menos durante algum tempo. Os termos da rescisão são muito bons.

– É mesmo?

– Hugh disse que seriam pelo menos dois anos de salário.

– Hugh? – Chloe gelou. – Você quer dizer... você contou ao Hugh antes de me contar? – perguntou ela, tentando um tom casual.

– Ah, ele já sabia. E até tentou ajudar, mas foi em vão.

Chloe olhou para o marido, desorientada. Seu rosto continuava vermelho, uma lágrima permanecia na curva da sua bochecha.

– Que... o que você quer dizer com "ele sabia"? – perguntou ela, tentando se manter calma. – Philip, do que você está falando?

Hugh estava sozinho no escritório, fitando o vazio. Era como se o chão tivesse desaparecido sob seus pés. Todas as horas passadas no trabalho; todo o tempo, sacrifício e devoção; para quê? Quando realmente poderia fazer diferença, vira-se impotente, como qualquer outra pessoa. Tão impotente como um de seus pequenos ícones com chapéu de jogador de boliche. Apenas mais uma roda dentada na engrenagem, cuja opinião sobre algo além do seu próprio campo restrito não tinha nenhum valor. Ele achava que detinha certo grau de poder e respeito dentro da empresa. Mesmo sem nunca fazer uso dessas propriedades, acreditava piamente em sua existência. Mas não era verdade. Ele não tinha nada.

Sentia-se enganado: as nuvens haviam se dissipado, e ele vislumbrava as coisas como realmente eram. Sua carreira, sua vida, suas decisões. Uma pessoa pode passar uma vida inteira se enganando. Perseguindo uma miragem.

Quantos erros cometera na vida. Pousou a cabeça nas mãos e fitou o falso "azul férias" da sunga. Se tivesse ficado com Chloe, como seria sua vida com ela e Sam, além dos filhos que viessem a ter juntos? Que tipo de pessoa poderia ter se tornado? Imaginou-se jogando bola num parque com Sam, pequenino e sorridente. Será que teria sido um pai diferente? Será que tudo teria sido diferente?

O telefone tocou e, por um momento, ele se perguntou ridiculamente se poderia ser Tony, ligando de volta para dizer que mudara de opinião, oferecendo a Philip uma posição bem remunerada. Quem sabe até se desculpando.

– Alô? – disse, esperançoso.

– Alô, Hugh? – disse uma voz de barítono. – É o Gerard.

Hugh levou um susto. Por um momento, ficou sem fôlego, incapaz de falar.

– Tenho novidades. Estou na Espanha! Vim fazer uma visitinha!

– Você está na *Espanha*? – perguntou Hugh. De repente ele se lembrou das palavras de Sam. *Ele virá nos visitar.*

Gerard, que diabo você...

– Fui tomado por um desejo – disse Gerard – de ir até aí para ver como vocês estão indo. Vou ficar com alguns amigos em Granada esta noite, mas amanhã à tarde estarei com vocês. Têm acomodações para mim, não é? Estou ansioso para ver vocês! – O tom malicioso em sua voz era inconfundível e Hugh chegou a visualizá-lo, com seu chapéu panamá antiquado e uma taça de vinho na mão, sorrindo. – A propósito, como estão se relacionando? – perguntou Gerard, tentando parecer inocente. – Tudo correndo bem, espero.

– Você é um babaca, Gerard – disse Hugh, agarrando o telefone com força.

– Como?

– Isso não é um desejo súbito, não é? Você planejou vir, o tempo todo. Você não passa de um sádico, deplorável...

– Ouça, Hugh – disse Gerard. – Isso é um pouco forte, não acha? Sei que deve ter sido uma situação incômoda, mas realmente, qualquer um pode cometer um engano...

– Não foi um engano. Você *sabia* sobre a PBL e o National Southern. Sabia da situação. Pelo amor de Deus, Gerard...

– Ah, Hugh, eu sinto muito. – A voz de Gerard parecia esconder uma risada. – Quer dizer que foi constrangedor para você? Eu não queria que...

– Você deve estar achando tudo muito engraçado. Deve adorar poder desfrutar de uma posição privilegiada, destruindo a vida de outras pessoas...

– Francamente, Hugh! – exclamou Gerard. – Não seja tão melodramático! Um pouco de diversão não mata ninguém.

– Você chama isso de diversão? Brincar... brincar de Deus desse jeito?

– Quem é você para falar sobre brincar de Deus? É exatamente esse o seu trabalho! – gritou Gerard. – Ah, meu Deus, Hugh. Você perdeu o senso de humor? E de qualquer maneira, quem pode afirmar que meus motivos não foram inteiramente nobres? Eu posso ter imaginado que seria bom se você e Philip se conhecessem. Duas faces da mesma moeda.

– E quanto a Chloe e eu? Considera diversão, também?

Houve silêncio, quebrado apenas pelo ruído na ligação.

– Você e Chloe? – perguntou Gerard.

Ele pareceu verdadeiramente perplexo. Hugh fitou o telefone com o coração disparado, a mente trabalhando rápido. O que Gerard estava tramando? Outro jogo?

– Hugh, está me ouvindo?

Com certeza Gerard sabia. Ele *tinha* que saber.

Hugh contraiu o rosto, num esforço para ativar a memória. Gerard viajou o resto daquele verão. Quando voltou, o relacionamento com Chloe já tinha acabado. Hugh jamais mencionara nada a respeito. Talvez Chloe nunca tivesse falado. Talvez...

Talvez Gerard não soubesse de nada. Nesse caso...

A mão de Hugh estava suada. Nesse caso, ele quase entregara o segredo mais importante, mais delicado da sua vida... e justo para quem? Gerard Lowe. Nervoso, ele imaginou o prazer com que Gerard se valeria de tal informação, as insinuações e os aborrecimentos que se sucederiam. Isso não poderia, não deveria acontecer.

– Sim – disse ele, num esforço desesperado de parecer tranquilo. – Sim, estou ouvindo. Eu só queria dizer que... foi constrangedor para todos nós. Amanda também...

– Amigo, eu preciso desligar – disse Gerard. – Minha anfitriã está me chamando. Mas verei vocês amanhã. Está bem?

– Tudo bem – assentiu Hugh, antes de pousar o telefone, com a mão ainda trêmula.

A magnitude do erro que quase cometera o deixara vazio. Havia ido até a beira de um precipício e se dera conta do perigo, a tempo de evitá-lo.

E como um sobrevivente que se agarra no topo do despenhadeiro, sua vida pareceu tomar uma perspectiva diferente. De repente, as coisas que ele ignorava – seu casamento, sua esposa, suas filhas – pareciam valiosas.

Arriscara-se a perder tudo isso. Não fora um risco teórico, ou uma situação hipotética; tampouco uma estratégia provável construída na segurança da tela de um computador. Ele correra um risco real, de perder o fôlego. Transara com outra mulher. Fizera propostas a outra mulher, não muito longe de onde sua esposa dormia. E se ela, por acaso, acordasse, saísse do quarto, pegasse os dois em flagrante...

Hugh fechou os olhos, sentindo-se fraco. Ele teria perdido Amanda e as filhas. Perderia Chloe, também. Teria perdido tudo. *Que jogo perigoso!*, pensou. *Que estúpido jogo perigoso eu tenho jogado!*

Ligeiramente atordoado, ele foi até uma mesa de bebidas, ao lado da janela. Serviu-se de uma dose de uísque, bebeu de um gole só e encheu o copo novamente. Então seus olhos se focaram. Seu rosto se contraiu, ao ver Philip e Chloe sentados em um banco, no jardim. Estavam abraçados e conversavam seriamente. Chloe parecia chorar.

Hugh pressionou o rosto contra a janela e os observou, como uma criança na vitrine de uma loja de brinquedos. Viu com angústia quando Chloe pegou a mão de Philip, entrelaçando seus dedos nos dele. Eles se olhavam de um modo que ele jamais experimentara com Amanda.

Ele devia ser louco, pensou, apertando com força as mãos ao lado do corpo. Completamente maluco. Chloe jamais seria sua. Chegara a imaginar que seria; imaginara de modo insano que Sam poderia tornar-se o filho que não tivera. Uma emoção súbita o atingiu ao visualizar Sam pequenino, e ele balançou a cabeça com força para libertar-se daquela imagem, daquele bebê alegre sentadinho no tapete. Porque agora era tarde demais, muito tarde. Bastava olhar para ela e para Philip, acariciando suas costas; aconchegando-a nos braços, afastando seu cabelo com intimidade. Quantas horas, dias e semanas refletia aquela proximidade? Quantas lágrimas, esperanças e problemas? Ele nunca poderia competir com aquela força, com aquela união. Chloe tinha razão, como sempre. Quinze anos eram 15 anos. Na comparação, ele era um principiante. Sem chance.

Que o deixava... onde? Lentamente, limpou o círculo embaçado no vidro, formado por seu suspiro. Então, concluiu que a situação o deixava junto à sua esposa, à sua família e ao seu casamento; junto às pessoas que deveriam ser próximas a ele, mas que não eram. Junto à estrutura que sempre pareceu funcionar com eficiência ao seu redor, sem muita emoção, sem afetar sua vida, sua comodidade ou seus sentimentos.

Um tom mais elevado de voz chamou sua atenção e ele olhou, tenso, quando Philip disse algo que fez Chloe dar uma risada; ela olhava para o marido, com os olhos brilhantes, sem saber que estava sendo observada. Perdi a oportunidade, ele pensou. Perdi a oportunidade de conhecer direito a minha mulher, de conhecer direito as minhas filhas. Oito anos de casado e onde passei noventa por cento desse tempo? No escritório. Ao telefone. Lutando por uma carreira que, de repente, parece sem sentido. Sou um estrategista, caramba. Como posso ter errado tanto em minha própria vida?

Hugh afastou-se da janela e fitou próprio reflexo escuro. Nunca, em toda a sua vida, sentira-se tão sozinho. Durante alguns minutos, permaneceu imóvel, olhando para a própria imagem, tendo Philip e Chloe como pano de fundo, como um filme, permitindo seus pensamentos se acomodarem e firmarem.

Ele mudaria as coisas. Mudaria a si mesmo, transformando-se na pessoa que queria ser. Recuperaria a própria vida, recuperaria suas filhas. Ainda havia tempo.

Num ímpeto, foi até a escrivaninha e discou um número.

– Alô – disse ele, assim que ouviu uma voz, do outro lado da linha. – Tony, é Hugh Stratton de novo. Não, não é sobre Philip Murray. – Ele olhou novamente para seu reflexo e respirou profundamente. – É sobre o meu emprego.

CAPÍTULO QUATORZE

Às 18 horas, Jenna foi até a cozinha e parou, surpresa. Nat, Octavia e Beatrice estavam sentados no chão, assistindo a um desenho espanhol, na televisão presa à parede e comendo pirulitos de chocolate. Amanda estava na mesa de mármore de café da manhã, bebendo o que parecia... Jenna olhou, incrédula, a garrafa. Amanda todo-pretensiosa estava bebendo... vodca?

– Como foi a tarde? – perguntou ela educadamente.

Não houve resposta.

– Amanda? – chamou Jenna, sentindo uma pontada de apreensão.

– Terrível – respondeu Amanda, sem levantar os olhos. – Completamente terrível. Após viajarmos por vários quilômetros num calor infernal, descobrimos que o abrigo para burros estava fechado para obras. – Ela tomou um gole da bebida. – Então, paramos para comer em um café *nojento* e voltamos para cá. No caminho, os três passaram mal.

– Nossa! – admirou-se Jenna, lançando os olhos às crianças. – Todos eles?

– O Nat pelo menos me avisou a tempo de parar o carro – disse Amanda. – Mas Octavia e Beatrice não conseguiram. Eu tive que procurar um posto de gasolina para limpar o carro. Depois de tudo resolvido, voltamos para a estrada e eu dirigi a menos de 5 quilômetros por hora, parando a cada dez minutos. – Ela levantou os olhos. – Já tive dias melhores, para falar a verdade.

Sutilmente, Jenna sentou-se em frente a Amanda. Ela olhou para seu rosto abatido e, pela primeira vez, notou as linhas de expressão em sua testa bronzeada. Havia uma ruga de tensão entre as sobrancelhas bem-feitas, e ela segurava o copo com força, como se tentasse impedir que a mão tremesse.

– Amanda... – disse Jenna com delicadeza –, você está gostando dessas férias? Está se divertindo?

– Acho que sim – respondeu ela, como se não tivesse pensado no assunto anteriormente. – As acomodações não são perfeitas; eu bem que gostaria de mais privacidade. Mas... – Ela não completou a frase e tomou outro gole da vodca. – Está bom. Levando tudo em consideração. Está bom. Se não estivesse fazendo tanto calor...

– Você deveria tirar um dia para você – sugeriu Jenna. – Por que não sai um pouco para se divertir?

– É, talvez – disse Amanda, olhando para o copo. Então, levantou a cabeça, com olhos injetados. – Por que é que tiramos férias, afinal? Por que alguém tira férias?

– Não sei – respondeu Jenna. – Para descansar? Para... passar um tempo com a família?

Um sorriso estranho se abriu no rosto de Amanda.

– Pelo visto, Hugh e eu falhamos em ambas as possibilidades – disse ela. – Eu mal pus os olhos nele desde que chegamos. Além disso, nenhum de nós dois tem facilidade para relaxar.

– Bem, há muitas outras coisas a se levar em consideração – redarguiu Jenna de forma animadora. – Como... seu bronzeado, por exemplo, está maravilhoso.

– Obrigada – murmurou Amanda, e bebeu outro gole de vodca. – Você é muito gentil.

Depois, ela ficou em silêncio e Jenna a observou, com pena.

– Vamos fazer assim – declarou Jenna. – Eu levo as crianças para a cama. Aí, você vai poder relaxar e... – Ela hesitou. – Curtir a noite.

– Obrigada. – Com um esforço visível, ela levantou os olhos. – Obrigada, Jenna. Eu sei que o acordo era para dividirmos as tarefas à noite...

– Não se preocupe com isso! – argumentou Jenna. – Eu estaria igual a você se três crianças tivessem vomitado no meu carro a tarde toda. Vamos, meninas. O desenho acabou.

Ela desligou a televisão e reuniu as crianças, ignorando seus protestos. Ao sair da cozinha, olhou para trás e viu Amanda tornar a encher o copo de vodca.

O BARULHO DAS CRIANÇAS na sala tirou Hugh de seu devaneio. Durante muito tempo ele ficara sentado, imóvel, na escuridão do escritório, bebendo várias doses de uísque. Ele ouviu as vozes das crianças e uma choramingada ocasional, causada pelas ordens firmes de Jenna, aos poucos, desaparecerem. Então, decidido, levantou-se, pousou o copo e foi até à porta.

Jenna e as crianças estavam no quarto das meninas quando ele subiu. No banheiro contíguo, a água caía na banheira. Octavia estava sentada em frente ao espelho, usando uma escova de cabelo em formato de ursinho, e Beatrice estava em frente a Jenna, que animadamente a despia. Com o coração disparado, Hugh observou as filhas como se as visse pela primeira vez. Octavia, encantada ao ver o próprio reflexo; Beatrice, franzindo o nariz quando Jenna puxou sua camiseta por cima da cabeça.

Beatrice era parecida com ele, Hugh repentinamente percebeu. Tinha o seu rosto, o seu jeito. As pessoas sempre diziam isso e ele, educadamente, sorria, acenando com a cabeça, mas nunca realmente notara. Nunca realmente tinha *visto* as filhas. Passara os últimos seis anos impensadamente olhando na direção errada, vislumbrando o horizonte perdido. Só agora alguém o fizera ver o que estava perdendo.

– Oi, Hugh – disse Jenna, surpresa, dobrando a camiseta de Beatrice. – Precisa de alguma coisa?

– Eu assumo a partir daqui – disse Hugh. – Acho que as meninas iriam gostar de nadar.

– *Nadar?* – perguntou Jenna. – Mas são quase 18h30.

– Eu sei – assentiu Hugh. – A hora é perfeita.

– Certo... – Jenna hesitou. – Você falou com a Amanda?

– Não, não falei – respondeu Hugh. – Não acho que precise da permissão da Amanda para levar as minhas próprias filhas para nadar, não é?

– De jeito nenhum! – concordou Jenna imediatamente. - Claro que não! É que o costume...

– Esqueça os costumes – ordenou Hugh. – A partir de agora, o costume será diferente. Muitas coisas mudaram.

– É mesmo?

– Ah, sim – disse Hugh. – Muitas coisas. – Ele sentiu uma nova onda de alegria, e um sorriso iluminou seu rosto. – Pode ir, Jenna. Pode tirar o resto do dia de folga, se quiser.

– Bem – disse Jenna. – Se você tem certeza... – Ela sorriu. – Eu também acho que vou nadar um pouco.

Quando ela saiu do quarto, Hugh olhou para as filhas. Observou o cabelo fino, a pele perfeita, as escápulas delicadas das meninas. Elas olhavam para ele com insegurança, como se ele fosse louco. Talvez fosse. Tony Foxton certamente tivera essa impressão.

– Vamos, meninas – chamou ele. – Quem quer nadar? Quem quer empurrar o papai na piscina?

Beatrice deu risadinhas, mas Octavia ainda o fitava, desconfiada.

– E o nosso banho? – perguntou ela.

– Isso pode ficar para depois! – respondeu Hugh. – Vamos. Não vai ser divertido?

Ele olhou rapidamente em volta do quarto, à procura de roupas de banho, mas não fazia ideia de onde elas estavam guardadas. Nem de como eram.

– Vocês não precisam de roupa de banho – disse ele. – Podem pular na piscina sem nada! – Ele apanhou Beatrice e a girou no ar, e ela deu uma risada em meio a um gritinho.

– Vamos, Octavia – chamou ele.

– Mas, papai...

– Nada de "mas, papai"! Vamos! – Ele saiu do quarto, acompanhado de Beatrice, que não parava de rir.

– Esperem por mim! – gritou Octavia, correndo atrás deles. – Esperem por mim!

– Bem, vamos então! – ordenou Hugh.

Ele esperou até que ela chegasse ao seu lado, suspendeu-a sob seu braço e, carregando as duas meninas, que riam sem parar, desceu as escadas e foi para o jardim.

O ar ainda estava extremamente quente após o dia ensolarado; e a piscina, mais quente agora do que em qualquer outra hora do dia. Quando Hugh mergulhou na água azul-clara, sentiu uma alegre sensação de liberdade. Depois, emergiu, com a cabeça molhada, e sorriu para as meninas, que permaneciam do lado de fora. Ambas usavam apenas boias de braço; na silhueta, elas pareciam anjos querubins.

– Pulem! – gritou ele. – Quem vai pular primeiro? –

Houve uma pausa, então Octavia tapou o nariz e pulou na água. Um momento depois, Beatrice a seguiu espirrando água para todo lado. Ambas nadavam energicamente, como cachorrinhos, pensou Hugh, observando-as. Se os adultos tivessem pelo menos a metade daquele entusiasmo, ou um quarto dele...

– Muito bem – disse após um momento. – Vamos apostar uma corrida. Vamos começar deste lado...

Quando ele nadou até a parte rasa da piscina, viu Jenna aproximar-se, usando um biquíni discreto. Ela acenou com a mão e depois, sem dizer uma palavra, mergulhou na piscina e começou a nadar vigorosamente.

– Muito bem – disse Hugh, voltando-se para as meninas. – Prontas para a corrida? Em suas marcas... preparar... valendo!

Os três começaram a nadar, espirrando muita água, até o outro lado. Entre gritinhos e confusão geral, demorou um tempo para ele se dar conta de que era chamado do outro lado da piscina. Ele se virou, limpou os olhos e viu Amanda de pé, na borda. Ela segurava um copo e cambaleava ligeiramente, fitando-o com uma expressão fria, furiosa.

– Hugh... o que você está fazendo? – perguntou ela, quando ele se aproximou da borda. – O que *exatamente* você está fazendo?

– Nadando um pouco – disse Hugh. – Quer vir também?

– Jenna ia colocar as meninas para dormir.

– E eu disse que ela poderia ter o resto do dia livre.

– Você fez o quê? – Amanda fez uma pausa e levou a mão à testa, como se tentasse ordenar os pensamentos. – Hugh, você está deliberadamente tentando dificultar as coisas para mim? Está deliberadamente tentando arruinar uma noite pacífica?

– Não estou arruinando nada – disse Hugh. – Estou nadando com as minhas filhas. O que tem de errado nisso?

– E quem vai dar banho nelas? Quem vai colocá-las na cama?

– Eu.

– Você? – Amanda começou a rir; um riso rouco e sarcástico, que fez Hugh estremecer. – Ah, sei, Hugh. Você.

– Vou sim. Eu quero fazer isso. – Hugh olhou para Beatrice, que nadava ao lado dele, e a pegou no colo. – Nunca vejo estas crianças – disse ele em voz baixa e trêmula. – Quando chego em casa, elas já estão dormindo. Nos fins de semana, estão sempre fora, fazendo atividades que você organiza e das quais eu não faço parte. Eu me sinto excluído, desde o início. Desde que elas eram bebês.

– Papai – resmungou Beatrice, tentando voltar para a água. – Quero pegar a bola.

– Pode ir então, meu anjo – disse Hugh, soltando-a. Ele a observou enquanto ela se afastava, depois olhou para Amanda. – Não vou mais ser um estranho para as minhas filhas – declarou. Depois, nadou até os degraus e começou a subir, resoluto. – Está bem? Eu me recuso.

– Deixe-me ver se entendi – disse Amanda. – Você está culpando a *mim* por nunca ver as crianças.

Hugh saiu da piscina e parou de frente para ela, com o corpo pingando.

– Sim, em parte, estou culpando você – assentiu, tentando manter-se calmo. – Você age como se tivesse o monopólio das crianças; como se eu não precisasse saber nada a respeito delas, ou não tivesse nada para contribuir para o bem-estar delas, exceto... exceto com a parte financeira. Você nunca me deu uma chance de conhecê-las.

– Eu nunca lhe dei uma *chance*? – Amanda fitou-o incrédula. – Vamos lá, então. Você poderia tê-las levado ao maldito abrigo para burros esta tarde! Eu perguntei se você queria ir, mas você disse que teria que ficar em casa aguardando um telefonema importante. Então me diga como, exatamente, eu o excluo?

Hugh a fitou, perplexo.

– Eu realmente estava aguardando um telefonema esta tarde – explicou ele finalmente. – Mas foi uma situação excepcional. Estou falando sobre a vida diária, em casa. Estou falando sobre o fato de que cada segundo da vida dessas crianças é organizado sem a minha participação...

– Eu tenho que ser organizada! – Amanda o interrompeu. – Se você acha que é fácil administrar uma casa, duas crianças, um projeto inteiro de decoração...

– Dane-se a decoração! – gritou Hugh. – Não precisamos da maldita decoração da casa! – Ele olhou para um livro de amostras sobre a espreguiçadeira e o pegou. – Dane-se a mal-di-ta o-bra – disse ele, arrancando as páginas uma a uma, lançando-as na piscina.

As crianças gritaram de alegria e nadaram em direção às faixas de tecido, que se afundavam lentamente. Do outro lado da piscina, Jenna parou de nadar para prestar atenção.

– Você nunca me consultou quanto à obra! – disse Hugh, virando-se para Amanda. – Você nunca me consulta a respeito de nada. Fica só zanzando, tomando todas as decisões; minha opinião é completamente desnecessária.

– Nunca pergunto nada a você porque você nunca está por perto! – gritou Amanda. – Se eu esperasse para consultá-lo toda vez que eu tenho que fazer alguma coisa, a casa inteira estaria caindo aos pedaços! E quanto a ficar zanzando... – Ela deu alguns passos na direção dele, com o rosto tenso. – Você não tem ideia, Hugh, do que eu faço. Você não tem ideia do quanto é difícil, às vezes, apenas chegar ao fim do dia. Quer saber por que o dia das crianças é tão estruturado? Quer saber? É porque se eu não tivesse um pingo de estrutura na minha vida... eu ficaria louca!

Sua voz aumentou, ecoando na superfície da água. Hugh a fitou, chocado, como se ela o tivesse esbofeteado. Nunca a ouvira falar daquele jeito. Ele apanhou uma toalha e começou a secar o cabelo, observando-a, notando pela primeira vez seus olhos injetados, seu rosto tenso, seus ombros encurvados.

– Amanda... – disse ele finalmente. – Você é infeliz?

– Não sou *infeliz*, de jeito nenhum. Claro que não. – Amanda balançou a cabeça, tentando encontrar as palavras certas. – Mas minha vida também não é o mar de rosas que você acha que é.

– Eu não disse que sua vida era um mar de rosas...

– Você quer saber como é ficar em casa todos os dias com as crianças? Pois bem, fique sabendo que, às vezes, eu fico entediada. E frustrada também. Sinto falta de não ter vida própria. Sinto falta da minha independência. – Ela olhou para o copo na mão e tomou um gole da bebida. – Às vezes eu gostaria de voltar a trabalhar.

– Você nunca falou sobre isso.

– Eu evito ficar reclamando quando você chega do trabalho. Fizemos um acordo e acho que o cumpri. Você trabalharia e eu cuidaria das crianças. Esse foi o acordo. E se às vezes é difícil... bem, azar o meu. – Amanda deu de ombros. – Não tem razão para nenhum de nós dois ficar lamentando.

Os dois ficaram em silêncio. Beatrice se aproximou de Hugh, com o corpo pingando.

– Bem, talvez eu queira mudar o acordo – disse Hugh. – Talvez eu queira mudar muitas coisas. – Ele começou a secar o cabelo de Beatrice com a toalha. – Tenho pensado muito. Sobre você... sobre a nossa vida.

Ele hesitou, ordenando as palavras na mente. Mas antes que pudesse continuar, uma voz o chamou a distância.

– Hugh? – Ele levantou os olhos e viu Chloe andando a passos largos em direção à piscina. – Hugh, queria falar com você um minuto.

Quando ela se aproximou, ele viu que seu rosto estava vermelho, seus olhos inflamados de raiva, acentuados pelo cabelo loiro. Ela nunca parecera tão linda, tão impetuosa, o que o deixou excitado e, em seguida, receoso. O que a afligia? O que ela queria falar? Ele não tinha ido até este ponto para pôr tudo a perder.

– Oi – disse, da forma mais natural possível. – Estava só nadando um pouquinho com as meninas.

Com a minha família, era a mensagem enviada no seu olhar. Com *a minha esposa e as minhas filhas*.

– Só nadando um pouquinho – repetiu Chloe em tom sarcástico. Ela olhou para a piscina. – Que lindo.

– Algum problema? – perguntou Amanda. Chloe a ignorou.

– Imagino que você esteja se sentindo muito poderoso, não é? – disse Chloe abruptamente, virando-se para Hugh. – Você devia estar se divertindo esse tempo todo, sentindo-se influente e importante. Cheio de segredos. Contando mentiras.

Hugh sentiu o chão sumir sob seus pés.

– O que você quer dizer? – perguntou, tentando ganhar tempo, tentando entender a origem de tanta raiva. Ela não poderia estar planejando contar tudo a Amanda, seguramente. Não agora.

– Beatrice, vá nadar um pouco mais – disse, com a garganta apertada. Ele observou a filha se dirigir à borda da piscina e pular na água e desejou segui-la. O ar quente do final da tarde o abafava, como uma manta grossa, sufocante.

– Chloe, do que você está falando? – perguntou ele, virando-se para ela, tentando transmitir com o olhar uma mensagem que dizia: "Cuidado com o que você vai fazer".

– Você tem nos manipulado todo esse tempo, não é? – indagou Chloe.

– O quê? – Ele a fitou, confuso.

– Você sabia. *Sabia* que Philip ia perder o emprego. Sabia o quanto estávamos preocupados, o quanto estávamos vulneráveis... o quanto *eu* estava vulnerável...

– Ah, meu Deus, então é isso – disse Hugh, e suspirou audivelmente. – Olha, eu não fazia ideia...

– Você se aproveitou da situação. Não pense que eu não sei.

A voz de Chloe estava exaltada; a traição no seu rosto era inconfundível. Hugh engoliu em seco, sentindo-se um cínico. O que exatamente se passava na cabeça dela? Que ele havia, de forma deliberada, escondido a maldita verdade para aumentar suas chances de sedução? Que, enquanto estavam nos braços um do outro, ele sabia exatamente qual seria o destino de Philip?

– Não é verdade – disse Hugh. – Acredite. Eu não sabia. Pelo menos até hoje. Pelo menos até depois... – Ele a fitou, tentando desesperadamente mostrar que falava a verdade. – Eu não fazia a menor ideia. Não falávamos sobre trabalho, lembra? Nenhum de nós. Eu não fazia a menor *ideia*.

Ele se aproximou de Chloe, sem se preocupar com o fato de que Amanda poderia ver a paixão em seus olhos. Estava determinado a impedir que ela pensasse o pior dele. Chloe chegou a titubear diante do olhar fixo de Hugh. Porém, permaneceu hostil, e ele percebeu que ela não queria ser tranquilizada; que tinha muita raiva para botar para fora e iria fazê-lo.

– Chloe...

– Ela também sabia? – perguntou Chloe, apontando em direção a Amanda. – Vocês têm rido muito de nós?

– Sabia do quê? – perguntou Amanda friamente.

– Ah. Quer dizer que Hugh guarda segredos de você também.

– Claro que não – respondeu Amanda, lançando a Chloe um olhar antipático. – Hugh, do que ela está falando, pelo amor de Deus?

– Estou falando do emprego do Philip – respondeu Chloe. Amanda a olhou de modo inexpressivo.

– O emprego do Philip? O que ele faz?

– Ele é gerente de filial no National Southern. Ou melhor, era. Até seu marido chefão e seus seguidores inescrupulosos surgirem – explicou Chloe, lançando um olhar acusatório para Hugh, que respirava profundamente, tentando se manter tranquilo; tentando não esquecer que, para todos os efeitos, eles tinham acabado de se conhecer. Nada além disso.

– Chloe, eu fiz tudo que podia.

– Claro que fez.

– Tentei salvar o emprego dele! Ele não contou a você?

– Ele disse que você deu um telefonema – respondeu Chloe em tom sarcástico. – Deve ter sido um *tremendo* esforço.

– E foi – disse Hugh, respirando profundamente. – Mais do que você pensa. Realmente tentei ajudar.

– Ah, eu tinha esquecido! Você é uma pessoa tão altruísta. Um sujeito tão humanitário.

– Você não sabe como eu sou – disse Hugh.

– Eu sei do que você é capaz – retrucou Chloe com olhar intenso. – Não se preocupe, Hugh, eu sei exatamente o quanto você pode ser insensível. Quando quer alguma coisa, dá um jeito de conseguir. Resolve sua vida primeiro, sem se preocupar com os outros.

– O que está querendo dizer? – Hugh estendeu os braços. – Você acha que eu *despedi* o seu marido?

– Isso é você quem tem que me dizer! – disse Chloe, com a voz alterada. – Você fez isso?

– Claro que ele não fez isso! – argumentou Amanda. – Chloe, eu entendo que você esteja nervosa...

– Entende? – Chloe se virou para ficar de frente para ela, seus olhos brilhavam de ódio. – Entende, Amanda?

Cale-se, Amanda, pensou Hugh, alarmado. *Deixe-a em paz.* Mas Amanda continuou a falar, tranquilamente:

– É claro que sim. Perder o emprego é uma coisa terrível. Mas não há razão para atacar ninguém, ou tentar achar um bode expiatório. Você precisa lembrar, Chloe, que em toda aquisição há perdas. Não é culpa de ninguém; é apenas o modo como as coisas funcionam.

– Você é uma expert, não é? – disse Chloe.

– Não... – redarguiu Amanda –, mas acho que estou mais conectada com o mundo real do que você.

– Mundo real? – Chloe repetiu em tom sarcástico. – Não me faça rir, Amanda. Você não sabe nada sobre o mundo real. Basta olhar para você, com seu cabelo tingido, o seu peito de silicone...

– Meu peito é de verdade, obrigada – refutou Amanda, impassível.

– Então eles são as únicas coisas verdadeiras em você! Você não tem ideia de como funciona o mundo real. Uma babá cuida das suas crianças... Acho que você não levanta um dedo para nada.

– Isso não é verdade – retrucou Jenna do outro lado da piscina. – Ela faz muita coisa.

– Ah, que lindo – disse Chloe, virando-se para Jenna. – Lealdade dos empregados. Quanto custou?

– Dá um tempo, Chloe – disse Jenna, pegando uma toalha. – Se me permite, você está falando um monte de merda.

– Chloe, por favor, tente se acalmar – pediu Hugh. – Sei que você não pensa realmente assim...

– Não? – disse Chloe, com a voz aguda. – Não?

Seu rosto estava brilhante e enfurecido; seus olhos emanavam ódio, e de repente Hugh percebeu que ela estava ainda mais enraivecida. Uma hostilidade profunda, que Chloe provavelmente nem sequer sabia que possuía, manifestava-se em relação a Amanda. Todos os anos de sofrimento vinham à tona, dando vazão à sua raiva, como o suor que ameniza a febre. Hugh notou a emoção evidente destacada no rosto de Chloe e percebeu seu significado: aquilo representava o quanto ele a magoara.

– E quanto ao seu casamento? – bravejava Chloe. – Até que ponto ele é verdadeiro?

– Chloe, já chega! – disse Hugh, irritado. – Sei que você está nervosa, mas isso está indo longe demais...

– Está tudo bem, Hugh – disse Amanda calmamente. – Eu posso lidar com isso. – Ela deu um passo à frente, com o queixo erguido, uma expressão de dignidade. – É muito fácil para você ficar falando de mim, não é, Chloe? Ficar fazendo piadinha, comentários maldosos. Caso você tenha esquecido, eu levei seu filho Nat em um passeio esta tarde. Dirigi quilômetros, alimentei-o; cheguei até a segurar sua cabeça enquanto ele vomitava bem no meu sapato. – Ela deu mais um passo à frente, com os olhos em brasa. – Eu, a mulher que aparentemente nunca levanta um dedo, tenho cuidado do *seu* filho para você. Isso é o que eu tenho feito, Chloe. E você? O que *você* tem feito?

– Dormido com o seu marido – respondeu Jenna calmamente, do outro lado da piscina.

O coração de Hugh disparou. Ele sentiu o sangue correr para o rosto e se dissipar novamente. Seu corpo estava congelado, não conseguia abrir a boca; estava tonto de medo.

Houve silêncio, quebrado apenas pelo marulhar da água da piscina.

– Brincadeirinha – disse Jenna finalmente, fitando Chloe com olhos furiosos. – Brincadeirinha.

Jenna olhou ao redor da piscina. Para as crianças, envoltas em toalhas, na borda da água; para Hugh, em estado de choque; para Chloe, ruborizada e trêmula; para Amanda, cujas sobrancelhas elegantemente arqueadas franziram-se demonstrando ansiedade. E, à distância, para Philip, que se aproximava com uma garrafa de vinho e uma bandeja de taças, sorrindo de forma descontraída.

– Brincadeirinha – repetiu ela. E lançou a Hugh um olhar sério, que o deixou constrangido.

– *Brincadeirinha?* – repetiu Amanda, incrédula. – Jenna, me desculpe, mas você tem que parar com isso! A semana inteira eu venho querendo falar com você a respeito dessas suas brincadeirinhas...

Pelo canto do olho, Hugh percebeu que Chloe o fitava, mas ele não conseguia retribuir-lhe o olhar. Pelo menos, não por enquanto. Sentia-se como o sobrevivente de um acidente que precisa prosseguir com extrema cautela, evitando destruir a operação de resgate com um movimento errado.

– Sei que você não faz isso por mal – explicou Amanda. – Eu gosto de uma piada tanto quanto qualquer outra pessoa. Mas, às vezes, as suas não são engraçadas. Aliás, elas podem ser bem ofensivas.

– Desculpe – disse Jenna com voz inexpressiva. Seus olhos se voltaram para Chloe. – Não vai acontecer novamente. Pode ter certeza.

O silêncio que se seguiu foi interrompido pelos sussurros de Octavia e Beatrice. Ao mesmo tempo, as duas meninas se levantaram e pularam na piscina. Nesse momento, Philip se aproximou, com a expressão amistosa, totalmente alheio ao que estava acontecendo.

– Oi, Philip – disse Jenna, com um toque de compaixão na voz.

– Oi! – respondeu ele, e olhou para cada um dos presentes. – O que está acontecendo?

Boa pergunta, pensou Hugh na pausa que se seguiu. *Pergunta muito boa mesmo.*

– Nada – respondeu Chloe finalmente. – Estávamos só conversando... e as meninas, nadando...

– Bem, eu pensei que talvez fosse uma boa ideia bebermos alguma coisa – disse Philip. – Brindar ao meu novo desemprego. Todos querem vinho?

Quando ele começou a encher as taças, Hugh deu um passo cauteloso, como se lhe faltasse firmeza, após meses de imobilidade. Ele sabia que Chloe estava fazendo o mesmo: saindo do quadro congelado à beira da piscina e começando a se dissolver, de volta à vida normal.

– Parece que não vai refrescar, não é? – perguntou Philip, olhando para o céu azul. E começou a servir o vinho.

– Sinto muito sobre o seu emprego, Philip – disse Amanda, ao pegar uma taça.

– Obrigado. Eu também. Mas agora... – Ele sorriu. – Agora estou mais animado.

– É mesmo? – perguntou Amanda sem acreditar totalmente. – Bem, isso é bom.

– Philip tem muitos planos – argumentou Chloe. – Ele vai transformar isso tudo na melhor coisa que já lhe aconteceu.

Hugh fitou sua taça por um momento, com o coração disparado de ansiedade e apreensão. Então, reunindo toda a coragem, ele levantou os olhos.

– Talvez ele possa me dar algumas dicas – disse rapidamente.

– Dicas de quê? – perguntou Amanda.

– Dicas de como fazer do desemprego a melhor coisa que possa acontecer.

– Desemprego? – Amanda deu uma risada. – Hugh, o que você está... – Ela hesitou. Hugh olhou para todos os outros e deu de ombros.

– Você não está querendo dizer... – começou Philip.

– Eles despediram você também! – disse Chloe, demonstrando súbita percepção, como se tivesse descoberto algo antes dos outros. – Eles demitiram você, não é? Viraram as armas em direção aos aliados.

– Eles não me demitiram. – Hugh olhou ao redor. – Eu me demiti.

Todos o fitaram estupefatos.

– O quê? – perguntou Amanda, incrédula. – O que você...

– Larguei o emprego. – E, ao proferir estas palavras, Hugh sentiu-se tomado por uma sensação de leveza. – Eu telefonei esta tarde; falei que estava saindo.

– Isso... isso só pode ser outra piada – disse Amanda, olhando desconfiada para Jenna. – Não é?

– Não é piada. – Hugh exalou profundamente. – Amanda, eu disse a você que pretendia mudar a minha vida. Passei tempo demais longe das crianças, longe de você... colocando o trabalho em primeiro lugar e todo o resto em segundo. Agora, quero que o trabalho venha em segundo lugar.

– Não acredito – disse Amanda vagamente. E jogou-se em uma cadeira. – Simplesmente não acredito.

– Você não fez isso por causa do que aconteceu esta tarde – disse Philip, parecendo aflito. – Hugh, independentemente do que eu penso sobre a PBL, você fez tudo que podia por mim. Eu vi. Você realmente lutou para me ajudar. Portanto, se a sua decisão tem alguma coisa a ver com isso...

– Em parte tem, sim. – Hugh olhou bem nos olhos de Philip. – Em parte é apenas a descoberta de que a minha vida não é tudo que eu queria que ela fosse.

– A vida de ninguém é exatamente como se quer! – exclamou Amanda. – Você acha que a minha vida é assim? Isso não significa que tenha de jogar tudo para o alto...

– Não estou jogando nada para o alto – retrucou Hugh. – Estou agarrando o que é importante, antes que eu o perca completamente.

– Bem, como alguém que acabou de perder o emprego, acho que você é louco – disse Philip. – Completamente louco – completou ele, forçando um sorriso. – Mas se é o que você quer... boa sorte.

– Muitas babás se ofereceriam para trabalhar de graça diante disso – disse Jenna em tom de brincadeira. – Quero deixar bem claro que eu não faço parte desse time, está bem? – Ela apanhou uma taça de vinho e a ergueu. – Entretanto, parabéns, Hugh. Deve ter sido uma decisão difícil.

– O que acha disso tudo, Chloe? – perguntou Hugh, levantando a cabeça. – Você não disse nada até agora.

Chloe olhou para ele, ainda enfurecida. Então, sua expressão se tornou mais calma.

– Acho que... que você fez a coisa certa. Para você. E realmente espero que consiga o que quer.

– Obrigado – disse Hugh. – Eu também.

– Essas férias estão ficando cada vez melhores – disse Amanda, olhando para o chão. – Primeiro, a surpresa de descobrir que não ficaríamos sozinhos na casa. Depois, as meninas doentes. Meu marido bêbado. E agora, ele pede demissão. – Ela tomou um gole de vinho. – O que virá em seguida?

– Nada – disse Hugh. Ele foi até a cadeira, colocou sua taça de vinho no chão e a abraçou. – Tudo vai melhorar a partir de agora, Amanda. Prometo.

– Bem – disse Philip, após uma pausa constrangedora. – Um brinde a... você, Hugh.

– E a você, Philip.

Hugh levantou-se e os dois homens ergueram suas taças. Após um momento de silêncio, os outros repetiram o gesto. Enquanto bebiam, ouviu-se um grito à distância e todo mundo se virou para olhar. Sam corria em direção à piscina, nervoso.

– Ei – chamou ele. – Alguém deixou a torneira aberta ou algo assim?

– Eu ouvi a torneira da banheira – disse Philip, franzindo ligeiramente a testa. – Quando entrei na cozinha. Mas imaginei que fosse normal...

– Bem, não é – corrigiu Sam, contendo a satisfação. – É melhor vocês virem. Rápido.

CAPÍTULO QUINZE

A vista era espetacular. A água caía em cascata, escada abaixo, em uma corrente constante, convertendo cada degrau em uma minicachoeira, transformando a superfície escorregadia em um ringue de patinação. Na base da escadaria, ela formava uma poça no chão de mármore, um lago crescente, avançando em direção à porta, onde eles estavam.

Por alguns segundos, todos ficaram perplexos, um silêncio quebrado por um ruído estranho. Chloe lançou um olhar acusatório para Sam.

– Sam, é esta água, não é? A torneira ainda está aberta!

– Pois é – disse Sam. Ele viu a expressão da mãe, e acrescentou, em tom defensivo: – Achei melhor você ver de perto. É incrível, não é? A forma como ela desce pelos degraus...

– Ver de perto? – repetiu Philip. – Sam, não se trata de uma fonte ornamental. É a casa de uma pessoa!

– De onde está vindo? – perguntou Amanda.

– Sei lá – respondeu Sam. – Não fui lá em cima. Os degraus devem estar muito escorregadios.

– Perigoso demais – admitiu Philip. – É preciso subir com o maior cuidado.

– Mas tem uma coisa que eu não entendo – insistiu Amanda. – Quem poderia ter deixado uma torneira aberta? Quem estava *tomando* banho?

– Nós – respondeu Octavia, em meio aos adultos. – Mas fomos nadar.

– Vocês? – Amanda, franziu ligeiramente a testa. – Jenna, obviamente você não deixou a torneira aberta, não é?

– Não tenho nada a ver com isso – justificou-se Jenna. – Hugh assumiu o banho das meninas. Disse que eu estava liberada. Eu obedeci. A torneira continuou aberta, mas imaginei... – Ela deu de ombros.

Lentamente, todo mundo se virou para olhar para Hugh.

– Devo ter esquecido... – ele começou, constrangido, e esfregou o rosto avermelhado. – Estava com tanta pressa...

– Certo – disse Philip. – Bem... não se preocupe. Essas coisas acontecem.

Amanda caiu na risada.

– Essas coisas acontecem? Esse é o homem que pretende participar mais ativamente do cuidado com as crianças! Bom trabalho, Hugh! Ótimo início.

– Foi um erro! – disse Hugh. – Qualquer um poderia...

– Isso é o que acontece quando você decide dar banho nas meninas. – Amanda ria de forma quase histérica. – Imagine o que acontecerá quando você decidir preparar "coxinhas" para elas.

– Isso não é justo – protestou Hugh sem muita convicção.

– Devemos alertar os serviços de emergência toda vez que você decidir cuidar das crianças?

Chloe olhou para Philip e sorriu involuntariamente. Jenna deu uma gargalhada.

– Desculpe, Hugh – disse ela. – Mas você tem que admitir que é muito engraçado.

– Acho que sim – disse Hugh. – Embora realmente...

Ele parou de falar aos poucos e todos se viraram para inspecionar a água novamente. Notaram que ela começava a cair do balaústre, ao longo da escada.

– Muito bem – disse Philip. – Acho que alguém deve subir e fechar a torneira. – Ele olhou para os seus sapatos de lona. – Eu vou.

– Não, eu vou – retrucou Hugh. – Fui eu que causei toda essa confusão.

– Lembre-se, Hugh – disse Amanda, quando ele começou a pisar cautelosamente no chão escorregadio. – Você tem que *fechar*. Sabe para que lado tem que girar a torneira, querido?

Chloe conteve uma risadinha apertando a mão sobre a boca.

– Eu vou também – disse Philip, seguindo Hugh lentamente. – Não porque ache que você não saiba para que lado deva girar a torneira – acrescentou ele, quando Hugh virou-se desconfiado.

Chloe olhou para Jenna, tentando se manter séria, mas foi em vão. Sem conseguir controlar a gargalhada, ela sentou no chão, com a barriga doendo, e sentiu como se meses de tensão fossem aliviados por aquele estúpido momento infantil. Então, se deu conta de que, na realidade, haviam sido anos. Anos de sofrimento, de dor suprimida, desfazendo-se em uma boa risada.

– Você acha que eles vão dar conta do recado? – perguntou Jenna entre risadas, observando Hugh e Philip subirem cuidadosamente a escada.

– Ah, sim – disse Amanda. – Tudo que eles têm que fazer é ir até o banheiro e fechar a torneira.

– Não sei não – retrucou Jenna, balançando a cabeça. – Torneiras são bem complicadas.

– Vamos fazer o seguinte – sugeriu Amanda em tom sério. – Se eles levarem mais de uma hora, chamaremos a brigada paraquedista.

Chloe e Jenna caíram na risada e Amanda deu um sorriso, que acabou virando uma sonora gargalhada. Surpresa, Chloe levantou as sobrancelhas para Jenna, que retribuiu o gesto com uma piscadela. *Que cena!*, pensou Chloe quando o som da risada ecoou em volta da sala. Três mulheres adultas, sentadas no chão, dando risadinhas, como se fossem crianças. Ela olhou para o rosto adolescente e desdenhoso de Sam e voltou a rir.

Houve um barulho do outro lado da sala e Nat apareceu bocejando com um Nintendo nas mãos.

– Cuidado! – gritou Chloe, quando ele ia pisar na poça. Nat olhou para baixo, retirou o pé e continuou andando, contornando a borda da água.

– O que aconteceu? – perguntou ele. – Por que está tudo molhado?

– Nat! – exclamou Chloe. – Você estava aqui dentro todo esse tempo? Como não notou nada?

– Notar o quê? – perguntou ele.

– Isso! – Chloe apontou para a escadaria. – Essa água! Você não ouviu nada?

– Eu estava jogando Pokémon – justificou-se o menino, coçando a cabeça. – Não ouvi nada.

– Aquela droga de Pokémon... – resmungou Chloe, parando assim que ouviu um ruído. Um momento depois, uma luz se apagou, e ouviu-se um grito no andar de cima.

– Hugh! – gritou Amanda, alarmada. – Hugh, está tudo bem?

Houve silêncio, e as três mulheres trocaram olhares preocupados. Então, a cabeça de Philip surgiu acima do balaústre.

– Hugh está bem – disse ele. – Nós dois estamos. Mas tem um problema com a elétrica, não sei exatamente onde. Acho que devíamos tirar as crianças daqui.

– Certo – concordou Chloe, levantando-se. – Nat... meninas... vamos lá para fora.

Eles saíram, olhando fixamente para a fachada. A sombra do final de tarde já cobria a entrada da casa, mas o ar permanecia quente e sem brisa. Sentaram sobre muros baixos e nos degraus, olhando para a casa de vez em quando, na expectativa. Após um leve desequilíbrio, as duas meninas, que estavam sobre duas colunas, resolveram sentar no chão, ao lado de Amanda. Nat já estava novamente distraído com seu jogo.

– Vou para a piscina – disse Sam. Ele chutou o chão e, sem levantar os olhos, acrescentou: – Você vem, Jenna?

– Não – respondeu ela. – Acho melhor ficar aqui, até sabermos o que está acontecendo.

– Tudo bem – disse ele após um momento. Por fim se afastou, lançando-lhe um olhar zangado que se estendeu a Chloe.

Um momento depois, Philip apareceu na porta da frente, seguido por Hugh. Ambos estavam com as roupas molhadas; Hugh limpava a testa.

– Bem, temos boas notícias: o aguaceiro acabou – anunciou.

– Ótimo – disse Amanda. – Isso quer dizer que vocês acharam a torneira, certo?

– A má notícia é: o ar-condicionado também – disse Philip.

– O ar-condicionado? – repetiu Amanda, consternada. – O que aconteceu?

– Parece ter entrado em curto-circuito. E algumas luzes também estão com problema.

– Como estão as coisas lá em cima? – perguntou Chloe.

– Ainda um bocado confusas. E o chão, muito escorregadio. Alguns tapetes e umas roupas que estavam no chão estão encharcados. – Philip deu de ombros. – Mas poderia ter sido pior.

– Você acha que deveríamos falar com o Gerard? – perguntou Amanda.

– Acho – respondeu Philip. – Acho que deveríamos ligar para ele.

– Não é necessário – retrucou Hugh, e respirou profundamente. – Ele está vindo para cá amanhã.

– O quê? – Todo mundo se virou para olhá-lo.

– Mas é claro – disse Chloe balançando a cabeça, em sinal de surpresa. – O terceiro dia das férias. Ele não poderia ter escolhido momento mais preciso.

– Como você sabe que ele está vindo? – perguntou Philip.

– Falei com ele hoje. Disse que deverá chegar amanhã de manhã. – Hugh deu de ombros. – Um capricho súbito, foi como ele chamou essa decisão.

– Um capricho súbito? – repetiu Chloe em tom de desconfiança. – Ah, que bom.

– Mas onde ele pretende dormir? – perguntou Amanda, franzindo a testa. – Ele deve saber que já ocupamos todos os quartos.

– Por mim, ele pode dormir onde bem entender – disse Chloe, com uma súbita rispidez na voz. – Certamente não estarei aqui para vê-lo. – Ela olhou para Philip. – Cansei deste lugar. Para falar a verdade, cansei destas férias. Acho que poderíamos ir para casa amanhã de manhã. Podemos mudar a data do nosso voo.

– Amanhã? – perguntou Nat, desanimado. – Mãe, *não podemos*.

– Eu concordo – disse Hugh, antes de olhar para Amanda. – Acho que devíamos ir embora também.

– Não podemos ir para casa! – argumentou Amanda. – A cozinha não está pronta.

– Bem, então iremos para qualquer outro lugar – argumentou Hugh.

– Andaluzia. Qualquer coisa. Só não quero ficar aqui. – Ele fitou por um momento a pomposa fachada da casa e desviou o olhar.

– Não foram as melhores férias, não é? – perguntou Philip, com um sorriso trêmulo.

– Não dá nem para chamar de férias – disse Chloe. – Foi um jogo. Um maldito show de marionetes. Devíamos ter percebido logo que chegamos. Devíamos ter percebido que não foi um engano. – Ela ficou em silêncio por um momento, com o rosto tenso. – Bem, não vou mais jogar. Por mim, Gerard pode chegar amanhã e encontrar a casa vazia. – Ela olhou para Philip. – Estou falando sério, Philip, não quero ficar.

– Tudo bem – concordou ele, acenando com a cabeça. – Mudaremos a data do voo. Entretanto, temos que passar a noite aqui. O que significa muito trabalho. – Ele passou a mão pelo cabelo. – O pior é que eu não sei se estamos inteiramente seguros com toda essa água...

– Não vou ficar em uma casa sem ar-condicionado – reclamou Amanda. – Não esta noite. Não podemos! Está um calor insuportável! Hugh, temos de pegar o carro e procurar um lugar com camas suficientes...

– Não posso dirigir – disse Hugh. – Bebi muito. E você também.

– Temos que ir! – gritou Amanda. – Não vou ficar nesta casa! Vamos assar lá dentro! Não tem ar, está quente demais, as crianças não vão conseguir dormir... – Ela afundou a cabeça nas mãos. – Eu sabia que devíamos ter ido para o Club Med! Eu sabia. Ano que vem, eu vou organizar as férias. Chega de casas de campo. Chega de amigos falsos. Chega...

– Querida, acalme-se! – pediu Hugh. – Não vai ser tão ruim passarmos apenas uma noite...

– Vai sim! Vai ser horrível!

– Bem, não há alternativa – disse Hugh, irritado. – Teremos que aguentar.

– Na verdade, há uma alternativa – declarou Jenna casualmente. – Concordo com a Amanda. Não vou dormir aqui dentro, de jeito nenhum. Não em uma noite como essa.

– Então... onde você está planejando dormir, afinal? – perguntou Amanda, levantando a cabeça.

– Do lado de fora – respondeu Jenna, como se falasse algo óbvio. – Está muito calor. Vou pegar um edredom lá em cima, me enrolar nele... e é isso. Problema resolvido.

Todos ficaram em silêncio.

– É isso, então – repetiu Hugh. Ele olhou para os outros, com um sorriso. – Problema resolvido. Para todos.

Quando haviam trazido roupa de cama suficiente para todo mundo, Nat e as duas meninas já estavam sonolentos. Amanda e Chloe se encarregaram de acomodá-los, sorrindo, ao falarem sobre a rotina de cada uma, na hora de dormir.

Hugh e Philip assumiram a tarefa de acomodar os adultos, ajeitando travesseiros e separando edredons, como se estivessem em um acampamento de escoteiros. Sam ficou sozinho, fitando o vazio, com uma expressão rígida e mal-humorada.

Quando Jenna se aproximou, ele levantou os olhos sem sorrir.

– O que houve? – perguntou ela com ar despreocupado.

– Não posso acreditar que vamos embora amanhã – resmungou Sam sem mover a cabeça.

– Você estava se divertindo, não é?

– Não é isso – respondeu ele de mau humor.

Jenna sorriu. Então, estendeu a mão e acariciou seu rosto, descendo a mão até o seu peito.

– Não se preocupe – disse ela. – Ainda temos a noite toda.

Sam levantou os olhos imediatamente, mas ela já havia se levantado para se juntar a Amanda e Chloe.

– Tenho tudo do que precisamos – anunciou ela, tirando a mochila das costas. – Pão e queijo... e um pouco de vinho da adega de Gerard. Nós podemos voltar para o pátio e comer lá... ou podíamos fazer um piquenique.

– Um piquenique – disse Chloe após um momento, e olhou para Amanda, que concordou com um gesto de cabeça.

– Piquenique.

Jenna arrumou a comida no chão e os outros sentaram em volta, famintos. Durante alguns minutos houve pouca conversa. *Devem estar com muita fome*, pensou Chloe, observando todos em silêncio, mastigando ruidosamente. *Ou estão agindo assim porque comer é mais fácil do que conversar.*

Quando a comida acabou, eles beberam vinho, falando pouco, enquanto o céu se tornava cada vez mais escuro. Acima do telhado da casa, os pássaros sobrevoavam. O ar ainda permanecia quente e parado.

– Tem mais vinho? – perguntou Amanda, levantando os olhos. Suas palavras pareciam um tanto obscuras e sua cabeça estava ligeiramente inclinada. – O meu acabou.

– Claro – disse Jenna, passando-lhe uma garrafa. – E, já que é a última noite...

Ela enfiou a mão no bolso e, após um momento, retirou dois baseados prontos. Sam pulou para trás, assustado; os outros fitaram Jenna perplexos.

– Jenna! – disse Amanda bruscamente. – Por acaso isso é...

– Aham – assentiu Jenna em tom descontraído. – Acho que todos nós estamos precisando.

Ela ofereceu um a Amanda, que permaneceu em silêncio por um momento.

– As meninas estão dormindo?

– Profundamente – respondeu Jenna, olhando na direção das crianças.

– Então, tudo bem. – Sem hesitar, Amanda pegou o cigarro. – Isso é o que acontece quando bate o desemprego – disse, olhando a maconha com ar sombrio. – A pessoa se volta para as drogas e para o álcool, em busca de consolo – Ela olhou para Hugh. – Imagino que antes do final do ano estaremos na heroína. Comendo hambúrguer barato e morrendo de ataque cardíaco.

– Não acho que as coisas sejam *tão* ruins assim... – retrucou Hugh.

– Não? – Ela deu um trago, fechou os olhos e expirou lentamente. Em seguida, tragou novamente e olhou para Chloe.

– Você quer?

– Bem... – disse Chloe, tentando esconder o constrangimento.

– Vai, mãe – disse Sam. – Não vai me corromper, juro. E também não vou contar nada para o Nat.

– Bem – disse Chloe mais uma vez. Ela hesitou, então pegou o cigarro e o tragou. Fez uma careta e tossiu um pouco. – Falta de prática – ela disse, e o passou para Hugh, que o segurou com cuidado.

– Nunca usei drogas – disse ele, fitando o cigarro com ar desconfiado. – Sou contra. E se for muito forte?

– Em breve você estará usando heroína – disse Amanda, olhando por cima da taça de vinho. – Portanto, não faz muita diferença.

Chloe observou Hugh cautelosamente dar um trago e sentiu uma ponta de afeto.

– Hugh – disse ela subitamente. – Desculpe por tudo que eu falei quando estávamos à beira da piscina. – Ela corou ligeiramente. – Fui injusta. Sei que você fez o possível para salvar o emprego do Philip. E Amanda... – Ela virou a cabeça. – Peço-lhe desculpas também. Eu estava... – Ela hesitou. – Um pouco nervosa.

– Não tem problema – disse Amanda, tremulando a mão no ar. – Não tem problema mesmo. – Ela lançou a Chloe um leve sorriso, que se transformou em um enorme bocejo.

– Certo – disse Jenna, olhando ao redor. – Todo mundo está acomodado? Todo mundo tranquilo?

– Estamos bem, obrigado – respondeu Philip, devolvendo-lhe o cigarro. – Foi uma ótima ideia vir aqui fora.

– Eu sei – concordou Jenna, olhando para ele de forma irônica, antes de pegar a mão de Sam. – Bem, pessoal, Sam e eu estamos indo. Vamos dormir ali. – Ela apontou. – Do outro lado do jardim.

– Certo – disse Philip após um momento. – Bem... parece justo.

– Ah, e vamos transar – acrescentou Jenna –, portanto, por favor, não inventem de aparecer por lá para conversar.

Ao lado dela, Sam permanecia imóvel, incrédulo. Ele olhou para Chloe, que abriu a boca para falar alguma coisa, mas desistiu.

– Brincadeirinha – disse Jenna, olhando para os rostos assustados com um sorriso. – Ou não. De qualquer maneira, durmam bem.

ALGUNS MINUTOS DEPOIS que Jenna e Sam desapareceram na escuridão, Amanda levantou-se para dar uma olhada nas crianças, que dormiam a alguns metros. Ela se debruçou sobre Octavia, deu outro bocejo, e sentou-se pesadamente no chão. Logo depois, jogou o corpo para trás, dormindo profundamente. Hugh levantou-se, carregando um edredom e, delicadamente, o estendeu sobre a esposa, com um suave beijo de boa-noite.

Quando ele voltou, Philip serviu-se de outra taça de vinho. E, após alguns goles, começou a bocejar.

– Estou exausto – murmurou ao se deitar.

– Relaxado – corrigiu Chloe, antes de se debruçar e beijá-lo delicadamente. – É assim que você está se sentindo.

Ele fechou os olhos e ela voltou a se agachar. Ao levantar a cabeça, percebeu que Hugh a observava. Ele tomou alguns goles de vinho e olhou para Philip. Chloe se deu conta de que ele estava esperando Philip adormecer.

De repente, percebeu que o mesmo acontecia com ela. No mais absoluto silêncio, ela encheu sua taça e a de Hugh. Tomou um gole e olhou para as estrelas.

– Não estou cansado – disse Hugh, baixinho.

– É mesmo? – ela perguntou após um momento. – Nem eu.

Ambos olharam para Philip, cuja respiração tornara-se mais constante e seus olhos, bem fechados.

– Hugh... – sussurrou Chloe.

– Chloe? – murmurou Philip, se mexendo, franzindo ligeiramente a testa.

Ela prendeu a respiração e olhou para o rosto de Philip, que dormia totalmente relaxado. Nesse momento, veio-lhe à memória a viva lembrança das noites que passara esperando o bebê adormecer; na escuridão do quartinho de Sam, evitando até respirar, e saindo sem fazer barulho, com todo o cuidado. Era como se estivesse cometendo uma espécie de traição; como o que estava acontecendo agora.

Os minutos se passavam. Por um momento, o barulho de um animal pisando na vegetação rasteira quebrou o silêncio; da estrada, veio o som distante de uma risada. Chloe e Hugh se entreolharam, aguardando. Finalmente, ela achou que já haviam esperado tempo demais.

– Então – disse ela, olhando para Philip. Hugh permaneceu imóvel.

– Então – repetiu ele, movendo-se ligeiramente, remexendo os galhos secos. – Você vai mesmo embora amanhã?

– Sim – respondeu Chloe. – Acho que as coisas acabaram quando tinham que acabar. Você não acha?

– É – concordou Hugh. – Acho que sim.

Por um momento, os dois ficaram em silêncio. Mil frases formavam-se na mente de Chloe e extinguiam-se lentamente.

– Não tem razão para ficar – disse finalmente. – Além disso, não tenho a menor vontade de ver o Gerard. E você?

– Não muita. – Hugh pegou sua taça, examinou-a e tornou a pousá-la. – Chloe, tenho algo a lhe dizer a respeito de Gerard. Ele não sabia sobre... sobre nós.

Chloe franziu a testa em sinal de dúvida.

– O que você quer dizer? Claro que ele sabia sobre nós! Essa foi a causa. Por isso... – Ela hesitou ao ver Hugh balançar a cabeça negativamente.

– Nós presumimos que ele sabia. Você comentou alguma coisa com ele a nosso respeito? Eu nunca falei nada. – Chloe o fitou, tentando organizar os fatos na mente.

– Devo ter falado. *Devo* ter... – Ela descansou a cabeça entre as mãos. – Pelo menos... achava que sim...

– Gerard planejou estas férias para que Philip e eu ficássemos em uma situação embaraçosa – disse Hugh. – E realmente acho que é apenas isso. O outro... fator... foi somente...

– Eu sempre imaginei que ele soubesse – disse Chloe, sem levantar os olhos. – Simplesmente achei óbvio... – Hugh inclinou-se para a frente, com expressão séria.

– Chloe, a realidade é a seguinte: nós não fomos manipulados. Não caímos em nenhuma armadilha. O que fizemos foi porque... tinha que acontecer. – Delicadamente, ele afastou uma mecha de cabelo que caía sobre o rosto de Chloe. – Tínhamos que encontrar respostas para as nossas perguntas.

Ela levantou os olhos e, lentamente, concordou com um gesto de cabeça. Durante um momento, ambos permaneceram em silêncio, tendo a respiração regular e constante dos que dormiam como um som de fundo aos seus pensamentos.

– Você se sente melhor em relação ao Gerard agora? – perguntou Hugh finalmente. – Você o perdoa?

– Não – respondeu Chloe, com o rosto tenso. – Jamais irei perdoá-lo. Independentemente do que ele sabia, ou do que planejava. Ele quis jogar com as nossas vidas. Isso é demais.

Ela tomou um gole de vinho, pousou a taça e inclinou-se para trás, apoiando-se sobre os cotovelos, olhando para o céu. Ela sabia que Hugh a observava, que seus olhos percorriam seu corpo. Os dois, sozinhos, na noite calma.

– Eu nunca vou deixar de me perguntar – disse Hugh após um momento. – Como teria sido. Se tivéssemos ficado juntos. Poderíamos ter vindo a esta casa como marido e mulher. Com o Sam. Eu poderia considerar o Sam meu filho.

– Você poderia – disse Chloe, movendo a cabeça, em sinal de aprovação. – Poderíamos ter tido seis filhos. – Chloe sorriu.

– Seis! Não sei. O pior de tudo... – Hugh esfregou o rosto. – O pior é que provavelmente nos sentiríamos insatisfeitos após alguns anos. Provavelmente ficaríamos aqui tomando sol, um pouco entediados, imaginando se tínhamos feito a coisa certa ao nos casar. Sem nos dar conta da *sorte* que tínhamos...

O tom de sua voz aumentara um pouco, e, perto das crianças, Amanda se mexeu. Hugh parou de falar e se manteve quieto. Chloe ficou imóvel, fitando o céu salpicado de estrelas. Ambos esperaram, em silêncio, até Amanda se virar, mergulhada num sono profundo.

– É tarde – disse Chloe finalmente. – Temos que descansar um pouco. – Hugh permaneceu com o olhar fixo, como se não a ouvisse.

– Tomamos tantas decisões ao longo da vida – disse ele abruptamente. – Algumas sem importância... e outras que são o elemento essencial para todo o resto. Se ao menos soubéssemos o significado de cada uma delas, no momento certo. Se ao menos soubéssemos o que estamos desperdiçando...

– Hugh, ainda *temos* sorte – disse Chloe suavemente. Ela sentou e olhou para ele com uma expressão séria. – Nós temos sorte. Não se esqueça.

– Eu sei. – Hugh olhou para o rosto pacificamente adormecido de Amanda, debruçou sobre ela e tirou uma folha que pousara em sua testa. – Amanda e eu ficaremos bem. Eu a amo. E nossa vida juntos... dá certo. Vai dar certo.

– Espero que sim – disse Chloe, seguindo seu olhar fixo. – Realmente espero. – Nesse momento, Amanda se virou e roncou levemente. Chloe bebeu o vinho, disfarçando um sorriso.

– Deus sabe o quanto ela bebeu – disse Hugh, chateado. – Está dormindo profundamente.

– Acho que o Philip finalmente relaxou – disse Chloe. Ela olhou o rosto tranquilo do marido e sentiu um leve desconforto. – Provavelmente ele dormirá melhor esta noite do que em meses.

– Acho que todos nós – concluiu Hugh. – Merecemos, pelo menos...

Houve uma pausa, e Chloe deu um bocejo. A escuridão silenciosa tornava-se soporífica, ela pensou, como uma manta quente. Ela deu outro bocejo e sorriu timidamente para Hugh.

– Estou com sono, também. Não costumo dormir tarde. – Ela pousou sua taça e esfregou os olhos. – Vamos ter que levantar cedo. Se realmente quisermos ir embora antes...

– Chloe – interrompeu Hugh com voz suave –, nós nunca dormimos juntos.

Ela levantou os olhos, espantada. Sob a luz do luar, Hugh a fitava, com ar sério.

– Nunca dormimos juntos – repetiu ele. – Quero passar uma noite inteira com você, Chloe. Só uma vez. Quero envolvê-la nos meus braços e... sentir você adormecer ao meu lado... – Havia um brilho no seu olhar. – Quero vê-la despertar.

Chloe fitou seu rosto ardente, sabendo que deveria dizer não; que tinha que dizer não. Então, lentamente, ela concordou.

Sem fazer barulho, os dois se levantaram e se afastaram dos outros. Hugh estendeu um edredom no chão. Por um momento, eles permaneceram em silêncio, entreolhando-se, ligeiramente trêmulos. Sem tirar os olhos de Chloe, Hugh a abraçou e, lentamente, os dois se deitaram. Aninharam-se, como costumavam fazer. Ao sentir os braços dele no seu corpo mais uma vez, Chloe foi tomada por uma emoção ímpar.

– Boa noite – sussurrou Hugh, e beijou a testa dela.

– Boa noite – repetiu Chloe, tocando delicadamente seu rosto, sentindo a barba por fazer. A aspereza sobre a maciez da sua pele.

Ela ajeitou a cabeça em seus braços e ficou ali, admirando o céu, tentando se manter acordada, tentando registrar cada sensação. Aquele momento ficaria em sua memória. Talvez um dia isso se transformasse em um consolo. Mas suas pálpebras logo começaram a pesar. Sua mente já não conseguia combater o cansaço.

Hugh observou-a adormecer. Algum tempo depois, viu que Chloe abrira um sorriso enquanto sonhava. Então, ele também caiu no sono, mantendo-a bem junto a si.

CAPÍTULO DEZESSEIS

O dia começou claro acima do horizonte, enviando pequenos raios de luz nos olhos dos dorminhocos. Chloe foi a primeira a acordar, espreguiçando-se com desconforto na superfície irregular do chão, voltando a si lentamente. Sua cabeça ainda estava aninhada no ombro de Hugh; sua mão, no peito dele; seu corpo quente contra o dele. Tentou o quanto pôde se manter imóvel. Queria prolongar aquele momento final o máximo possível.

Porém, após alguns minutos percebeu que não podia mais fingir; não podia mais prolongar aquele instante. Esfregou o rosto sonolento contra a camisa dele, tentando sair daquele estado de inércia, para voltar ao mundo real. Quando abriu os olhos embaçados e injetados, Hugh se mexeu. Ele olhou diretamente para ela, com uma expressão sonolenta e carinhosa.

– Sim – disse ele indistintamente. – Eu sabia. – Então, dormiu novamente.

Tentando evitar a claridade, Chloe girou o corpo no chão, ao lado dele. Ela permaneceu quieta, ouvindo o som de uma cigarra e acumulando energia. Depois, abriu os olhos e observou o céu azul.

Sentia-se presa ao chão. O céu já não era um véu conspirativo da escuridão, mas um enorme olho azul vigiando os dois: ela e Hugh, dormindo juntos, ao ar livre. Chloe sentiu-se repentinamente alarmada e inspecionou a área para verificar se tudo estava bem. Imediatamente, sentiu um novo ímpeto de pânico. Beatrice Stratton estava sentada, acordada, observando-a com curiosidade.

Corando ligeiramente e tentando aparentar tranquilidade, Chloe levantou-se e foi sentar em outra parte do edredom. Depois, reclinou-se sobre os cotovelos, tentando demonstrar que estivera ali, o tempo todo.

Um momento depois, Amanda se mexeu.

– Ai, minha cabeça – gemeu, e lutou por uma posição sentada. Então, abriu os olhos e estremeceu. – Nossa! Já clareou o dia.

– Bom dia – disse Chloe casualmente. – Dormiu bem?

– É, acho que sim – respondeu Amanda, esfregando o rosto vermelho de sono. – Eu *bebi muito* ontem à noite?

– Mãe? – chamou Beatrice.

– Que foi? – atendeu Amanda, concentrando-se em Beatrice com visível dificuldade. – O que foi?

– Por que ela estava dormindo ao lado do papai? – perguntou Beatrice apontando para Chloe.

Amanda fitou Beatrice, inexpressivamente.

– Porque a casa estava inundada – explicou Chloe, com o coração disparado, tentando esboçar um sorriso para Beatrice. – Sei que parece muito estranho, todos nós dormindo juntos dessa forma... Aposto que você nunca tinha dormido do lado de fora antes, não é?

Ela olhou para Amanda, preparada para alterar ou complementar sua justificativa, até modificá-la completamente. Mas Amanda fitava o chão e não parecia prestar atenção em nada. Beatrice franzia a testa, confusa.

– Mas...

– O que você acha que vai comer no café da manhã, Beatrice? – perguntou Chloe rapidamente, tentando distraí-la. – Ah, olhe, a Jenna chegou!

– E o Sam também – completou Beatrice.

– É mesmo – assentiu Chloe lentamente. – E o Sam também.

Ela observou Sam atravessar o jardim em direção a ela, tentando parecer calmo e indiferente. Mas havia um brilho em seu olhar que ele não podia suprimir. Jenna, também, parecia bastante satisfeita.

– Bom dia – disse em tom amistoso, embora um tanto recriminatório.

– Bom dia, Chloe – cumprimentou Jenna com um largo sorriso. – Dormiu bem?

– Sim, obrigada – respondeu Chloe. – E você?

Imediatamente ela se arrependeu de ter perguntado. A última coisa que gostaria de ouvir era uma resposta obscena, sugestiva. Mas felizmente Jenna se limitou a sorrir, acenar com a cabeça positivamente e se dirigir ao interior da casa, na companhia de Sam, que manifestava toda a sua satisfação.

– Quer dizer que vocês vão mesmo embora, não é? – perguntou Amanda, pressionando os dedos na testa.

– É, acho que sim – respondeu Chloe. – E você? – Amanda deu de ombros.

– Acho que Hugh quer ir logo. Pessoalmente, acho que está bom aqui, mas faremos o que ele decidir... – Ela abriu os olhos e olhou para o céu azul translúcido. – É minha imaginação ou está mais quente hoje?

Momentos depois, ouviu-se o farfalhar das folhas no chão, e Hugh sentou, com o rosto confuso e o cabelo desgrenhado.

– Bom dia, querida – ele disse a Amanda. Seu olhar se voltou para Chloe. – Bom dia – repetiu de forma casual.

– Bom dia – respondeu ela, olhando para ele, e se levantou. – É melhor eu ir andando. Tenho muita coisa para fazer.

BOA PARTE DA MANHÃ já havia passado quando eles terminaram de secar a casa, arrumar todos os pertences e reunir as malas no corredor. Amanda e Jenna levaram as crianças para o andar de baixo para alimentá-las, enquanto Chloe verificava se havia algum pertence perdido debaixo das camas. Por fim, quando sua cabeça começou a girar, ela desistiu. O que fora perdido permaneceria perdido. Esfregando a testa, sentou sobre uma mala e levantou os olhos quando Philip se aproximou. Ele parecia contente e tinha uma chave de fenda nas mãos.

– Até que enfim! – exclamou ele. – Acho que resolvi o problema do fusível.

– É mesmo? – perguntou Chloe. – Tem certeza?

– Bem, o ar-condicionado voltou a funcionar. Deixei um recado para a empregada, apenas por segurança. E acho que devemos uma explicação ao Gerard.

– Claro – disse Chloe. – Concordo.

Philip sentou-se junto dela. Durante algum tempo, eles permaneceram em silêncio, imersos nos próprios pensamentos. Então, Chloe olhou para ele.

– Você estava certo a respeito do Gerard – disse ela em tom assertivo. – Estava certo desde o início. Eu estava enganada.

– Ah, Chloe. – Philip a abraçou e a beijou. – Não é que eu estava *certo*. Não fazia ideia que isso iria acontecer. Eu só... não gosto do cara. Acho que sou ciumento.

– Ciumento?

– Não quero dividir você com ninguém.

– Tem razão – disse Chloe após uma pausa – ... e eu não quero ser dividida.

Ela o beijou, fechando os olhos, com uma paixão súbita; acostumando-se novamente com o seu toque, com a sua pele e com o seu cheiro. Como se estivesse voltando para casa.

– Parece que faz uma eternidade – sussurrou ela no ouvido dele.

– É porque faz mesmo uma eternidade. – Philip a fitou com olhar de desejo. – Quando exatamente temos que ir embora?

AS MALAS JÁ ESTAVAM NA MINIVAN.

– Onde estão Philip e Chloe? – perguntou Amanda pela terceira vez, olhando o relógio. – Se quisermos arranjar um lugar para passar a noite, temos que nos apressar.

A porta se abriu e Philip apareceu, seguido de Chloe. Ambos estavam ligeiramente ruborizados.

– Desculpe – disse Chloe. – Acabamos... nos atrasando. – Ela viu que Hugh a observava e desviou o olhar.

– Certo – disse Amanda. – Agora, onde as meninas se meteram? Elas não estão na piscina, não é?

– Vou procurá-las – ofereceu-se Hugh.

– Não, pode deixar – retrucou Amanda. – Eu vou...

– Espere – disse Chloe, erguendo o pedaço de papel que segurava. – Escrevi um recado para o Gerard.

Ela abriu o papel e leu em voz alta:

– "Caro Gerard. Obrigada pela casa! Desculpe termos ido embora antes de você chegar. Nos divertimos muito. *Adiós!*" – Ela levantou os olhos. – E todos nós assinaremos.

– Parece perfeito – disse Amanda, antes de pegar o papel e escrever o seu nome. Depois, foi em direção à piscina. Os outros três se entreolharam.

– Achei o bilhete muito educado – disse Philip. – Precisamos ser tão gentis?

– Não acho que seja educado, de maneira nenhuma. Acho que ele entenderá perfeitamente – disse Hugh. Ele pegou o papel e assinou, e Philip repetiu o gesto.

– Bem – disse Chloe, assinando com um floreio. – Então é isso.

– De volta à vida real – completou Philip. – Acho que estou pronto.

– A que horas é o seu voo? – perguntou Hugh.

– Às 17 horas. Falta muito tempo.

– Houve alguma dificuldade?

– Cobraram uma pequena sobretaxa – disse Philip. – É o preço que se paga, eu acho. E você?

– Vamos dar umas voltas por aí – respondeu Hugh, apontando para o carro. – Não sei realmente o que eu quero fazer.

– Bem, quando voltar à Inglaterra – disse Philip –, não se esqueça de me telefonar. Podemos ir juntos à central de empregos. – Ele deu um sorriso retorcido. – Os desempregados unidos.

– Claro – assentiu Hugh, sorrindo. – Com certeza.

Chloe levantou os olhos. Havia algo de estranho na voz e no sorriso de Hugh.

– Quem sabe a gente acaba ganhando a vida tirando a roupa!

– Quem sabe – repetiu Hugh, sorrindo.

O que estaria acontecendo?, pensou Chloe. *Alguma coisa não estava certa.*

– Philip – disse ela repentinamente. – Coloque este recado em um lugar visível, na sala. E deixe um dinheiro para a empregada.

– Está bem – concordou Philip. – Quanto?

– Não importa – respondeu Chloe. – Deixe a quantia que você achar necessária. E verifique debaixo das camas novamente!

Ela esperou até a porta se fechar atrás de Philip e olhou diretamente para Hugh.

– Você não pediu demissão, não é? – perguntou ela. – Você não deixou o seu emprego.

Hugh a fitou, como se tivesse levado um tapa na cara. Tentou falar alguma coisa, mas desistiu.

– Ah, Hugh – lamentou Chloe. – O que você fez?

Hugh permaneceu em silêncio e começou a mexer no retrovisor do carro, evitando o olhar fixo de Chloe.

– Hugh...

– Eu tentei pedir demissão – cortou Hugh num ímpeto. – Tentei. Telefonei e falei ao chefe do departamento de recursos humanos exatamente como eu me sentia. Em detalhes. E...

– E?

– E ele me disse para tirar um mês de férias.

– Um mês – repetiu Chloe. – E você concordou?

Hugh não respondeu. O sol atravessou uma nuvem. Ao longe, ouviu-se o barulho de um avião.

– Chloe, eu não quero ficar desempregado – admitiu ele, finalmente. – Não tenho estrutura para isso. Não tenho espírito aventureiro, como você e Philip. Não tenho a mesma... coragem, suponho.

– E aquela história de passar mais tempo com a sua família?

– Eu vou cumprir! – exclamou Hugh. – Tenho um mês para isso. Tudo vai mudar.

– Em *um mês*?

– Mudarei completamente o modo como eu trabalho. Será diferente de agora em diante. Pode ter certeza.

– Amanda já sabe?

– Ainda não. Essa é a questão. Ela vai levar um choque. Depois, podemos nos reorganizar, começar tudo de novo, fazer as coisas de modo diferente...

Enquanto ele falava, Chloe o observava e, de repente, reconheceu aquele comportamento. Hugh tinha exatamente a mesma expressão inflexível que ela vira em seu rosto quando ele tinha 20 anos, no instante em que tomou conhecimento da existência de Sam. Uma expressão que, na época, ela não entendera, mas analisara durante mil noites insones. Envergonhado, consciente da própria fraqueza, tentando se justificar, mas determinado a não se dar por vencido. O instinto de autopreservação falava tão alto em Hugh Stratton que nada o destruía.

Ela deu um suspiro profundo, liberando algo de dentro de si.

– Você jamais se arriscaria tanto, não é? – disse ela de modo simples. – Jamais daria um passo tão grande.

Hugh se aproximou, olhando-a intensamente.

– Eu teria me arriscado desta vez – declarou ele. – Se você tivesse dito sim.

– Teria mesmo? – Chloe sorriu demonstrando desconfiança.

Os dois ficaram em silêncio. Logo depois, uma porta bateu e ouviu-se o som de vozes cada vez mais perto.

– Chloe, não pense mal de mim – pediu Hugh. – Da última vez que nos separamos... você me desprezava. Não faça isto desta vez.

– Não o desprezo – retrucou Chloe.

– Quero que você tenha uma imagem melhor a meu respeito do que naquela época. – Sua voz tinha o tom de súplica. – Você me considera uma pessoa melhor agora?

– Vamos, Octavia! – Amanda se aproximava com passos largos, trazendo as crianças que choramingavam insatisfeitas.

– Considera? – repetiu Hugh. – Responda, Chloe.

– Chloe! – chamou Amanda. – Chloe?

Lançando um olhar indefeso a Hugh, Chloe virou a cabeça.

– Oi.

– Você viu um protetor solar fator 12? Da Lancôme?

– Eu... acho que não – respondeu Chloe.

– Sei que estava na piscina esta manhã – disse Amanda balançando a cabeça. – Tudo bem. Essas coisas acontecem. Cadê a Jenna? Jenna!

– Tudo pronto – disse Philip, fechando a porta da casa.

– Ótimo – disse Chloe. Ela tornou a olhar para Hugh e se afastou, indo em direção ao seu carro.

Jenna e Sam apareceram, um pouco ruborizados.

– Tchau – disse Jenna informalmente, e jogou a mochila nas costas.

– Tchau – murmurou Sam, com ar indiferente. – A gente se vê. – Despediram-se com um rápido aperto de mãos, e foram para seus respectivos carros.

– Bem – disse Amanda. – Devíamos *nos* encontrar qualquer hora. Para beber alguma coisa ou algo assim. Logo que a obra acabar, nós os convidaremos. Podemos marcar um jantar. Ou um brunch!

– Quem sabe – disse Chloe.

– Quem sabe – repetiu Hugh.

Ao olhar nos seus olhos, ela percebeu que isso jamais iria acontecer. Nunca se encontrariam novamente; pelo menos não de forma deliberada. Talvez por acaso. Ela teve um súbito vislumbre dos dois se esbarrando, em dez anos. No teatro, ou durante as compras de Natal. Ambos mais velhos, no conforto da meia-idade; as duas meninas adolescentes e mal-humoradas. Sam nos seus 20 e poucos anos. Uma saudação surpresa, perguntas educadas, risos ao se lembrarem daquelas férias, agora apenas uma história engraçada para lembrar. Uma rápida e silenciosa troca de olhares. Uma promessa de se encontrarem novamente, antes de sumirem na multidão, mais uma vez.

– É, quem sabe – disse ela novamente, e desviou o olhar.

– Certo – disse Hugh, virando-se para Octavia e Beatrice. – Tudo pronto? Vamos.

– Se Jenna sentar no meio... – sugeriu Amanda, franzindo a testa. – Isso significa que Beatrice deve entrar primeiro.

– Quero sentar ao lado do papai – choramingou Beatrice. – Quero brincar de fazer careta.

– Posso brincar de fazer caretas – disse Jenna.

– Quero com o *papai* – insistiu Beatrice, e uma onda de satisfação tomou conta de Hugh, como vento quando atravessa o mar.

– Brincaremos quando pararmos – disse ele, com voz leve e feliz. – Prometo, Beatrice. – Ele entrou no carro e abriu a janela. – Adeus, Philip. Adeus, Chloe.

Ao lado dele, Amanda afivelava o cinto de segurança.

Ela se abaixou para pegar algo de uma bolsa que estava aos seus pés, e Chloe foi até a janela de Hugh.

– Hugh – disse ela apressadamente. – Hugh, o que você perguntou antes...

Ela hesitou, e ele se virou em direção à janela, com o rosto tenso.

– A resposta é sim – disse Chloe. – Considero.

Uma expressão de felicidade surgiu no rosto de Hugh.

– Obrigado – disse em tom informal.

– Está tudo certo – disse Chloe. – Façam... façam uma boa viagem.

Hugh sentiu-se tomado pela emoção. Acenou com a cabeça e ligou o carro. Ao seu lado, segurando uma pequena bolsa de maquiagem, Amanda se acomodou e disse algo que Chloe não conseguiu ouvir. Depois, virou e acenou para Chloe, que retribuiu o gesto.

Ela permaneceu imóvel enquanto o carro descia a entrada da casa até desaparecer além dos portões. Por fim, fitou o local onde estiveram. Onde ele estivera. Quando Philip pôs a mão em seu ombro, ela se virou com um sorriso.

– Podemos ir? – perguntou ela. – Não falta mais nada, não é?

– De jeito nenhum – respondeu Philip, abraçando-a. – Não falta mais nada.

Este livro foi composto na tipologia Adobe Calson Pro, em
corpo 11,5/15,9, e impresso em papel off-white 80g/m²
no Sistema Cameron da Divisão Gráfica da Distribuidora Record.